개념엔 유형학습

중학수학 1·1

도움 주신 분들

1판 12쇄 2023년 11월 24일
펴낸곳 메가스터디(주)
펴낸이 손은진
디자인 이정숙, 윤인아
제작 신심철
주소 서울시 서초구 효령로 304(서초동) 국제전자센터 24층
대표전화 1661.5431
홈페이지 http://www.megastudybooks.com
출판사 신고 번호 제 2015-000159호

메가스터디BOOKS
'메가스터디북스'는 메가스터디㈜의 출판 전문 브랜드입니다. 유아/초등 학습서, 중고등 수능/내신 참고서는 물론, 지식, 교양, 인문 분야에서 다양한 도서를 출간하고 있습니다.

머리말

"어떤 문제집이 좋아요?"

제자들을 가르치면서 가장 많이 받게 되는 질문 중에 하나입니다.
그런 질문을 들으며 이런 고민을 하게 되었습니다.
"좋은 문제집을 추천해주는 것도 좋겠지만 세상의 어떤 문제라고 다 풀 수 있게 해주면 좋을 텐데..."
그런 마음으로 「유형 학습」이라는 문제집을 준비하게 되었습니다.

수학 문제의 출제의도를 정확히 파악할 수 있다면 더 폭넓게 이해하고 응용할 수 있을 것이라는 믿음이 있었기 때문입니다.

그래서 선생님은 우리 제자들이 개념을 재미있고 확실하게 이해하고, 그 개념이 문제에 어떻게 적용되는지 정확히 해석할 수 있도록, 나아가 다양한 소재의 문제풀이를 통해 실생활 문제나 수능형 문제에도 잘 적응할 수 있도록 만들어주고 싶습니다.

- ⊘ 개념이 확실히 머릿속에 잡히고 그 생각들이 움직여 잘 적용될 수 있도록
- ⊘ 수학에 대한 흥미를 잃지 않고 문제 해결의 재미를 느낄 수 있도록
- ⊘ 편리하고 효율적으로 학습할 수 있도록
- ⊘ 단순히 학문에만 그치지 않고 실생활에 활용할 수 있도록

「유형 학습」은 문제를 유형화하고, 보다 어려운 문제로 한번 더 반복하고, 그리고 마지막에 스스로 풀어보면서 자신의 것으로 만들 수 있도록 구성했습니다.
또한, 심화-서술형 문제, 실생활 문제에 대한 적응력을 기를 수 있는 코너와 스스로 자신의 실력을 도전을 통해 흥미롭게 점검할 수 있는 코너까지 준비해 다양한 방법으로 재미있게 학습할 수 있도록 꾸몄습니다.

그동안 이 책이 나올 수 있도록 노력해주신 모든 분들께 감사드리며, 그 노력이 우리 제자들의 꿈을 이루는데 조금이나마 보탬이 되기를 진심으로 바랍니다.

선생님 추천 학습법 ▶

① **내가 이해한 개념을 직접 설명해 보자.**
개념 부분은 혼자서 해결할 수 없는 것이 많기 때문에 수업을 통해서 확실히 이해할 필요가 있다. 혼자서 학습하면 10시간이 걸리는 내용도 수업을 통해서는 1시간만에도 이해할 수 있기 때문이다. 하지만 가장 중요한 것은 내가 이해한 내용을 다른 사람에게 설명할 수 있을 만큼 집중력 있게 학습해야 한다.

② **어려운 문제는 20분간 고민해 보자.**
나의 수준보다 조금 더 어려운 문제에 도전하면서 스스로 부족한 면을 정확히 파악하고, 고난이도 문제에 적응 할 수 있어야 내 실력을 끌어올릴 수 있다. 하지만 어려운 문제를 오래 고민하다 보면 자칫 수학에 대한 흥미를 잃거나 시간을 낭비하게 될 수 있으므로 20분간만 고민한다.

구성과 특징

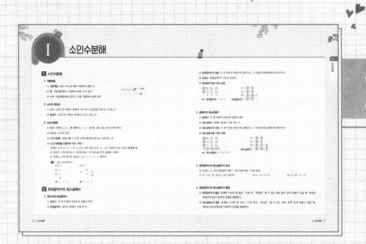

1 단원별 개념 정리

각 단원별로 꼭 알아야 할 필수 개념을 한 번에 확인할
수 있도록 구성

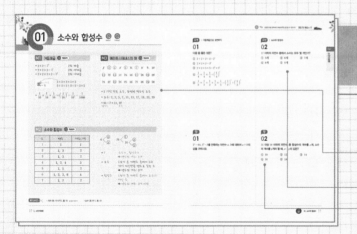

2 주제별 유형 학습

개념을 유형에 적용할 수 있도록 구성

주제별 개념 정리: 선생님만의 개념 설명 노하우를 담아
선생님이 직접 쓴 핵심 개념 노트

유형(有形)문제: 문제의 출제 의도를 정확히 이해할 수 있는 유형 문제

학(學)문제: 개념의 응용과 파생된 유형을 파악할 수 있는 문제

이 책을 공부하는 법

본문의 학습 방법

① 선생님 강의를 들으면서 개념 노트를 이해한다.

② 출제의도를 파악하면서 유형(有形) 문제를 푼다.

③ 학(學) 문제를 통해 해당 유형을 다시 한번 익힌다.

④ 단원 종합 문제를 풀면서 해당 단원을 확실히 이해했는지 점검한다.

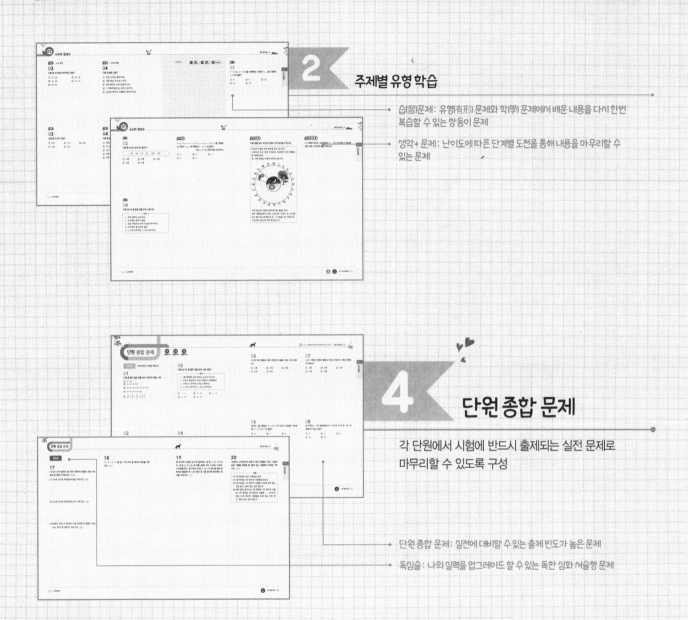

2

주제별 유형 학습

- 습(習)문제: 유형(有形) 문제와 학(學) 문제에서 배운 내용을 다시 한번 복습할 수 있는 쌍둥이 문제
- 생각+ 문제: 난이도에 따른 단계별 도전을 통해 내용을 마무리할 수 있는 문제

4

단원 종합 문제

각 단원에서 시험에 반드시 출제되는 실전 문제로 마무리할 수 있도록 구성

- 단원 종합 문제: 실전에 대비할 수 있는 출제 빈도가 높은 문제
- 독심술: 나의 실력을 업그레이드 할 수 있는 독한 심화 /서술형 문제

① 개념 노트를 다시 한번 읽고, 나만의 개념 정리 노트를 만든다.

② 강의를 들으면서 이해되지 않았던 문제들을 다시 한번 풀어 본다.

③ X 표시한 유형을 다시 한번 풀어 본다.

복습 방법

차례

I 소인수분해

01	소수와 합성수	11
02	소인수분해	17
03	최대공약수와 최소공배수	23
04	최대공약수와 최소공배수의 활용	29

II 정수와 유리수

01	정수와 유리수의 뜻	47
02	수의 대소 관계	53
03	정수와 유리수의 덧셈과 뺄셈	59
04	정수와 유리수의 곱셈	65
05	정수와 유리수의 나눗셈	71

III 문자의 사용과 식의 계산

01	문자의 사용	87
02	다항식	93
03	일차식과 그 계산	99

IV 일차방정식

01 방정식의 뜻과 해   115

02 등식의 성질과 일차방정식   121

03 일차방정식의 풀이   127

V 일차방정식의 활용

01 일차방정식의 활용−수   143

02 일차방정식의 활용−도형   149

03 일차방정식의 활용−속력   155

04 일차방정식의 활용−농도   161

VI 그래프와 비례 관계

01 순서쌍과 좌표평면   177

02 그래프와 그 해석   183

03 정비례 관계와 그 그래프   189

04 반비례 관계와 그 그래프   195

05 정비례 관계와 반비례 관계의 활용   201

I

소인수분해

☑ 학습 계획 및 성취도 체크

· 유형 이해도에 따라 ☐ 안에 O, △, X를 표시합니다.

· 시험 전에 X 표시한 유형은 반드시 한 번 더 풀어 봅니다.

01 소수와 합성수

	학습 계획	1차 학습	2차 학습
유형 01 거듭제곱으로 표현하기	/	☐	☐
유형 02 소수와 합성수	/	☐	☐
유형 03 소수 찾기	/	☐	☐
유형 04 소수의 성질	/	☐	☐

02 소인수분해

	학습 계획	1차 학습	2차 학습
유형 05 소인수분해하기	/	☐	☐
유형 06 제곱인 수 찾기	/	☐	☐
유형 07 소인수분해를 이용하여 약수 구하기	/	☐	☐
유형 08 약수의 개수 구하기	/	☐	☐

03 최대공약수와 최소공배수

	학습 계획	1차 학습	2차 학습
유형 09 최대공약수 구하기	/	☐	☐
유형 10 최소공배수 구하기	/	☐	☐
유형 11 지수에 포함된 미지수 구하기	/	☐	☐
유형 12 최대공약수와 최소공배수의 관계	/	☐	☐

04 최대공약수와 최소공배수의 활용

	학습 계획	1차 학습	2차 학습
유형 13 수의 활용	/	☐	☐
유형 14 개수의 활용	/	☐	☐
유형 15 도형에의 활용	/	☐	☐
유형 16 여러 가지 활용	/	☐	☐

Ⅰ 소인수분해

1 소인수분해

1. 거듭제곱

(1) **거듭제곱**: 같은 수나 문자를 거듭하여 곱한 것

(2) **밑**: 거듭제곱에서 거듭하여 곱한 수나 문자

(3) **지수**: 거듭제곱에서 문자나 수를 거듭하여 곱한 횟수

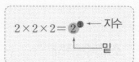

2. 소수와 합성수

(1) **소수**: 1보다 큰 자연수 중에서 1과 자기 자신만을 약수로 가지는 수

(2) **합성수**: 1보다 큰 자연수 중에서 소수가 아닌 수

3. 소인수분해

(1) **인수**: 자연수 a, b, c에 대하여 $a=b \times c$일 때, b와 c를 a의 인수라 한다.

(2) **소인수**: 소수인 인수

(3) **소인수분해**: 자연수를 그 수의 소인수들만의 곱으로 나타내는 것

(4) **소인수분해를 이용하여 약수 구하기**

　자연수 A가 $A=a^m \times b^n$ (a, b는 서로 다른 소수, m, n은 자연수)으로 소인수분해될 때

　① 자연수 A의 약수는 a^m의 약수와 b^n의 약수를 각각 곱하여 구한다.

　② 자연수 A의 약수의 개수는 $(m+1) \times (n+1)$개이다.

예 18을 소인수분해하기

2 최대공약수와 최소공배수

1. 공약수와 최대공약수

(1) **공약수**: 두 개 이상의 자연수의 공통인 약수

(2) **최대공약수**: 공약수 중에서 가장 큰 수

(3) 최대공약수의 성질: 두 개 이상의 자연수의 공약수는 그 수들의 최대공약수의 약수이다.

(4) 서로소: 최대공약수가 1인 두 자연수

(5) 최대공약수를 구하는 방법

$$
\begin{array}{r}
2\,)\underline{12\ \ 24\ \ 30} \\
3\,)\underline{\ 6\ \ 12\ \ 15} \\
2\ \ \ \ 4\ \ \ \ 5
\end{array}
$$

$$
\begin{aligned}
12 &= 2^2 \times 3 \\
24 &= 2^3 \times 3 \\
30 &= 2 \times 3 \times 5
\end{aligned}
$$

➡ (최대공약수)$= 2 \times 3$　　(최대공약수)$= 2 \times 3$

2. 공배수와 최소공배수

(1) 공배수: 두 개 이상의 자연수의 공통인 배수

(2) 최소공배수: 공배수 중에서 가장 작은 수

(3) 최소공배수의 성질: 두 개 이상의 자연수의 공배수는 그 수들의 최소공배수의 배수이다.

(4) 최소공배수를 구하는 방법

$$
\begin{array}{r}
2\,)\underline{12\ \ 24\ \ 30} \\
2\,)\underline{\ 6\ \ 12\ \ 15} \\
3\,)\underline{\ 3\ \ \ 6\ \ 15} \\
1\ \ \ \ 2\ \ \ \ 5
\end{array}
$$

$$
\begin{aligned}
12 &= 2^2 \times 3 \\
24 &= 2^3 \times 3 \\
30 &= 2 \times 3 \times 5 \\
\text{(최소공배수)} &= 2^3 \times 3 \times 5
\end{aligned}
$$

➡ (최소공배수)$= 2^3 \times 3 \times 5$

3. 최대공약수와 최소공배수의 관계

두 자연수 A, B의 최대공약수를 G, 최소공배수를 L이라 하면

(1) $A = aG$, $B = bG$ (a, b는 서로소)　　(2) $L = a \times b \times G$　　(3) $A \times B = L \times G$

4. 최대공약수와 최소공배수의 활용

(1) 최대공약수의 활용: 문제에 '가능한 한 많은', '가장 큰', '최대한', '될 수 있는 대로 많이' 등의 표현이 있을 때, 대부분 최대공약수를 이용하여 문제를 해결한다.

(2) 최소공배수의 활용: 문제에 '가능한 한 적은', '가장 작은', '최소한', '될 수 있는 대로 적게' 등의 표현이 있을 때, 대부분 최소공배수를 이용하여 문제를 해결한다.

01 소수와 합성수
Mstory1　Mstory2

M1 거듭제곱 ⊛ 개념강의

- $2 \times 2 = 2^2$　　　　2의 제곱
- $2 \times 2 \times 2 = 2^3$　　　2의 세제곱
- $2 \times 2 \times 2 \times 2 = 2^4$　　2의 네제곱

 3^5 ← 지수　$3 \times 3 \times 3 \times 3 \times 3$
　← 밑　　$3 + 3 + 3 + 3 + 3 = 3 \times 5$

- $\dfrac{1}{10} \times \dfrac{1}{10} \times \dfrac{1}{10} = \left(\dfrac{1}{10}\right)^3 = \dfrac{1}{10^3} = \dfrac{1}{1000}$

M3 에라토스테네스의 체 ⊛ 개념강의

1̸	②	③	4̸	⑤	6̸	⑦	8̸	9̸	1̸0̸
⑪	1̸2̸	⑬	1̸4̸	1̸5̸	1̸6̸	⑰	1̸8̸	⑲	2̸0̸
2̸1̸	2̸2̸	㉓	2̸4̸	2̸5̸	2̸6̸	2̸7̸	2̸8̸	㉙	3̸0̸

- 2 가장 작은 소수, 유일한 짝수인 소수
- 소수: 2, 3, 5, 7, 11, 13, 17, 19, 23, 29
- $91 = 7 \times 13$,　97
　합성수　　　　　소수

M2 소수와 합성수 ⊛ 개념강의

수	약수	개수(개)
1	1	1
2	1, 2	2
3	1, 3	2
4	1, 2, 4	3
5	1, 5	2
6	1, 2, 3, 6	4
7	1, 7	2

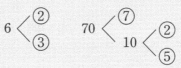

$6 \Big\langle \begin{smallmatrix} ② \\ ③ \end{smallmatrix}$　　$70 \Big\langle \begin{smallmatrix} ⑦ \\ 10 \end{smallmatrix} \Big\langle \begin{smallmatrix} ② \\ ⑤ \end{smallmatrix}$

- 1　　　소수✕, 합성수✕
　　　　➡ 약수의 개수: 1개
- 소수　1보다 큰 자연수 중에서 1과
　　　　자기 자신만을 약수로 갖는 수
　　　　➡ 약수의 개수: 2개
- 합성수　1보다 큰 자연수 중에서 소수가
　　　　아닌 수
　　　　➡ 약수의 개수: 3개 이상

용어사전 • **지수** (指 가리키다, 數 수) exponent　• **소수** (素 본디, 數 수)

| 거듭제곱으로 표현하기

01

다음 중 옳은 것은?

① $2+2+2+2=2^4$

② $2 \times 2 \times 2 = 3^2$

③ $2 \times 2 \times 5 \times 5 = 2^2 \times 5^2$

④ $\frac{1}{4} \times \frac{1}{4} \times \frac{1}{4} = \left(\frac{1}{4}\right)^2$

⑤ $\frac{1}{2} \times \frac{1}{2} \times \frac{1}{3} \times \frac{1}{3} \times \frac{1}{3} = \left(\frac{1}{2}\right)^2 + \left(\frac{1}{3}\right)^3$

01

$2^a = 64$, $5^3 = b$를 만족하는 자연수 a, b에 대하여 $a+b$의 값을 구하시오.

 | 소수와 합성수

02

17 이하의 자연수 중에서 소수는 모두 몇 개인가?

① 5개   ② 6개   ③ 7개

④ 8개   ⑤ 9개

02

31 이상 50 이하의 자연수 중 합성수의 개수를 x개, 소수의 개수를 y개라 할 때, $x-y$의 값은?

① 10   ② 12   ③ 14

④ 16   ⑤ 18

03

다음 중 소수로만 짝지어진 것은?

① 37, 39   ② 47, 49

③ 57, 63   ④ 71, 73

⑤ 89, 91

03

다음 중 소수인 것은?

① 101   ② 143   ③ 169

④ 256   ⑤ 323

04

다음 중 옳은 것은?

① 모든 소수는 홀수이다.

② 가장 작은 소수는 1이다.

③ 2의 배수는 모두 합성수이다.

④ 7 이하의 홀수는 모두 소수이다.

⑤ 소수는 약수가 2개뿐인 자연수이다.

04

다음 중 옳지 <u>않은</u> 것은?

① 짝수인 소수는 1개뿐이다.

② 두 소수의 곱은 소수이다.

③ 1은 소수도 합성수도 아니다.

④ 6의 배수는 모두 합성수이다.

⑤ 3의 배수 중 소수는 1개뿐이다.

Tip : 페이지 번호를 클릭하면 **스마트매쓰+**를 이용하실 수 있어요!

+MEMO

01

$2^x = 128$, $3^y = 243$을 만족하는 자연수 x, y에 대하여 $x+y$의 값은?

① 8   ② 9   ③ 10

④ 11   ⑤ 12

02

15 미만의 자연수 중에서 합성수의 개수는?

① 5개   ② 6개   ③ 7개

④ 8개   ⑤ 9개

03

다음 중 소수는 모두 몇 개인가?

29, 39, 47, 87, 139, 187

① 2개   ② 3개   ③ 4개

④ 5개   ⑤ 6개

생각 +

$a \times b \times b \times a \times c \times a \times b \times c \times a = a^x \times b^y \times c^z$을 만족하는 자연수 x, y, z에 대하여 $x - y + z$의 값은?

(단, a, b, c는 서로 다른 소수이다.)

① 1   ② 2   ③ 3

④ 4   ⑤ 5

04

다음 〈보기〉 중 옳은 것을 모두 고르시오.

〈 보기 〉

ㄱ. 모든 홀수는 소수이다.

ㄴ. 소수에는 짝수가 없다.

ㄷ. 모든 자연수는 자기 자신의 약수이다.

ㄹ. 6의 배수 중 소수는 없다.

ㅁ. a, b가 소수이면 $a + b$도 소수이다.

생각 ✚✚

다음 글을 읽고 자신의 미래의 수학 점수를 구하시오.

자신의 미래의 수학 점수를 알고 싶나요?

그렇다면 우선 아래 시간표에 자신만의 멋진 계획표
를 세워보세요.

단, 수학 공부는 꾸준히 하셔야 합니다.

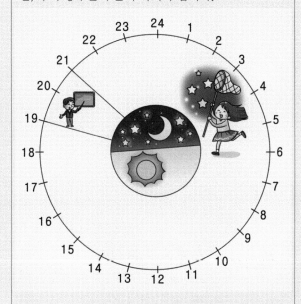

이제 당신의 미래의 수학 점수를 말씀드리죠.

위의 계획표에서 1부터 24까지의 자연수 중 소수를
모두 찾아 동그라미를 친 후, 그 수들을 모두 더합니다.

그게 바로 당신의 수학 점수입니다.

생각 ✚✚✚

20 이하의 자연수 n에 대하여 $3^n - 1$이 5의 배수가 되도록
하는 모든 n의 값의 합을 구하시오.

02 소인수분해
Mstory1 Mstory2

M1 소인수분해 ⊗ 개념강의

$6 = 1 \times 6$
$\quad = \underline{2 \times 3}$

소수인 인수만의 곱으로 분해

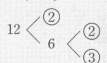

$$(약수) = (인수)$$
$$\div \qquad \times$$

- 나눗셈

$\begin{array}{r} 2\,)\,12 \\ 2\,)\,\,\,6 \\ \hline 3 \end{array}$ ➡ $12 = 2 \times 2 \times 3 = 2^2 \times 3$

- 나무그림

$12 \bigg\langle \begin{array}{l} ② \\ 6 \end{array} \bigg\langle \begin{array}{l} ② \\ ③ \end{array}$

M2 소인수분해로 약수 구하기 ⊗ 개념강의

$24 = 1 \times 24$
$\quad = 2 \times 12$
$\quad = 3 \times 8$
$\quad = 4 \times 6$
$24 = 2^3 \times 3$

		2^3의 약수		
$\times$	1	2	2^2	2^3
1	1	2	4	8
3^1	3	6	12	24

3의 약수

$a^l \times b^m \times c^n$
(단, a, b, c는 서로 다른 소수, l, m, n은 자연수)

- 약수 (2^3의 약수)×(3의 약수) (a^l의 약수)×(b^m의 약수)×(c^n의 약수)
- 약수의 개수 $(3+1) \times (1+1)$ $(l+1) \times (m+1) \times (n+1)$

용어사전 ✂ · 인수(因원인, 數숫자) factor · 소인수 (prime factor)

| 소인수분해하기

05

다음 중 소인수분해가 바르게 된 것은?

① $12 = 2^2 \times 3^2$

② $36 = 3^2 \times 4$

③ $50 = 2 \times 5^2$

④ $90 = 2^2 \times 3 \times 5$

⑤ $100 = 10^2$

 | 제곱인 수 만들기

06

180에 자연수를 곱하여 어떤 자연수의 제곱이 되게 하려고 한다. 곱해야 하는 가장 작은 자연수는?

① 2　　　　② 3　　　　③ 5

④ 6　　　　⑤ 10

05

다음 중 546의 소인수가 <u>아닌</u> 것은?

① 2　　　　② 3　　　　③ 7

④ 11　　　　⑤ 13

06

$108 \times a = b^2$을 만족하는 자연수 a, b를 구하려고 한다. 다음 중 a의 값이 될 수 <u>없는</u> 것은?

① 3　　　　② 4　　　　③ 12

④ 27　　　　⑤ 75

유형 07 | 소인수분해를 이용하여 약수 구하기

다음 중 120의 약수가 <u>아닌</u> 것은?

① 2×5 ② $2^3 \times 3$

③ $2^3 \times 5$ ④ $2^2 \times 3 \times 5$

⑤ $2^2 \times 3^3$

유형 08 | 약수의 개수 구하기

다음 중 약수의 개수가 가장 많은 것은?

① 75   ② 2^8

③ $2^2 \times 3^2$ ④ $4^2 \times 6$

⑤ $1 \times 2 \times 3 \times 4$

學 07

$\dfrac{175}{n}$ 를 자연수가 되게 하는 자연수 n을 모두 구하시오.

學 08

자연수 $2^3 \times x$의 약수의 개수가 8개일 때, 다음 중 x의 값이 될 수 <u>없는</u> 것은?

① 3   ② 7   ③ 9

④ 13   ⑤ 16

Tip : 페이지 번호를 클릭하면 스마트매쓰⁺ 를 이용하실 수 있어요!

+MEMO

 라디오수타

꼼

05

84의 모든 소인수의 합은?

① 5   ② 9   ③ 12

④ 17   ⑤ 19

꼼

06

480을 가장 작은 자연수 a로 나누어 어떤 자연수의 제곱이 되게 하려고 할 때, a의 값은?

① 3   ② 6   ③ 10

④ 15   ⑤ 30

꿀 07

다음 중 $2 \times 3^2 \times 5^2$의 약수가 <u>아닌</u> 것은?

① 6   ② 18   ③ 30

④ 60   ⑤ 225

생각 ➕

504의 약수 중에서 어떤 자연수의 제곱이 되는 수의 개수를 구하시오.

꿀 08

360의 약수의 개수와 $3^2 \times 5 \times 7^x$의 약수의 개수가 같을 때, 자연수 x의 값은?

① 1   ② 2   ③ 3

④ 4   ⑤ 5

생각++

네 개의 자연수 4, 11, 18, 33을 다음 〈보기〉와 같이 배열하면 이웃하는 것끼리 1이 아닌 공약수가 존재한다.

─〈 보기 〉─

4 ― 18 ― 33 ― 11

이와 같은 방법으로 다음과 같은 7개의 수를 이웃하는 것끼리 1이 아닌 공약수가 존재하도록 배열하시오. (단, 가장 왼쪽에 있는 수는 가장 오른쪽에 있는 수보다 작다.)

14, 17, 25, 26, 35, 39, 51

 생각+++

175의 약수의 총합을 구하시오.

03 최대공약수와 최소공배수

Mstory1 Mstory2

M1 최대공약수와 최소공배수 🎯 개념강의

┌ 8의 약수: ①, ②, ④, 8
└ 12의 약수: ①, ②, 3, ④, 6, 12

8과 12의 공약수: 1, 2, ④

➡ 공약수는 최대공약수(G)의 약수

┌ 3의 약수: ①, 3
└ 4의 약수: ①, 2, 4

서로소   최대공약수 1

┌ 4의 배수: 4, 8, ⑫, 16, 20, ㉔, …
└ 6의 배수: 6, ⑫, 18, ㉔, 30, 36, …

4와 6의 공배수: ⑫, 24, 36

➡ 공배수는 최소공배수(L)의 배수

┌ 3의 배수: 3, 6, 9, ⑫, …
└ 4의 배수: 4, 8, ⑫, 16, …

서로소   최소공배수 $3 \times 4 = 12$

M2 소인수분해를 이용하여 $\binom{\text{최대공약수}}{\text{최소공배수}}$ 구하기 🎯 개념강의

$$
\begin{array}{r|rr}
G\,2 & 90 & 36 \\
\hline
3 & 45 & 18 \\
\hline
3 & 15 & 6 \\
\hline
& 5 & 2
\end{array}
$$
↑ ↑ 서로소

$90 = 2 \times 3^2 \times 5$
$36 = 2^2 \times 3^2$
$G = 2^① \times 3^2$ (작거나 같음)
$L = 2^2 \times 3^2 \times 5$ (크거나 같음)

➡

$$
\begin{array}{r|rrr}
G\,6 & 18 & 30 & 54 \\
\hline
\downarrow & 3 & 5 & 9
\end{array}
$$

$$
\begin{array}{r|rrr}
6 & 18 & 30 & 54 \\
\hline
3 & 3 & 5 & 9 \\
\hline
& 1 & 5 & 3
\end{array}
$$
→ 270

M3 최대공약수와 최소공배수의 관계 🎯 개념강의

$$
\begin{array}{r|rr}
3 & 6 & 15 \\
\hline
& 2 & 5
\end{array}
$$
↑ ↑ 서로소

$\begin{array}{c} 6 = 3 \times 2 \\ \times \\ 15 = 3 \times 5 \end{array}$
90

$\begin{array}{c} G = 3 \\ \times \\ L = 30 \end{array}$
90

➡

$$
\begin{array}{r|rr}
G & A & B \\
\hline
& a & b
\end{array}
$$
↑ ↑ 서로소

$A = G \times a$
$B = G \times b$

G
$L = G \times a \times b$

• $A \times B = G \times a \times G \times b = L \times G$

 • 최대공약수 Greatest Common Divisor ➡ G.C.D
• 최소공배수 Least Common Multiple ➡ L.C.M

유형 | 최대공약수 구하기

09

다음 중 두 수 $2^2 \times 3 \times 5^3$, $2 \times 3^2 \times 5^2$의 공약수가 <u>아닌</u> 것은?

① 2   ② 2×3 ③ 3×5^2

④ $2 \times 3^2 \times 5$ ⑤ $2 \times 3 \times 5^2$

유형 | 최소공배수 구하기

10

2×3^2의 배수이면서 $2^2 \times 3 \times 7$의 배수인 자연수 중에서 가장 작은 수를 구하시오.

09

다음 세 수의 최대공약수를 소인수분해한 꼴로 나타내시오.

| $3^2 \times 5^2 \times 7^2$, | $2 \times 3^3 \times 7^2$, | 126 |

10

세 수 84, 126, 210의 최소공배수를 구하시오.

11

두 수 $2^2 \times 3^a \times 5$, $2^b \times 3^2 \times 5^c$의 최대공약수가 $2^2 \times 3^2 \times 5$ 이고 최소공배수가 $2^2 \times 3^3 \times 5^2$일 때, $a+b+c$의 값을 구하시오. (단, a, b, c는 자연수)

12

두 자연수 A, 105의 최대공약수는 15이고 최소공배수가 630일 때, 자연수 A의 값은?

① 45   ② 60   ③ 75

④ 90   ⑤ 105

11

두 수 $2^2 \times 3^a \times 5$, $3 \times 5^b \times c$의 최소공배수가 6300일 때, 자연수 a, b, c에 대하여 $a+b+c$의 값은?

(단, $c > 5$인 소수이다.)

① 11   ② 12   ③ 13

④ 14   ⑤ 15

12

두 자리의 자연수가 2개 있다. 이 두 수의 곱이 9600이고 최대공약수가 8일 때, 두 수의 합은?

① 45   ② 48   ③ 54

④ 64   ⑤ 80

Tip : 페이지 번호를 클릭하면 스마트매쓰+를 이용하실 수 있어요!

라디오수타

질문

09

두 수 36과 24의 공약수의 개수는?

① 4개   ② 6개   ③ 8개

④ 9개   ⑤ 10개

질문

10

세 수 5, 12, 20의 공배수 중에서 500에 가장 가까운 수는?

① 480   ② 490   ③ 510

④ 520   ⑤ 530

11

두 수 $2^a \times 3^b \times 7$, $2^2 \times 3^3 \times c$의 최대공약수가 36이고 최소공배수가 $2^3 \times 3^3 \times 5 \times 7$일 때, 자연수 a, b, c에 대하여 $a+b+c$의 값을 구하시오. (단, $c>3$인 소수이다.)

세 자연수의 비가 $4:2:3$이고 최소공배수가 84일 때, 세 자연수의 최대공약수를 구하시오.

12

두 수의 곱이 52920이고 최대공약수가 42일 때, 이 두 수의 최소공배수는?

① 48　　　　② 64　　　　③ 84

④ 126　　　⑤ 152

생각 ++

다음 매미의 이야기를 읽고, 물음에 답하시오.

> 매미의 여러 종류 가운데 유지매미와 참매미는 산란
> 한 지 7년째에, 늦털매미는 5년째에 성충이 된다. 대
> 부분의 매미가 성충이 되는 햇수는 5년, 7년, 13년,
> 17년이고, 그 기간이 14년, 15년, 16년인 매미는 없
> 다고 한다. 매미가 성충이 되는 햇수에서 발견되는 공
> 통점은 그것이 모두 소수라는 것이다. 그 이유는 매미
> 가 자신의 천적의 주기를 피하기 위해서라고 알려져
> 있다. 매미의 주기가 6년이고 천적의 주기가 2년 또
> 는 3년이라면 매미와 천적은 6년마다 만나게 되지만
> 매미의 주기가 5년이라면 주기가 2년인 천적과는 10
> 년마다, 주기가 3년인 천적과는 15년마다 만난다.
> 즉, 주기가 소수이면 천적과 만나는 간격이 길어져 매
> 미의 생존율이 높아진다는 것이다.

(1) 성장 기간이 13년인 매미 A와 성장 기간이 17년인
    매미 B에 대하여 매미 A, B는 성장 기간이 3년인
    그들의 천적과 각각 몇 년마다 만나게 되는지 구하
    시오.

(2) 성장 기간이 13년인 매미가 성장 기간을 1년 줄인
    다고 가정하면 성장 기간이 4년인 천적과 만나는
    주기는 몇 년에서 몇 년으로 변하는지 구하시오.

생각 +++

세 자연수 24, 36, A의 최대공약수는 12이고 최소공배수
는 360일 때, 자연수 A로 가능한 모든 값의 합을 구하시오.

04 최대공약수와 최소공배수의 활용

M1 최대공약수의 활용 ⊙ 개념강의

가장 큰, 가능한 한 많은

- $\dfrac{32}{ⓧ}$, $\dfrac{56}{x}$, $\dfrac{72}{x}$ 를 모두 자연수로 만드는 자연수 x 가운데 가장 큰 수를 구하시오.

  1, 2, 4, … ➡ 32의 약수

  x는 32, 56, 72의 최대공약수

$$
\begin{array}{r}
G\,2\,)\,\underline{32\quad56\quad72} \\
4\,)\,\underline{16\quad28\quad36} \\
4\quad7\quad9
\end{array}
$$

8

M2 최소공배수의 활용 ⊙ 개념강의

가장 작은, 처음으로

- 어떤 자연수 $ⓧ$는 6, 15, 24의 어느 것으로 나누어도 나누어 떨어진다. 이러한 x 중 가장 작은 수를 구하시오. ⎯ 6, 12, 18 … ➡ 6의 배수

  x는 6, 15, 24의 최소공배수

$$
\begin{array}{r}
3\,)\,\underline{6\quad15\quad24} \\
2\,)\,\underline{2\quad5\quad8} \\
1\quad5\quad4
\end{array}
$$

→ 120

| 수의 활용

13

어떤 수로 92를 나누면 8이 부족하고, 75를 나누면 5가 부족하고, 67을 나누면 7이 남는다. 이러한 자연수 중에서 가장 큰 수를 구하시오.

 | 개수의 활용

14

사과 60개, 복숭아 36개, 귤 84개를 사람들에게 똑같이 나누어 주려고 한다. 다음 중 나누어 줄 수 있는 사람 수로 가능하지 <u>않은</u> 것은?

① 2명 　　② 3명 　　③ 4명

④ 6명 　　⑤ 8명

13

5, 6, 7의 어느 수로 나누어도 나머지가 2인 세 자리의 자연수를 모두 구하시오.

學

14

감이 200개보다 많고 300개보다 적게 있다. 이 감을 6개, 8개, 10개씩 포장하면 항상 5개가 남는다고 할 때, 14개씩 포장하면 감이 몇 개 남는지 구하시오.

유형 | 도형에의 활용

15

다음 그림과 같이 가로의 길이가 80 cm, 세로의 길이가 60 cm, 높이가 100 cm인 직육면체 모양의 치즈를 쪼개어 크기가 같은 정육면체 모양의 치즈 조각을 여러 개 만들려고 한다. 가능한 한 큰 정육면체 모양의 치즈 조각을 만들 때, 만들 수 있는 치즈 조각의 개수를 구하시오.

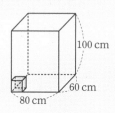

100 cm
60 cm
80 cm

유형 | 여러 가지 활용

16

서로 맞물려 도는 두 톱니바퀴 A, B가 있다. A의 톱니의 수는 20개이고, B의 톱니의 수는 12개이다. 두 톱니바퀴가 한 번 맞물린 후 같은 톱니에서 처음으로 다시 맞물릴 때까지 톱니바퀴 B는 몇 바퀴 회전해야 하는지 구하시오.

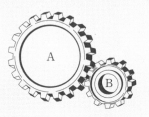

學

15

다음 그림과 같이 가로의 길이가 12 cm, 세로의 길이가 10 cm, 높이가 15 cm인 직육면체 모양의 벽돌을 빈틈없이 쌓아서 가능한 한 작은 정육면체 모양을 만들려고 한다. 이때, 직육면체 모양의 벽돌은 모두 몇 장 필요한지 구하시오.

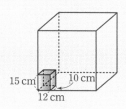

15 cm   10 cm
12 cm

學

16

가로의 길이가 100 m, 세로의 길이가 120 m인 직사각형 모양의 공원의 둘레에 일정한 간격으로 나무를 심으려고 한다. 나무 사이의 간격이 최대가 되도록 심을 때, 필요한 나무의 수를 구하시오.

(단, 네 모퉁이에는 반드시 나무를 심는다.)

Tip : 페이지 번호를 클릭하면 스마트매쓰⁺를 이용하실 수 있어요!

+MEMO

13

세 분수 $\dfrac{27}{7}$, $\dfrac{18}{5}$, $\dfrac{81}{25}$ 의 어느 것에 곱하여도 그 결과가

자연수가 되도록 하는 분수 중에서 가장 작은 분수를 $\dfrac{x}{y}$ 라

할 때, $x+y$의 값을 구하시오. (단, x와 y는 서로소이다.)

14

초콜릿 138개, 캐러멜 58개, 사탕 41개를 가능한 한 많은 학생들에게 똑같이 나누어 주려고 하였더니 초콜릿은 3개 가 남고, 캐러멜은 4개가 남고, 사탕은 4개가 부족하였다. 이때, 나누어 줄 수 있는 학생 수는?

① 6명   ② 7명   ③ 8명

④ 9명   ⑤ 10명

15

가로의 길이가 16 cm, 세로의 길이가 12 cm인 직사각형 모양의 종이를 겹치지 않게 빈틈없이 붙여서 가능한 한 작은 정사각형을 만들려고 한다. 이때, 필요한 직사각형 모양의 종이는 모두 몇 장인지 구하시오.

어떤 자연수를 6으로 나누면 4가 남고, 8로 나누면 6이 남고, 10으로 나누면 8이 남는다. 이러한 자연수를 가장 작은 것부터 크기순으로 나열할 때, 두 번째에 오는 수를 구하시오.

16

어느 버스 정류장에서 A 버스는 15분, B 버스는 25분, C 버스는 30분 간격으로 출발한다. 오전 8시에 세 버스가 동시에 출발한 후, 처음으로 다시 세 버스가 동시에 출발하는 시각을 구하시오.

다음 표와 같이 송희는 3일 간 일한 후 하루 쉬고, 현수는 7일 간 일한 후 3일 간 쉰다. 두 사람이 같은 날 일을 시작하여 300일 동안 함께 일을 할 때, 두 사람이 같이 쉬는 날은 며칠인가?

송희	○	○	○	×	○	○	○	×	○	○	○	×	○	…
현수	○	○	○	○	○	○	○	×	×	×	○	○	○	…

① 10일   ② 20일   ③ 30일

④ 40일   ⑤ 50일

생각 ✚✚✚

다음은 우리 조상들이 연도와 시간을 헤아릴 때 사용한 것으로 10일이라는 뜻에서 나온 '십간'과 12가지 동물을 나타내는 '십이지'를 나타낸 그림이다. 이를 차례대로 짝지으면 갑자(甲子), 을축(乙丑), 병인(丙寅), …, 계해(癸亥)와 같이 60개의 단어를 만들 수 있는데 이를 육십갑자라 한다.

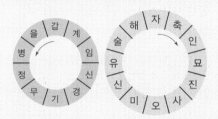

각 해마다 이를 하나씩 짝지어 그 해의 이름을 부르는데, 60개의 이름을 모두 순서대로 사용한 후에는 다시 처음의 이름부터 시작하여 부른다. 최근 몇 년의 이름이 다음 표와 같다.

십간	무	기	경	신	임
십이지	술	해	자	축	인
해	무술년 2018	기해년 2019	경자년 2020	신축년 2021	임인년 2022

위의 표를 이용하여 1500년대 후반인 임진년에 일본이 쳐들어온 임진왜란이 발생한 해를 구하시오.

단원 종합 문제

01

다음 중 옳지 <u>않은</u> 것을 모두 고르면? (정답 2개)

① $3^2 = 6$

② $5 \times 5 \times 5 = 5^3$

③ $2 \times 2 \times 3 \times 3 \times 3 = 2^2 \times 3^3$

④ $a + a + a + a = a^4$

⑤ $\dfrac{2}{7} \times \dfrac{2}{7} \times \dfrac{2}{7} = \left(\dfrac{2}{7}\right)^3$

02

다음 중 소수는 모두 몇 개인가?

1, 7, 9, 13, 15, 17, 23, 51

① 3개　　② 4개　　③ 5개

④ 6개　　⑤ 7개

03

다음 〈보기〉 중 옳은 것을 모두 고른 것은?

〈 보기 〉

ㄱ. 2를 제외한 모든 짝수는 소수가 아니다.

ㄴ. 소수도 합성수도 아닌 자연수가 존재한다.

ㄷ. 20과 30 사이의 소수는 3개이다.

ㄹ. a, b가 소수이면 $a \times b$도 소수이다.

① ㄱ, ㄴ　　② ㄱ, ㄷ　　③ ㄴ, ㄷ

④ ㄴ, ㄹ　　⑤ ㄷ, ㄹ

04

330의 소인수의 개수는?

① 2개　　② 3개　　③ 4개

④ 5개　　⑤ 6개

　🏷 **Tip** : 페이지 번호를 클릭하면 **스마트매쓰⁺**를 이용하실 수 있어요!

05

432의 약수 중에서 어떤 자연수의 제곱이 되는 수의 개수는?

① 2개   ② 3개   ③ 4개

④ 5개   ⑤ 6개

06

자연수 a에 대하여 $N(a)$는 a의 약수의 개수를 나타낼 때, $N(N(360))$의 값은?

① 6   ② 7   ③ 8

④ 9   ⑤ 10

07

1000 이하의 자연수 중에서 약수의 개수가 5개인 자연수의 개수는?

① 1개   ② 2개   ③ 3개

④ 4개   ⑤ 5개

08

두 자연수 a, b의 최대공약수가 24일 때, 다음 중 a와 b의 공약수가 <u>아닌</u> 것은?

① 6   ② 8   ③ 9

④ 12   ⑤ 24

09

$(1, 2, 3), (2, 3, 4), (3, 4, 5), \cdots, (198, 199, 200)$과 같이 1에서 200까지의 자연수를 연속하는 세 수끼리 묶어 차례로 배열하였다. 이때, 세 수의 합이 33의 배수가 되는 것은 몇 묶음인가?

① 16묶음   ② 18묶음   ③ 20묶음
④ 22묶음   ⑤ 24묶음

11

두 자연수 A, B의 곱이 1690이고 최대공약수가 13일 때, 가능한 A의 값들의 합은? (단, $A < B$)

① 13   ② 26   ③ 39
④ 52   ⑤ 65

10

세 자연수의 비가 $8 : 6 : 3$이고 최소공배수가 480일 때, 세 자연수 중 가장 큰 수는?

① 60   ② 85   ③ 110
④ 135   ⑤ 160

12

어느 버스터미널에서 대구행 버스는 8분, 광주행 버스는 10분, 대전행 버스는 12분 간격으로 출발한다. 오전 6시 30분에 세 버스가 동시에 출발하였을 때, 그 다음에 처음으로 세 버스가 동시에 출발하는 시각은?

① 오전 7시   ② 오전 7시 30분
③ 오전 8시   ④ 오전 8시 30분
⑤ 오전 9시

Tip : 페이지 번호를 클릭하면 스마트매쓰⁺를 이용하실 수 있어요!

13

다음 그림과 같이 가로의 길이, 세로의 길이, 높이가 각각 90 cm, 45 cm, 60 cm인 직육면체 모양의 나무토막이 있다. 이 나무토막을 남는 부분이 없도록 같은 크기로 잘라서 가능한 한 큰 정육면체 모양의 주사위를 여러 개 만들 때, 만들 수 있는 주사위의 개수는?

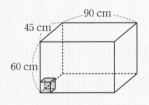

① 68개   ② 70개   ③ 72개

④ 74개   ⑤ 76개

14

톱니의 수가 36개, 48개인 두 톱니바퀴 A, B가 서로 맞물려 돌아가고 있다. 이 두 톱니바퀴가 한 번 맞물린 후 같은 톱니에서 다시 맞물리려면 톱니바퀴 A는 최소한 몇 바퀴를 회전해야 하는가?

① 3바퀴   ② 4바퀴   ③ 5바퀴

④ 6바퀴   ⑤ 7바퀴

15

두 분수 $\dfrac{75}{49}$, $\dfrac{45}{56}$ 중 어느 것에 곱해도 그 결과가 자연수인 가장 작은 분수를 $\dfrac{x}{y}$라 할 때, $x-y$의 값은?

(단, x, y는 서로소이다.)

① 375   ② 377   ③ 380

④ 382   ⑤ 384

16

세 자연수 54, 90, A의 최대공약수는 18이고, 최소공배수는 540일 때, A로 가능한 값 중 두 번째로 큰 수는?

① 72   ② 108   ③ 144

④ 180   ⑤ 216

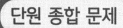

17

540과 648의 공약수 중 어떤 자연수의 제곱이 되는 수는
모두 몇 개인지 구하시오. [총 6점]

(1) 540과 648의 최대공약수를 구하시오. [2점]

(2) 540과 648의 공약수를 모두 구하시오. [2점]

(3) (2)에서 구한 수 중에서 어떤 자연수의 제곱이 되는
    수는 모두 몇 개인지 구하시오. [2점]

18

$N = 2^4 \times 5^2 \times 7^3$일 때, N의 약수 중 짝수의 개수를 구하
시오. [10점]

Tip : 페이지 번호를 클릭하면 스마트매쓰⁺를 이용하실 수 있어요!

19

한 원 위에 고정된 점 P와 움직이는 세 점 A, B, C가 있다. 세 점 A, B, C는 원 위를 2분에 각각 30바퀴, 20바퀴, 40바퀴를 돈다. 점 P에서 세 점 A, B, C가 동시에 같은 방향으로 출발한 후 1시간 동안 점 P를 동시에 통과하는 횟수를 구하시오. (단, 출발한 순간은 동시에 통과하는 것으로 보지 않고, 출발한지 1시간 후에 세 점 A, B, C가 점 P 위에 있는 것은 동시에 통과하는 것으로 본다.) [10점]

20

1번부터 50번까지의 번호가 적힌 사물함이 있다. 다음과 같은 시행을 하였을 때, 열려 있는 사물함의 개수를 구하시오. [10점]

〈 시행 〉

㉮ 1번 학생은 모든 사물함을 연다.

㉯ 2번 학생은 2의 배수의 사물함을 닫는다.

㉰ 3번 학생은 3의 배수의 사물함 가운데 닫혀 있는 것은 열고, 열려 있는 것은 닫는다.

㉱ ㉰와 같은 방식으로 4번 학생은 4의 배수의 사물함, 5번 학생은 5의 배수의 사물함, …, 50번 학생은 50의 배수의 사물함을 닫혀 있는 것은 열고, 열려 있는 것은 닫는다.

II

정수와 유리수

☑ 학습 계획 및 성취도 체크

· 유형 이해도에 따라 □ 안에 O, △, X를 표시합니다.

· 시험 전에 X 표시한 유형은 반드시 한 번 더 풀어 봅니다.

01 정수와 유리수의 뜻

	학습 계획	1차 학습	2차 학습
유형 01 부호를 사용하여 나타내기	/	☐	☐
유형 02 정수 찾기	/	☐	☐
유형 03 유리수 찾기	/	☐	☐
유형 04 정수와 유리수의 이해	/	☐	☐

02 수의 대소 관계

	학습 계획	1차 학습	2차 학습
유형 05 수직선 위의 수	/	☐	☐
유형 06 절댓값의 뜻과 성질	/	☐	☐
유형 07 수의 대소 관계	/	☐	☐
유형 08 부등호로 나타내기	/	☐	☐

03 정수와 유리수의 덧셈과 뺄셈

	학습 계획	1차 학습	2차 학습
유형 09 정수와 유리수의 덧셈	/	☐	☐
유형 10 정수와 유리수의 뺄셈	/	☐	☐
유형 11 덧셈의 연산법칙	/	☐	☐
유형 12 복잡한 덧셈과 뺄셈	/	☐	☐

04 정수와 유리수의 곱셈

	학습 계획	1차 학습	2차 학습
유형 13 정수와 유리수의 곱셈	/	☐	☐
유형 14 곱셈의 연산법칙	/	☐	☐
유형 15 거듭제곱	/	☐	☐
유형 16 −1의 거듭제곱의 계산	/	☐	☐

05 정수와 유리수의 나눗셈

	학습 계획	1차 학습	2차 학습
유형 17 역수	/	☐	☐
유형 18 정수와 유리수의 나눗셈	/	☐	☐
유형 19 분배법칙	/	☐	☐
유형 20 덧셈, 뺄셈, 곱셈, 나눗셈의 혼합 계산	/	☐	☐

II 정수와 유리수

1 정수와 유리수의 뜻

1. 양수와 음수

(1) **부호를 가진 수**: 서로 반대되는 성질을 가지는 두 수량을 나타낼 때, 어떤 기준을 중심으로 한 쪽 수량에는 + 부호를, 다른 쪽 수량에는 − 부호를 붙여 나타낸다.

➡ +: 양의 부호, −: 음의 부호

예	+	수입	이익	상승	영상	해발	증가
	−	지출	손해	하락	영하	해저	감소

(2) **양수와 음수**

① 양수: 0보다 큰 수로, 양의 부호 +를 붙여서 나타낸다.

② 음수: 0보다 작은 수로, 음의 부호 −를 붙여서 나타낸다.

참고 기준이 되는 수 0은 양수도 아니고, 음수도 아니다.

2. 정수: 양의 정수, 0, 음의 정수를 통틀어 정수라 한다.

$$정수 \begin{cases} 양의\ 정수: 자연수에\ +\ 부호를\ 붙인\ 수 ➡ +1,\ +2,\ +3,\ \cdots \\ 0(영) \\ 음의\ 정수: 자연수에\ -\ 부호를\ 붙인\ 수 ➡ -1,\ -2,\ -3,\ \cdots \end{cases}$$

참고 +1, +2, +3, …은 보통 부호를 생략하여 1, 2, 3, …과 같이 나타낸다. 즉, 양의 정수는 자연수이다.

3. 유리수: 분자, 분모(분모≠0)가 모두 정수인 분수로 나타낼 수 있는 수

(1) **양의 유리수(양수)**: 분자, 분모가 자연수인 분수에 + 부호를 붙인 수 ➡ $+\dfrac{1}{2}, +\dfrac{2}{3}, +\dfrac{3}{4}, \cdots$

(2) **음의 유리수(음수)**: 분자, 분모가 자연수인 분수에 − 부호를 붙인 수 ➡ $-\dfrac{1}{2}, -\dfrac{2}{3}, -\dfrac{3}{4}, \cdots$

(3) **유리수의 분류**

$$유리수 \begin{cases} 정수 \begin{cases} 양의\ 정수: 자연수에\ +\ 부호를\ 붙인\ 수 ➡ +1,\ +2,\ +3,\ \cdots \\ 0(영) \\ 음의\ 정수: 자연수에\ -\ 부호를\ 붙인\ 수 ➡ -1,\ -2,\ -3,\ \cdots \end{cases} \\ 정수가\ 아닌\ 유리수 ➡ -\dfrac{1}{2}, -0.1, \dfrac{2}{3}, 1.5, \cdots \end{cases}$$

참고 정수나 소수도 분수로 나타낼 수 있으므로 모두 유리수이다.

2 수직선과 절댓값

1. 수직선

직선 위에 기준이 되는 점 O를 잡아 그 점에 수 0을 대응시키고, 점 O의 좌우에 일정한 간격으로 점을 잡아 오른쪽에는 양수를, 왼쪽에는 음수를 차례로 대응시킨 직선을 수직선이라 한다. 이때, 기준이 되는 점 O를 원점이라 한다.

➡ 정수와 마찬가지로 유리수도 모두 수직선 위에 나타낼 수 있다.

2. 절댓값

수직선 위에서 원점과 어떤 수를 나타내는 점 사이의 거리를 그 수의 절댓값이라 하고, 기호 | |를 사용하여 나타낸다.

> **참고** 절댓값의 성질
> ① 양수와 음수의 절댓값은 그 수에서 부호 +, −를 떼어낸 수와 같다.
> ② 양수 a에 대하여 절댓값이 a인 수는 $+a$, $-a$의 2개이다.
> ③ 0의 절댓값은 0이다.
> ④ 절댓값이 가장 작은 수는 0이다.
> ⑤ 원점에서 멀리 떨어질수록 절댓값이 커진다.

+2의 절댓값: 2
−2의 절댓값: 2 〕서로 같다.

3 수의 대소 관계

(1) 음수는 0보다 작고, 양수는 0보다 크다. 즉, 양수는 음수보다 크다.

　　(음수) < 0 < (양수)

(2) 두 양수끼리는 절댓값이 큰 수가 더 크다.

(3) 두 음수끼리는 절댓값이 작은 수가 더 크다.

(4) 부등호의 사용

작아진다.　　커진다.

절댓값이 클수록 작다.　　절댓값이 클수록 크다.

$x > a$	$x < a$	$x \geq a$	$x \leq a$
x는 a보다 크다.	x는 a보다 작다.	x는 a보다 크거나 같다.	x는 a보다 작거나 같다.
x는 a초과이다.	x는 a 미만이다.	x는 a보다 작지 않다.	x는 a보다 크지 않다.
		x는 a 이상이다.	x는 a 이하이다.

> **참고** 부등호 ≤는 '< 또는 =', 부등호 ≥는 '> 또는 ='을 뜻한다.

II 정수와 유리수

4 정수와 유리수의 덧셈과 뺄셈

1. 정수와 유리수의 덧셈과 뺄셈

(1) 부호가 같은 두 수의 덧셈: 두 수의 절댓값의 합에 공통인 부호를 붙인다.

공통인 부호
절댓값의 합
예 $(-1)+(-2)=-(1+2)=-3$

(2) 부호가 다른 두 수의 덧셈: 두 수의 절댓값의 차에 절댓값이 큰 수의 부호를 붙인다.

절댓값의 차
예 $(+1)+(-2)=-(2-1)=-1$

(3) 덧셈의 연산법칙: 유리수 a, b, c에 대하여

① 교환법칙: $a+b=b+a$ ② 결합법칙: $(a+b)+c=a+(b+c)$

2. 정수와 유리수의 뺄셈: 빼는 수의 부호를 바꾸어 더한다.

뺄셈을 덧셈으로
예 $(+1)-(-2)=(+1)+(+2)=+3$
부호 바꾸기

3. 덧셈과 뺄셈의 혼합 계산

(1) 덧셈과 뺄셈의 혼합 계산

❶ 뺄셈은 빼는 수의 부호를 바꾸어 덧셈으로 고친다.

❷ 덧셈의 교환법칙과 결합법칙을 이용하여 양수는 양수끼리, 음수는 음수끼리 모아서 계산한다.

(2) 부호가 생략된 수의 혼합 계산

❶ 생략된 양의 부호 $+$를 넣는다.

❷ 뺄셈을 덧셈으로 고쳐서 계산한다.

5 정수와 유리수의 곱셈과 나눗셈

1. 정수와 유리수의 곱셈

(1) 부호가 같은 두 수의 곱셈: 두 수의 절댓값의 곱에 양의 부호 $+$를 붙인다.

양의 부호
절댓값의 곱
예 $(-3)\times(-4)=+(3\times4)=+12$

(2) 부호가 다른 두 수의 곱셈: 두 수의 절댓값의 곱에 음의 부호 $-$를 붙인다.

음의 부호
절댓값의 곱
예 $(+3)\times(-4)=-(3\times4)=-12$

(3) 곱셈의 연산법칙

유리수 a, b, c에 대하여

① 교환법칙: $a \times b = b \times a$　　　　② 결합법칙: $(a \times b) \times c = a \times (b \times c)$

(4) 세 개 이상의 수의 곱셈

❶ 부호의 결정: 곱해진 음수가 짝수 개이면 ➡ ➕, 홀수 개이면 ➡ ➖

❷ 각 수의 절댓값의 곱에 ❶의 부호를 붙인다.

2. 정수와 유리수의 나눗셈

(1) 부호가 같은 두 수의 나눗셈: 두 수의 절댓값의 나눗셈의 몫에 양의 부호 ➕를 붙인다.

　　　　　　　　　　　　　양의 부호
　　　　　　　　　　　　　　　　└──── 절댓값의 나눗셈의 몫

예 $(-4) \div (-2) = +(4 \div 2) = +2$

(2) 부호가 다른 두 수의 나눗셈: 두 수의 절댓값의 나눗셈의 몫에 음의 부호 ➖를 붙인다.

　　　　　　　　　　　　　음의 부호
　　　　　　　　　　　　　　　　└──── 절댓값의 나눗셈의 몫

예 $(+4) \div (-2) = -(4 \div 2) = -2$

(3) 역수를 이용한 나눗셈

① 역수: 두 수의 곱이 1이 될 때, 한 수를 다른 한 수의 역수라 한다.

② 역수를 이용한 나눗셈: 나누는 수의 역수를 곱한다.

　　　　　　　　　　나눗셈을 곱셈으로

예 $(+6) \div \left(-\dfrac{3}{5}\right) = (+6) \times \left(-\dfrac{5}{3}\right) = -\left(6 \times \dfrac{5}{3}\right) = -10$

　　　　　　　　　　　　　　역수

6 복잡한 식의 계산

1. 덧셈, 뺄셈, 곱셈, 나눗셈의 혼합 계산

❶ 거듭제곱을 먼저 계산한다.

❷ 괄호가 있는 경우 괄호 안을 먼저 계산한다.

이때, (소괄호) ➡ {중괄호} ➡ [대괄호]의 순서로 계산한다.

❸ 곱셈과 나눗셈을 먼저 계산한 후, 덧셈과 뺄셈을 계산한다.

2. 분배법칙

유리수 a, b, c에 대하여

$a \times (b+c) = a \times b + a \times c$, $(a+b) \times c = a \times c + b \times c$

01 정수와 유리수의 뜻

Mstory1 Mstory2

M1 양의 부호 +, 음의 부호 - 🔘 개념강의

5점 상승   5점 하락
+5점   −5점
양의 부호(플러스)   음의 부호(마이너스)

영상	이익	증가	해발 +1950 m
↕	↕	↕	↕
영하	손해	감소	해저 −4050 m

M2 정수 🔘 개념강의

정수 ┌ 양의 정수(⊕1, +2, +3, ⋯)
     │   생략가능
     ├ 0
     └ 음의 정수(−1, −2, −3, ⋯)

유리수 ┌ 양의 유리수   양수(+)
      ├ 0
      └ 음의 유리수   음수(−)

M3 유리수 🔘 개념강의

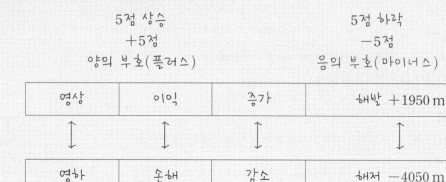

→ $3-5=-2, 3÷5=?$ → $3+5=8, 3×5=15, 3-5=?$

$3÷5=\dfrac{3}{5}$

유리수
(분수 꼴)
↓
$\dfrac{a}{b}$ (a, b는 정수, $b≠0$)

정수 $\left(\dfrac{4}{1}, \dfrac{0}{1}, -\dfrac{2}{1}\right)$ ┌ 양의 정수(자연수)
                                                      ├ 0
                                                      └ 음의 정수

정수가 아닌 유리수 $\left(\dfrac{3}{5}, -\dfrac{2}{3}, 0.7, ⋯\right)$

용어사전 • 자연수 (Natural number)   • 정수 (Integer)   • 유리수 (Rational number)

| 부호를 사용하여 나타내기

01

다음 〈보기〉 중 □ 안에 − 부호가 사용된 것을 모두 고른 것은?

─────〈 보기 〉─────

ㄱ. 3점 득점을 +3점이라 하면 5점 실점은 □이다.

ㄴ. 해저 3000 m를 −3000 m라 하면 해발 2000 m 는 □이다.

ㄷ. 2분 기록 단축을 □라 하면 5분 기록 증가는 +5분이다.

① ㄱ ② ㄴ ③ ㄷ

④ ㄱ, ㄴ ⑤ ㄱ, ㄷ

01

다음 밑줄 친 부분을 +, − 부호를 사용하여 나타낼 때, 나머지 넷과 부호가 다른 하나는?

① 1개월 전보다 5만 원 이익이다.

② 키가 작년보다 4 cm 더 컸다.

③ 수인이의 집은 지상 7층에 있다.

④ 오늘 지각한 학생 수가 어제보다 10명 줄었다.

⑤ 우유 1개의 값이 작년보다 100원 올랐다.

 | 정수 찾기

02

다음 수 중 정수를 모두 고르시오.

$$-1, \quad \frac{2}{3}, \quad -1.5, \quad \frac{4}{2}, \quad -\frac{1}{3}, \quad \frac{6}{12}$$

02

다음 수 중 음의 정수는 모두 몇 개인가?

$$-2.0, \quad +\frac{14}{3}, \quad 0, \quad -\frac{6}{2}, \quad 3.5, \quad +4$$

① 1개 ② 2개 ③ 3개

④ 4개 ⑤ 5개

유형 | 유리수 찾기

03

두 상자 A, B에 대하여 A 상자에는 정수가 적힌 공을, B 상자에는 정수가 아닌 유리수가 적힌 공을 담으려고 한다. 다음 수 중 B 상자에 담긴 공에 적힌 수를 모두 고르면?

(정답 2개)

① -1.4 ② 2 ③ $\dfrac{6}{3}$

④ -3 ⑤ 5.1

유형 | 정수와 유리수의 이해

04

다음 중 옳은 것은?

① 0은 분수 꼴로 나타낼 수 없다.
② 유리수는 정수가 아닌 수이다.
③ 0은 양의 유리수도 음의 유리수도 아니다.
④ 음의 정수 중 가장 큰 수는 0이다.
⑤ 유리수 가운데 가장 작은 수는 0이다.

03

다음 수에 대한 설명 중 옳지 <u>않은</u> 것은?

$$-0.7, \quad 0, \quad +\frac{7}{5}, \quad +\frac{4}{2}, \quad -3, \quad -2\frac{2}{3}, \quad 4$$

① 음의 정수는 1개이다.
② 음의 유리수는 3개이다.
③ 양의 유리수는 3개이다.
④ 정수가 아닌 유리수는 4개이다.
⑤ 음수도 양수도 아닌 수는 1개이다.

04

다음 〈보기〉의 설명 중 옳은 것을 모두 고르시오.

┤ 보기 ├

ㄱ. 모든 자연수는 유리수이다.
ㄴ. 모든 유리수는 분수 꼴로 나타낼 수 있다.
ㄷ. 유리수는 양의 유리수와 음의 유리수로 이루어져 있다.
ㄹ. 분수 꼴로 되어 있는 수는 반드시 정수가 아닌 유리수이다.

⭐ 라디오수타

깸

01

0보다 $\dfrac{1}{2}$ 만큼 작은 수를 a, 0보다 $\dfrac{1}{5}$ 만큼 큰 수를 b라 할 때, a, b의 값을 각각 구하시오.

깸

02

다음 수 중 양의 정수의 개수를 x개, 음의 정수의 개수를 y개라 할 때, $x+y$의 값을 구하시오.

$$8, \quad -13, \quad +4.5, \quad -\dfrac{4}{2}, \quad 0, \quad 3, \quad -\dfrac{5}{3}$$

03

다음 중 정수가 아닌 유리수로만 이루어진 것은?

① 0, 1, 2

② $\frac{1}{2}$, -3, 5

③ -1, -2, 3

④ $-\frac{1}{3}$, 0.5, -2.5

⑤ $\frac{3}{2}$, 0, -1.7

생각 ➕

어떤 수 x에 대하여 $N(x)$를 다음과 같이 약속한다.

$$N(x) = \begin{cases} 0 \ (x\text{가 정수가 아닌 유리수}) \\ 1 \ (x\text{가 정수}) \end{cases}$$

이때, $N(-1.4) + N(2) + N\left(\frac{5}{3}\right) + N\left(-\frac{6}{2}\right)$의 값을 구하시오.

04

다음 설명 중 옳은 것을 모두 고르면? (정답 2개)

① 0은 정수이다.

② -1과 2는 같은 부호의 정수이다.

③ 양의 정수와 음의 정수로 이루어진 수를 정수라 한다.

④ 유리수가 아닌 자연수가 있다.

⑤ 유리수는 분자가 정수이고 분모는 0이 아닌 정수인 분수로 나타낼 수 있는 수이다.

정수와 유리수

다음 중 옳지 <u>않은</u> 것은?

① 0은 유리수이다.

② 모든 자연수는 정수이다.

③ 유리수는 분자가 정수이고 분모는 0이 아닌 정수
   인 분수로 나타낼 수 있다.

④ 유리수는 양의 유리수와 음의 유리수로 이루어져
   있다.

⑤ 1과 2 사이에는 무수히 많은 유리수가 있다.

다음 〈규칙〉에 따라 오른쪽 표에 1부터
9까지의 자연수를 하나씩 써넣으려고 한다.

〈규칙〉

표 안의 숫자들이 다음과 같은 조건
을 만족하면 점수를 얻는다.

(ⅰ) $a+b=c$, $d+e=f$, $g+h=i$를
   만족하면 각각 2점씩 얻는다.

(ⅱ) $a-d=g$, $b-e=h$, $c-f=i$를 만족하면 각각 3
   점씩 얻는다.

(ⅲ) $a\times e=i$, $c\times e=g$를 만족하면 각각 5점씩 얻는
   다.

예를 들어, 아래 그림과 같은 표를 만들면 총점 10점이 된다.

가로	합	$2+7=9$	2점
세로	차	$7-3=4$	3점
내각선	곱	$2\times3=6$	5점

2	7	9
1	3	8
5	4	6

이와 같은 방법으로 15점이 되도록 수를 써넣는 방법을 구
하시오.

02 수의 대소 관계
Mstory1 Mstory2

M1 수직선과 절댓값 🔘 개념강의

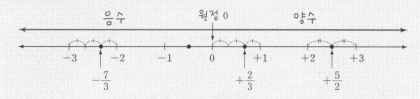

음수   원점 0   양수

-3 ↑ -2 -1 ● 0 ↑ $+1$ $+2$ ↑ $+3$

$-\dfrac{7}{3}$ $+\dfrac{2}{3}$ $+\dfrac{5}{2}$

- +3의 절댓값: $|+3|=3$ ⎫ 부호를 뗀 수
  −3의 절댓값: $|-3|=3$ ⎭
- 절댓값이 클수록 원점에서 멀다.
- $|a|\geq0$ ➡ 음수가 아니다
- 절댓값이 가장 작은 수: $|0|=0$
- 절댓값이 $a(a>0)$인 수는 $+a$, $-a$의 2개이다.
  ➡ 절댓값이 5인 수는 $+5$, -5의 2개이다.

-3 -2 -1 0 $+1$ $+2$ $+3$
원점으로부터의 거리: 절댓값

M2 수의 대소 관계 🔘 개념강의

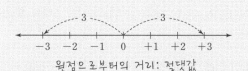

小 ←   → 大

-3 -2 -1 0 $+1$ $+2$ $+3$

(음수)$<0<$(양수)

$-10<-3$ $+5<+20$

절댓값이   절댓값이
큰 수가 작다   큰 수가 크다

M3 부등호의 사용 🔘 개념강의

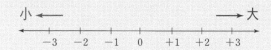

- $a>3$ 크다   초과
- $a<3$ 작다   미만
- $a\geq3$ 크거나 같다   이상   작지 않다
- $a\leq3$ 작거나 같다   이하   크지 않다

a는 2와 5사이	$2<a<5$
a는 2와 5이내	$2\leq a\leq5$
a는 2부터 5까지	$2\leq a\leq5$

| 수직선 위의 수

05

다음 수직선 위의 5개의 점 A, B, C, D, E에 대응하는 수를 <u>잘못</u> 나타낸 것은?

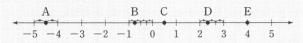

① A: $-\dfrac{9}{2}$ ② B: $-\dfrac{3}{4}$

③ C: $\dfrac{1}{2}$ ④ D: $\dfrac{8}{3}$

⑤ E: 4

 | 절댓값의 뜻과 성질

06

다음 중 옳은 것을 모두 고르면? (정답 2개)

① 절댓값은 음수가 될 수 없다.
② 절댓값이 같은 수는 항상 2개이다.
③ 절댓값이 1인 양수는 2개이다.
④ -3의 절댓값은 $+3$의 절댓값보다 작다.
⑤ 절댓값이 작을수록 수직선에서 그 수에 대응하는 점과 원점 사이의 거리가 가깝다.

Ⅱ 정수와 유리수

05

수직선 위에서 -8에 대응하는 점을 A, 4에 대응하는 점을 B라 하고, 두 점 A와 B의 한가운데 있는 점을 M이라 하자. 이때, M에 대응하는 수는?

① -2 ② -1 ③ 0
④ 1 ⑤ 2

06

$M(a, b)$를 두 수 a, b 중 절댓값이 큰 수라 할 때, $M(M(-3, 5), -6)$을 구하시오.

유형 | 수의 대소 관계

07

다음 중 두 수의 대소 관계가 옳은 것은?

① $\dfrac{3}{4} > \dfrac{4}{3}$

② $-\dfrac{1}{5} < -\dfrac{1}{4}$

③ $\left| -\dfrac{5}{6} \right| < \dfrac{3}{4}$

④ $\left| -\dfrac{3}{5} \right| < \left| -\dfrac{5}{7} \right|$

⑤ $-0.7 < -\dfrac{4}{5}$

유형 | 부등호로 나타내기

08

'a는 -3보다 크거나 같고 5보다 작다.'를 부등호를 사용하여 바르게 나타낸 것은?

① $-3 \leq a \leq 5$

② $-3 \leq a < 5$

③ $-3 < a \leq 5$

④ $-3 < a < 5$

⑤ $a < -3$ 또는 $a > 5$

學

07

다음 중 옳지 <u>않은</u> 것은?

① 양의 정수는 절댓값이 클수록 크다.

② 0은 모든 음의 정수보다 크다.

③ 수직선에서 오른쪽으로 갈수록 수가 커진다.

④ 음의 정수 중 가장 작은 수는 -1이다.

⑤ 음의 정수는 수직선 위에서 오른쪽으로 갈수록 절 댓값이 작아진다.

學

08

$-3 \leq x < \left| -\dfrac{8}{3} \right|$ 을 만족하는 모든 정수 x의 값의 합은?

① -3 ② -2 ③ -1

④ 1 ⑤ 2

Tip : 페이지 번호를 클릭하면 스마트매쓰⁺를 이용하실 수 있어요!

05

수직선 위에 점으로 나타낼 때, $-\dfrac{2}{3}$에 가장 가까운 정수 p, $+\dfrac{9}{5}$에 가장 가까운 정수 q에 대하여 $p+q$의 값은?

① -2 ② -1 ③ 0

④ 1 ⑤ 2

06

절댓값이 가장 작은 수를 a라 하고 절댓값이 3인 음의 정수를 b라 할 때, a와 b의 값을 각각 구하시오.

07

다음 수들에 대한 설명으로 옳은 것을 모두 고르면?

(정답 2개)

$$-1.2, \quad 0.3, \quad 5, \quad -\frac{4}{5}, \quad +1\frac{2}{3}, \quad -\frac{4}{3}$$

① 가장 큰 수는 5이다.

② 가장 작은 수는 $-\dfrac{4}{5}$이다.

③ 0에 가장 가까운 수는 0.3이다.

④ 0.3보다 작은 수는 2개이다.

⑤ 절댓값이 가장 큰 수는 $+1\dfrac{2}{3}$이다.

08

다음 중 옳지 않은 것은?

① x는 5보다 크다. ➡ $x>5$

② x는 -5보다 작지 않고 2보다 작다. ➡ $-5 \leq x < 2$

③ x는 -2 이상이고 3보다 크지 않다. ➡ $-2 \leq x \leq 3$

④ x는 1보다 크고 $\dfrac{5}{3}$ 이하이다. ➡ $1 < x \leq \dfrac{5}{3}$

⑤ x는 -3보다 크거나 같고 2 미만이다.

➡ $-3 \leq x \leq 2$

생각 ➕

예림이가 친구 7명과 함께 야구 경기를 관람하고 있다. 이들 8명이 아래 그림과 같이 한 줄로 앉아 있을 때, 다음 물음에 답하시오. (단, 이웃하여 앉은 두 사람 사이의 간격은 1로 한다.)

지은 · 다운 · 준규 · 예림 · 효은 · 정수 · 민경 · 동일

(1) 예림이와 가장 멀리 떨어져 앉은 사람은 누구인지 구하시오.

(2) 예림이를 기준으로 지은이와 같은 거리에 있는 사람은 누구인지 구하시오.

(3) 예림이를 기준으로 다운이와 민경이 중 예림이와 더 가까이 있는 사람은 누구인지 구하시오.

(4) 준규과 동일이 사이의 거리를 구하시오.

생각 ➕➕

다음 중 $|a| = -a$인 수는?

① 3 ② -1.5 ③ $+\dfrac{7}{4}$

④ 10 ⑤ 1000

생각 ➕➕➕

주형이가 친구들과 함께 다음과 같은 규칙에 따라 숫자 놀이를 하여 마지막에 승리하는 사람만 상품을 받기로 하였다. 주형이가 상품을 받으려면 A~H 가운데 어느 곳에서 출발해야 하는지 구하시오.

> [1단계] 두 수 중 큰 수가 이긴다.
> [2단계] 두 수 중 절댓값이 큰 수가 이긴다.
> [3단계] 두 수 중 수직선 위에 나타내었을 때, 0을 나타내는 점으로부터 더 멀리 떨어진 수가 이긴다.
> [4단계] 두 수 중 작은 수가 이긴다.

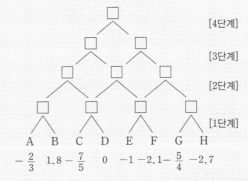

03 정수와 유리수의 덧셈과 뺄셈
Mstory1   Mstory2

M1 정수와 유리수의 덧셈 ⊙ 개념강의

〈같은 부호〉

공통부호
$$(+2)+(+3)=+(2+3)=+5$$
절댓값의 합

$$(-3)+(-4)=-(3+4)=-7$$

$$\left(-\frac{1}{2}\right)+\left(-\frac{1}{3}\right)=-\left(\frac{1}{2}+\frac{1}{3}\right)$$
$$=-\left(\frac{3}{6}+\frac{2}{6}\right)=-\frac{5}{6}$$

〈다른 부호〉

절·큰·부호
$$(+4)+(-2)=+(4-2)=+2$$
절댓값의 차

$$(-5)+(+3)=-(5-3)=-2$$

$$\left(-\frac{1}{5}\right)+\left(+\frac{1}{3}\right)=+\left(\frac{1}{3}-\frac{1}{5}\right)$$
$$=+\left(\frac{5}{15}-\frac{3}{15}\right)=+\frac{2}{15}$$

M2 정수와 유리수의 뺄셈 ⊙ 개념강의

'−' → '+'
부호 바꾸기
$$(+5)-(+3)=(+5)+(-3)=+2$$

$$(-3)-(+5)=(-3)+(-5)=-8$$

$$\left(-\frac{1}{2}\right)-\left(+\frac{1}{3}\right)=\left(-\frac{1}{2}\right)+\left(-\frac{1}{3}\right)=-\left(\frac{1}{2}+\frac{1}{3}\right)=-\frac{5}{6}$$

M3 덧셈의 연산법칙 ⊙ 개념강의

a, b, c가 유리수일 때,
- 덧셈의 교환법칙 $a+b=b+a$
- 덧셈의 결합법칙 $(a+b)+c=a+(b+c)$

$a+b+c$의 덧셈은 자유!
- $(-2)+(+6)-(-2)$
  $=(-2)+(+6)+(+2)=+6$

유형 | 정수와 유리수의 덧셈

09

다음 수직선으로 설명할 수 있는 덧셈식은?

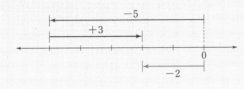

① $(+5)+(-2)=+3$

② $(+3)+(+2)=+5$

③ $(-5)+(+3)=-2$

④ $(-2)+(-3)=-5$

⑤ $(-5)+(+2)=-3$

유형 | 정수와 유리수의 뺄셈

10

다음 표는 어느 날 6개의 도시의 기온을 측정하여 얻은 결과이다. 일교차가 가장 큰 도시를 구하시오. (단, 일교차는 하루 중 최고 기온에서 최저 기온을 뺀 값이다.)

(단위: ℃)

	서울	대전	대구	광주	부산	제주
최고 기온	-1	4	2	6	8	12
최저 기온	-9	-5	-10	-3	0	2

09

다음 중 계산 결과가 옳은 것은?

① $(-3.7)+(-4.3)=-7$

② $(+4.3)+(-7.7)=+12$

③ $(-2.3)+(+3.5)=+1.2$

④ $\left(-\dfrac{2}{5}\right)+\left(-\dfrac{3}{10}\right)=-\dfrac{1}{10}$

⑤ $(+3)+\left(-\dfrac{4}{5}\right)=+\dfrac{19}{5}$

10

다음 중 계산 결과가 옳은 것은?

① $(-3.2)-(+5.2)=-8$

② $(+8.3)-(-3.1)=+5.2$

③ $\left(-\dfrac{2}{5}\right)-\left(+\dfrac{1}{3}\right)=+\dfrac{11}{15}$

④ $\left(+\dfrac{1}{7}\right)-\left(+\dfrac{3}{14}\right)=0$

⑤ $\left(-\dfrac{5}{12}\right)-\left(-\dfrac{2}{3}\right)=+\dfrac{1}{4}$

유형 | 덧셈의 연산법칙

11

다음 계산 과정에서 ㉠, ㉡에 이용된 덧셈의 연산법칙을 차례로 말하시오.

$$(+5.2)+(-3.7)+(+4.8)+(-2.3)$$
$$=(+5.2)+(+4.8)+(-3.7)+(-2.3) \quad ㉠$$
$$=\{(+5.2)+(+4.8)\}+\{(-3.7)+(-2.3)\} \quad ㉡$$
$$=(+10)+(-6)$$
$$=+4$$

유형 | 복잡한 덧셈과 뺄셈

12

다음을 계산하시오.

$$\left(-\frac{2}{5}\right)-\left(+\frac{7}{10}\right)-\left(-\frac{2}{15}\right)+(+3)$$

11

다음은 조삼모사(朝三暮四)에 관한 일화이다. 이 일화와 관련이 있는 덧셈의 계산 법칙을 말하시오.

저공이 먹이가 부족하게 되자 기르는 원숭이들에게 말하였다. "앞으로 너희들에게 주는 도토리를 아침에는 3개로, 저녁에는 4개로 제한하겠다." 그러자 원숭이들은 화를 내었고, 저공은 "그렇다면 아침에 4개를 주고 저녁에 3개를 주겠다."고 하자 원숭이들이 좋아하였다.
이와 같이 조삼모사는 눈앞에 보이는 차이만 알고 결과가 같은 것을 모르는 어리석음을 비유하는 말이다.

12

다음 중 계산 결과가 가장 작은 것은?

① $31-22-9$

② $-17+8+10$

③ $-19+21-3$

④ $-27+36-11+4$

⑤ $10-16-12+15$

Tip : 페이지 번호를 클릭하면 스마트매쓰⁺를 이용하실 수 있어요!

+MEMO

꼭꼭

09

다음 수 중에서 절댓값이 가장 큰 수와 절댓값이 가장 작은 수의 합을 구하시오.

$$-1\frac{2}{5}, \quad -\frac{1}{6}, \quad -2, \quad +3.9, \quad +\frac{13}{3}$$

꼭꼭

10

-5보다 3만큼 큰 수를 a, 2보다 -2만큼 작은 수를 b라 할 때, $a+b$의 값은?

① -4 　　② -2 　　③ 0

④ 2 　　⑤ 4

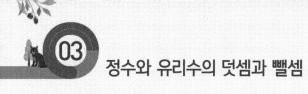

11

다음 계산 과정에서 (가), (나)에 이용된 계산 법칙을 차례로 말하시오.

$$
\begin{aligned}
&(+8)+(-3)+(+5)+(-2) \\
&=(+8)+(+5)+(-3)+(-2) \quad \Big\}\text{(가)} \\
&=\{(+8)+(+5)\}+\{(-3)+(-2)\} \quad \Big\}\text{(나)} \\
&=(+13)+(-5) \\
&=+8
\end{aligned}
$$

어떤 유리수에 $\dfrac{1}{4}$ 을 더해야 할 것을 잘못하여 빼었더니 $-\dfrac{1}{3}$ 이 되었다. 바르게 계산한 값은?

① $-\dfrac{1}{6}$　　② $-\dfrac{1}{12}$　　③ $\dfrac{1}{12}$

④ $\dfrac{1}{6}$　　⑤ $\dfrac{1}{3}$

12

다음 중 계산 결과가 옳은 것은?

① $0.7-\dfrac{5}{2}+2=\dfrac{3}{2}$

② $\dfrac{1}{4}-\dfrac{5}{2}+\dfrac{9}{10}=-\dfrac{13}{20}$

③ $-5+3-1=3$

④ $-1.7+2.5-1=-1.2$

⑤ $-7-\dfrac{11}{5}+3.6=-5.6$

생각 ✚✚

옛날에는 나뭇가지를 이용하여 수를 나타내기도 하였다. 아래 그림과 같이 굵은 나뭇가지는 10을, 가는 나뭇가지는 1을 나타내고, 양수는 나뭇가지를 가로로 눕혀서, 음수는 세로로 세워서 나타내었다고 한다. 다음 물음에 답하시오.

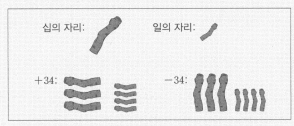

(1) +21과 −35를 위의 나뭇가지를 이용하여 각각 나타내시오.

(2) 다음 그림은 (+31) + (−25)를 나뭇가지를 이용하여 구한 것이다.

이 그림에서 ✚ 모양은 무엇을 나타내는지 말하고, (+31) + (−25)의 답을 구하시오.

(3) 위와 같이 나뭇가지 그림을 이용하여 25 + (−22)를 나타내고, 답을 구하시오.

생각 ✚✚✚

다음은 왼쪽에 있는 수와 오른쪽에 있는 수의 합이 가운데에 있는 수가 되도록 나열한 것이다. 예를 들면, (+5) + (−9) = −4, (−4) + (−5) = −9이다.
이때, 101번째에 있는 수를 구하시오.

| +5, | −4, | −9, | −5, | +4, | +9, | ⋯ |

04 정수와 유리수의 곱셈
Mstory1 Mstory2

M1 정수와 유리수의 곱셈 ⚙ 개념강의

$$(+3) \times (+2) = +6$$
$$\downarrow -1 \quad \downarrow -3$$
$$(+3) \times (+1) = +3$$
$$\downarrow -1 \quad \downarrow -3$$
$$(+3) \times 0 = 0$$
$$\downarrow -1 \quad \downarrow -3$$
$$(+3) \times (-1) = -3$$
$$(+3) \times (-2) = -6$$

$$(-3) \times (+2) = -6$$
$$\downarrow -1 \quad \downarrow +3$$
$$(-3) \times (+1) = -3$$
$$\downarrow -1 \quad \downarrow +3$$
$$(-3) \times 0 = 0$$
$$\downarrow -1 \quad \downarrow +3$$
$$(-3) \times (-1) = +3$$
$$(-3) \times (-2) = +6$$

같은 부호 ⊕   다른 부호 ⊖

$$(+) \times (+) = (+) \qquad (+) \times (-) = (-)$$
$$(-) \times (-) = (+) \qquad (-) \times (+) = (-)$$

• $\left(-\dfrac{2}{3}\right) \times \left(-\dfrac{3}{4}\right) = +\left(\dfrac{2}{3} \times \dfrac{3}{4}\right) = +\dfrac{1}{2}$

           절댓값의 곱

      같은 부호

• $\left(-\dfrac{3}{5}\right) \times \left(+\dfrac{10}{7}\right) = -\left(\dfrac{3}{5} \times \dfrac{10}{7}\right) = -\dfrac{6}{7}$

           절댓값의 곱

      다른 부호

M2 곱셈의 연산법칙 ⚙ 개념강의

a, b, c가 유리수일 때,

• 곱셈의 교환법칙 $a \times b = b \times a$

• 곱셈의 결합법칙 $(a \times b) \times c = a \times (b \times c)$

$a \times b \times c$의 곱셈은 자유!

• $\left(-\dfrac{5}{3}\right) \times \left(-\dfrac{9}{20}\right) \times \left(-\dfrac{2}{3}\right) = -\left(\dfrac{5}{3} \times \dfrac{9}{20} \times \dfrac{2}{3}\right) = -\dfrac{1}{2}$

                     절댓값의 곱

         홀수 개

음수의 개수 ⎰ 짝수 개 ⊕
             ⎱ 홀수 개 ⊖

| 정수와 유리수의 곱셈

13

다음 중 계산 결과가 옳지 <u>않은</u> 것은?

① $(-5) \times (+4) = -20$

② $(+14) \times \left(-\dfrac{3}{7}\right) = -6$

③ $\left(-\dfrac{2}{5}\right) \times \left(-\dfrac{5}{10}\right) = +\dfrac{1}{5}$

④ $0 \times (-4) = 0$

⑤ $\left(-\dfrac{3}{14}\right) \times \left(+\dfrac{7}{24}\right) = +\dfrac{1}{16}$

13

다음 각 사각형 안의 두 수 중 큰 수를 골라 모두 곱하면?

| $-\dfrac{1}{3}$, $+2$ | -3, -5 | $+\dfrac{2}{3}$, $+\dfrac{3}{2}$ |

| -1, $+2.5$ | -4, -2 |

① -45 ② -15 ③ 15

④ 24 ⑤ 45

유형 | 곱셈의 연산법칙

14

다음 계산 과정에서 ㉠, ㉡에 이용된 곱셈의 연산법칙을 차례로 말하시오.

$$\left(-\dfrac{3}{7}\right) \times \left(-\dfrac{2}{3}\right) \times \left(-\dfrac{7}{3}\right)$$
$$= \left(-\dfrac{2}{3}\right) \times \left(-\dfrac{3}{7}\right) \times \left(-\dfrac{7}{3}\right) \quad \Big\}㉠$$
$$= \left(-\dfrac{2}{3}\right) \times \left\{\left(-\dfrac{3}{7}\right) \times \left(-\dfrac{7}{3}\right)\right\} \quad \Big\}㉡$$
$$= \left(-\dfrac{2}{3}\right) \times 1 = -\dfrac{2}{3}$$

14

다음은 곱해서 -2가 되는 수들을 짝지은 것이다. $a \times b \times c$의 값을 구하시오.

| -4, a | $-\dfrac{3}{2}$, b | c, $\dfrac{1}{3}$ |

유형 | 거듭제곱

15

다음 중 계산 결과가 가장 작은 것은?

① $(-1)^3$ ② $-\dfrac{1}{3^2}$ ③ $-\dfrac{2^3}{7}$

④ $\left(-\dfrac{1}{2}\right)^2$ ⑤ $\left(-\dfrac{2}{3}\right)^3$

유형 | -1의 거듭제곱의 계산

16

다음을 계산하시오.

$$(-1)^5 \times (-1)^6 + (-1)^3 - (-1)^4$$

學

15

다음 중 옳지 <u>않은</u> 것은?

① $-1^{100} = -1$ ② $(+0.1)^2 = 0.01$

③ $-(-3)^4 = -81$ ④ $\left(-\dfrac{1}{4}\right)^2 = \dfrac{1}{8}$

⑤ $-\left(-\dfrac{1}{3}\right)^2 = -\dfrac{1}{9}$

學

16

n이 2보다 큰 홀수일 때,
$$-1^n - (-1)^{n-1} - (-1)^{n+1} + (-1)^{n+2}$$
의 값을 구하시오.

Tip : 페이지 번호를 클릭하면 스마트매쓰+ 를 이용하실 수 있어요!

+MEMO

 라디오수타

13

네 유리수 $-\dfrac{5}{2},\ 2,\ -3,\ \dfrac{3}{4}$ 중에서 서로 다른 세 유리수를 뽑아 곱할 때, 그 값이 가장 큰 수를 M, 가장 작은 수를 m이라 하자. 이때, $M+m$의 값은?

① $-\dfrac{75}{2}$ ② $-\dfrac{21}{2}$ ③ $\dfrac{5}{2}$

④ $\dfrac{21}{2}$ ⑤ $\dfrac{75}{2}$

14

다음 계산 과정에서 ㉠, ㉡에 이용된 곱셈의 연산법칙을 차례로 말하시오.

$$(-14)\times(-3)\times\left(+\dfrac{2}{7}\right)\times\left(-\dfrac{1}{3}\right)$$
$$=(-14)\times\left(+\dfrac{2}{7}\right)\times(-3)\times\left(-\dfrac{1}{3}\right)\quad\Big\}㉠$$
$$=\left\{(-14)\times\left(+\dfrac{2}{7}\right)\right\}\times\left\{(-3)\times\left(-\dfrac{1}{3}\right)\right\}\quad\Big\}㉡$$
$$=(-4)\times 1$$
$$=-4$$

꼼

15

다음 중 가장 큰 수와 가장 작은 수의 합을 구하시오.

$$-\frac{1}{2^3}, \quad \left(-\frac{1}{2}\right)^2, \quad -\frac{1}{3^2}, \quad \left(-\frac{1}{3}\right)^2, \quad \left(-\frac{2}{3}\right)^2$$

생각 ➕

세 유리수 a, b, c에 대하여 $a \times b < 0$, $b \times c > 0$, $a < b$일 때, 다음 중 옳은 것은?

① $a > 0$, $b > 0$, $c > 0$

② $a > 0$, $b < 0$, $c < 0$

③ $a < 0$, $b > 0$, $c < 0$

④ $a < 0$, $b > 0$, $c > 0$

⑤ $a < 0$, $b < 0$, $c < 0$

꼼

16

n이 자연수일 때,

$$(-1)^{n+99} \times (-1)^{n+100} + (-1)^n - (-1)^{n+98}$$

의 값을 구하시오.

다음은 일정한 규칙으로 수들을 나열한 것이다. 이때, $a+b$의 값을 구하시오.

$$36, \quad -18, \quad 6, \quad -\frac{3}{2}, \quad a, \quad b$$

생각 +++

아라비아의 어느 상인이 세 명의 아들에게 유산으로 낙타 17마리를 남기면서 다음과 같이 유언하였다.

> "첫째 아들은 전체 낙타의 $\frac{1}{2}$을,
>
> 둘째 아들은 전체 낙타의 $\frac{1}{3}$을,
>
> 셋째 아들은 전체 낙타의 $\frac{1}{9}$을 가지거라."

그러나 17은 2, 3, 9의 어떤 수로도 나누어떨어지지 않기 때문에 세 아들은 유산을 나누지 못해 고민이었다.

그러던 어느 날 그곳을 지나가던 노파가 자신의 낙타 1마리를 주며 18마리로 유산을 분배하라고 하였다.

첫째 아들은 $18 \times \frac{1}{2}$인 9마리, 둘째 아들은 $18 \times \frac{1}{3}$인 6마리, 셋째 아들은 $18 \times \frac{1}{9}$인 2마리를 나누어 가지고도 한 마리가 남기 때문에 노파는 자신의 낙타를 데려갈 수 있었다.

이러한 방법으로 낙타 25마리를 노파에게 a마리의 낙타를 빌려 전체의 $\frac{1}{2}$, $\frac{1}{4}$, $\frac{1}{7}$씩 나눈다면 b마리, c마리, d마리로 분배할 수 있을 때, a, b, c, d의 값을 구하시오.

(단, $b>c>d$)

05 정수와 유리수의 나눗셈

M1 정수와 유리수의 나눗셈 ⊗ 개념강의

$$\left(+\frac{5}{6}\right)\times\left(+\frac{6}{5}\right)=1,\quad\left(-\frac{4}{3}\right)\times\left(-\frac{3}{4}\right)=1$$

역수   역수

$$\div \to \times$$

$$\bullet\ \left(-\frac{3}{5}\right)\div\left(+\frac{7}{10}\right)=\left(-\frac{3}{5}\right)\times\left(+\frac{10}{7}\right)$$

$$=-\left(\frac{3}{5}\times\frac{10}{7}\right)=-\frac{6}{7}$$

역수

$$\bullet\ (-6)\div(-2)=+(6\div2)=+3$$

M2 분배법칙 ⊗ 개념강의

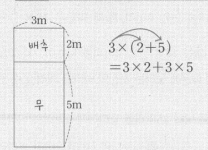

3m

배수   2m

무   5m

$$3\times(2+5)$$
$$=3\times2+3\times5$$

➡

a, b, c가 유리수일 때,

$\bullet\ a\times(b+c)=a\times b+a\times c$

$\bullet\ (a+b)\times c=a\times c+b\times c$

$$\bullet\ 15\times\left\{\left(+\frac{1}{3}\right)+\left(-\frac{3}{5}\right)\right\}$$

$$=15\times\left(+\frac{1}{3}\right)+15\times\left(-\frac{3}{5}\right)$$

$$=(+5)+(-9)=-4$$

$$\bullet\ (-19)\times\left(-\frac{83}{100}\right)+(-19)\times\left(-\frac{17}{100}\right)$$

$$=(-19)\times\left\{\left(-\frac{83}{100}\right)+\left(-\frac{17}{100}\right)\right\}$$

$$=(-19)\times(-1)=19$$

M3 정수와 유리수의 혼합 계산 ⊗ 개념강의

| 거듭제곱 | → | ( ) → { } → [ ] | → | ×÷ → +− |

$$\bullet\ 5\times\left[\left\{-\frac{1}{2}+(-3)^2\right\}-\frac{7}{2}\right]-3$$

④   ②   ①   ③   ⑤

$$=5\times\left[\left\{-\frac{1}{2}+(+9)\right\}-\frac{7}{2}\right]-3$$

$$=5\times\left\{\left(+\frac{17}{2}\right)-\frac{7}{2}\right\}-3=5\times5-3=25-3=22$$

유형 | 역수

17

3.5의 역수를 a, $-\dfrac{7}{4}$의 역수를 b라 할 때, $a \div b$의 값은?

① $-\dfrac{5}{7}$ ② $-\dfrac{1}{2}$ ③ $-\dfrac{3}{7}$

④ $-\dfrac{2}{5}$ ⑤ $-\dfrac{1}{4}$

유형 | 정수와 유리수의 나눗셈

18

다음 중 계산 결과가 나머지 넷과 다른 하나는?

① $\left(+\dfrac{2}{5}\right) \div \left(-\dfrac{4}{15}\right)$

② $\left(-\dfrac{7}{10}\right) \div \left(+\dfrac{7}{15}\right)$

③ $\left(+\dfrac{3}{8}\right) \div \left(-\dfrac{1}{4}\right)$

④ $(+10) \div (-2) \div \left(+\dfrac{10}{3}\right)$

⑤ $\left(-\dfrac{2}{5}\right) \div \left(-\dfrac{12}{25}\right) \div \left(-\dfrac{5}{4}\right)$

學

17

다음 그림과 같은 정육면체 모양의 주사위가 있다. 마주 보는 면에 적힌 두 수의 곱이 1일 때, 보이지 않는 세 면에 있는 수의 곱을 구하시오.

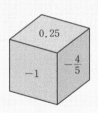

學

18

다음 중 계산 결과가 옳지 않은 것은?

① $\dfrac{1}{2} \div \left(-\dfrac{1}{2^2}\right) \times \left(-\dfrac{4}{5}\right) = \dfrac{8}{5}$

② $\left(-\dfrac{1}{4}\right) \times \left(-\dfrac{1}{2}\right)^2 \div \dfrac{1}{36} = -\dfrac{9}{4}$

③ $(-2) \times \left(-\dfrac{1}{2}\right)^3 \div \left(-\dfrac{3}{20}\right) = -\dfrac{5}{3}$

④ $2 \div \left(-\dfrac{2}{3}\right)^2 \div \dfrac{18}{5} = \dfrac{5}{4}$

⑤ $(-3)^2 \times \left(-\dfrac{2}{3^2}\right) \div \left(\dfrac{2}{3}\right)^2 = -\dfrac{2}{9}$

유형 | 분배법칙

19

다음 계산 과정에서 분배법칙이 이용된 곳은?

$$(-3) \times (-5) + (-3) \times (+7) \\ \qquad\qquad + (-3) \times (-9) \quad)①$$
$$= (-3) \times \{(-5) + (+7) + (-9)\} \quad)②$$
$$= (-3) \times \{(+7) + (-5) + (-9)\} \quad)③$$
$$= (-3) \times \{(+7) + (-14)\} \quad)④$$
$$= (-3) \times (-7) \quad)⑤$$
$$= 21$$

유형 | 덧셈, 뺄셈, 곱셈, 나눗셈의 혼합 계산

20

다음 식의 계산 순서를 차례로 나열하고 계산 결과를 구하시오.

$$4 + \left[\frac{3}{2} - (-12) \div \{4 \times (-3) + (-3)\} \right]$$
$$\quad\uparrow\qquad\uparrow\qquad\quad\uparrow\quad\uparrow\qquad\uparrow$$
$$\quad㉠\qquad㉡\qquad㉢\quad㉣\qquad㉤$$

學

19

세 수 a, b, c에 대하여 $a \times b = 3$, $a \times (b+c) = -4$일 때, $a \times c$의 값을 구하시오.

學

20

다음 빈칸에 알맞은 유리수를 순서대로 a, b, c라 할 때, $a + b - c$의 값은?

$$\overset{+2}{\frown} \quad \overset{\times(-2)}{\frown} \quad \overset{+2}{\frown}$$

| $-\dfrac{1}{2^2}$ | a | b | c |

① $-\dfrac{3}{2}$ ② $-\dfrac{3}{4}$ ③ $-\dfrac{1}{4}$

④ $\dfrac{1}{2}$ ⑤ $\dfrac{7}{4}$

Tip : 페이지 번호를 클릭하면 스마트매쓰 를 이용하실 수 있어요!

+MEMO

라디오수타

꼭

17

다음 〈보기〉의 두 수가 역수 관계에 있는 것을 모두 고르시오.

〈 보기 〉

ㄱ. $7, -\frac{1}{7}$　　ㄴ. $\frac{5}{8}, 1.6$　　ㄷ. $-\frac{4}{3}, \frac{4}{3}$

ㄹ. $\frac{3}{10}, 0.3$　　ㅁ. $-\frac{7}{3}, -\frac{3}{7}$

꼭

18

다음을 계산하시오.

$$\left(-\frac{15}{2}\right)\div\left(+\frac{3}{8}\right)\div\left(-\frac{12}{5}\right)\div\left(+\frac{10}{9}\right)$$

캠

19

세 유리수 a, b, c에 대하여 $a \times b = 3$, $a \times c = -7$, $a \times d = -2$일 때, $a \times (b + c + d)$의 값은?

① -42　　② -6　　③ 2

④ 6　　⑤ 42

생각 ➕

$\left(-\dfrac{5}{3}\right) \div (-10) \times \square = -\dfrac{2}{3}$ 일 때, $\square$ 안에 알맞은 수는?

① -4　　② -2　　③ $-\dfrac{3}{2}$

④ $-\dfrac{4}{5}$　　⑤ $-\dfrac{2}{5}$

캠

20

$(-4) \times \left[\dfrac{1}{2} + \left\{ (-2)^2 + \left(-\dfrac{1}{3}\right) \div \dfrac{2}{3} \right\} \right]$ 를 계산하면?

① -16　　② -10　　③ -8

④ -6　　⑤ -4

생각 ➕➕

$a \times b < 0$이고, $|a| = \dfrac{1}{3}$, $|b| = \dfrac{5}{12}$ 일 때, $\dfrac{a}{b}$ 의 값은?

① $-\dfrac{5}{36}$　　　② $-\dfrac{4}{5}$　　　③ 2

④ $\dfrac{5}{36}$　　　⑤ $\dfrac{4}{5}$

생각 ➕➕➕

$[x]$는 x보다 크지 않은 최대의 정수를 나타낸다고 한다.
예를 들어, $[-2.3] = -3$, $[3.2] = 3$, $[2] = 2$일 때,

$$[-2.1] \div \left[\dfrac{9}{4} \right] + \left[-\dfrac{1}{3} \right] \times [1.95]$$

의 값을 구하시오.

단원 종합 문제

객관식 … 객관식 문제는 각 문항당 4점입니다.

01

다음을 +, − 부호를 사용하여 나타낸 것으로 옳지 않은 것은?

① 2kg 감소: −2kg
② 5000원 이익: +5000원
③ 정원 3명 초과: −3명
④ 0보다 $\frac{5}{3}$가 큰 수: $+\frac{5}{3}$
⑤ 해저 3000m: −3000m

02

다음 〈보기〉의 설명 중 옳은 것을 모두 고른 것은?

─ 보기 ─
ㄱ. 0은 유리수이다.
ㄴ. 유리수가 아닌 정수는 없다.
ㄷ. 모든 자연수는 유리수이다.
ㄹ. 유리수는 양의 유리수와 음의 유리수로만 되어 있다.

① ㄱ, ㄴ   ② ㄱ, ㄷ   ③ ㄴ, ㄹ
④ ㄱ, ㄴ, ㄷ   ⑤ ㄴ, ㄷ, ㄹ

03

다음 수들에 대한 설명으로 옳지 않은 것은?

$$-5, \quad +\frac{1}{2}, \quad 1, \quad -\frac{3}{4}, \quad 4$$

① 음수 중 가장 큰 수는 $-\frac{3}{4}$이다.
② 가장 큰 수는 4이다.
③ 수직선 위에 점으로 나타낼 때, 0을 나타내는 점에 가장 가까운 수는 $+\frac{1}{2}$이다.
④ 절댓값이 $\frac{2}{3}$보다 작은 수는 2개이다.
⑤ 제일 작은 수부터 크기순으로 나열할 때, 세 번째에 오는 수는 $+\frac{1}{2}$이다.

04

서로 다른 두 유리수 a, b에 대하여
$a \circ b = (a$와 b 중 작은 수)
$a \diamond b = (a$와 b 중 절댓값이 큰 수)
로 약속할 때, $\left(-\frac{4}{5}\right) \circ \left\{\left(+\frac{5}{6}\right) \diamond \left(-\frac{2}{3}\right)\right\}$의 값은?

① −1   ② $-\frac{4}{5}$ ③ $\frac{2}{5}$
④ 1   ⑤ $\frac{6}{5}$

Tip : 페이지 번호를 클릭하면 스마트매쓰⁺를 이용하실 수 있어요!

05

다음 조건을 만족하는 서로 다른 세 정수 a, b, c의 대소 관계를 부등호를 사용하여 바르게 나타낸 것은?

> ㈎ b와 c는 -3보다 크다.
> ㈏ a는 3보다 크다.
> ㈐ b의 절댓값은 -3의 절댓값과 같다.
> ㈑ a는 c보다 -3에 더 가깝다.

① $a<b<c$ ② $a<c<b$

③ $b<a<c$ ④ $b<c<a$

⑤ $c<a<b$

06

두 유리수 $-\dfrac{8}{7}$ 과 $\dfrac{1}{6}$ 사이에 있는 분모가 13이고, 정수가 아닌 유리수의 개수는?

① 12개   ② 13개   ③ 14개

④ 15개   ⑤ 16개

07

어떤 정수에서 -8을 빼어야 할 것을 잘못하여 더하였더니 그 결과가 8이 되었다. 바르게 계산한 값은?

① -24 ② -16 ③ 8

④ 16   ⑤ 24

08

어떤 정수 x에 5를 더하면 양의 정수가 되고, 3을 더하면 음의 정수가 된다. 이때, $(-x)^3$의 값은?

① -64 ② -27 ③ -8

④ 27   ⑤ 64

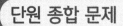

09

다음 중 계산 결과가 옳지 <u>않은</u> 것은?

① $\left(-\dfrac{5}{12}\right)-\left(-\dfrac{10}{3}\right)=\dfrac{35}{12}$

② $\left(+\dfrac{1}{7}\right)-\left(+\dfrac{3}{14}\right)=\dfrac{1}{14}$

③ $\left(-\dfrac{9}{10}\right)-\left(-\dfrac{3}{2}\right)=\dfrac{3}{5}$

④ $\left(-\dfrac{2}{5}\right)-\left(+\dfrac{4}{15}\right)=-\dfrac{2}{3}$

⑤ $\left(+\dfrac{1}{3}\right)-\left(+\dfrac{5}{12}\right)=-\dfrac{1}{12}$

11

다음 그림의 삼각형에서 세 변에 놓인 세 수의 곱이 모두 같을 때, $A \div B$의 값은?

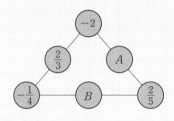

① $-\dfrac{5}{8}$ ② $-\dfrac{3}{8}$ ③ $\dfrac{1}{8}$

④ $\dfrac{1}{2}$ ⑤ 1

10

문구점에서 파는 공책의 가격이 다음과 같을 때, 가장 싼 공책과 가장 비싼 공책의 가격 차는?

> (개) A 공책은 B 공책보다 500원 비싸다.
> (내) B 공책은 C 공책보다 200원 비싸다.
> (대) C 공책은 할인하여 500원에 판매한다.
> (래) D 공책은 A 공책보다 600원이 싸다.

① 400원   ② 500원   ③ 600원

④ 700원   ⑤ 800원

12

다음 중 계산 결과가 옳지 <u>않은</u> 것은?

① $\left(-\dfrac{1}{4}\right)\times\left(-\dfrac{1}{2}\right)^{2}\times 36=-\dfrac{9}{4}$

② $(-2)\times\left(-\dfrac{1}{2}\right)^{3}\times\left(-\dfrac{20}{3}\right)=-\dfrac{5}{3}$

③ $\left(-\dfrac{1}{2}\right)\times\left(-\dfrac{1}{2^{2}}\right)\times\left(+\dfrac{4}{5}\right)=\dfrac{8}{5}$

④ $2\times\left(-\dfrac{3}{2}\right)^{2}\times\dfrac{5}{18}=\dfrac{5}{4}$

⑤ $(-3)^{2}\times\left(-\dfrac{2}{3^{2}}\right)\times\left(+\dfrac{3}{2}\right)^{2}=-\dfrac{9}{2}$

Tip : 페이지 번호를 클릭하면 스마트매쓰⁺를 이용하실 수 있어요!

13

서로 다른 두 정수 a, b에 대하여 $a \times |a+b| = 2$가 성립할 때, $a-b$의 최댓값은?

① 3   ② 4   ③ 5
④ 6   ⑤ 7

15

다음 식의 ☐ 안에 알맞은 수는?

$$\left(-\frac{4}{5}\right) \div \square \times \left(-\frac{7}{4}\right) = \frac{4}{15}$$

① 3   ② $\dfrac{15}{4}$ ③ 4
④ $\dfrac{21}{4}$ ⑤ 5

14

다음 그림과 같이 각 면에 정수가 적힌 전개도를 접어 정육면체를 만들었더니 서로 마주 보는 면에 적힌 두 숫자의 곱이 항상 일정하였다. 이때, $A \div B$의 값은?

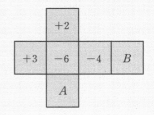

① -12 ② -3 ③ 3
④ 12   ⑤ 20

16

$4^2 - [(-3)^2 \times \{2 + (-1)^{11}\} - (+5)]$의 값은?

① 4   ② 8   ③ 12
④ 16   ⑤ 20

17

$<x>$는 x에 가장 가까운 정수라 약속하자. 두 유리수

$$a = \frac{1}{2} \times \left(-\frac{1}{3} + 1 \right) - \frac{2}{3},$$

$$b = \left(-\frac{1}{2} \right)^3 \div \left(\frac{3}{4} - 2 \right) + \frac{5}{2}$$

에 대하여 $k = \frac{1}{2} \times <a> - \frac{1}{3} \times <b>$라 할 때,

$(-2) \times k$의 값을 구하시오. [총 6점]

(1) $\frac{1}{2} \times <a>$의 값을 구하시오. [2점]

(2) $\frac{1}{3} \times <b>$의 값을 구하시오. [2점]

(3) $(-2) \times k$의 값을 구하시오. [2점]

18

A마트에서는 500 mL 우유 한 팩에 1400원이고, B마트에서는 300 mL 우유 두 팩에 1500원이다. 어느 마트에서 우유를 사는 것이 더 경제적인지 구하고, 그 이유를 설명하시오. (단, A마트와 B마트에서 파는 우유의 질은 동일하다.)

[10점]

19

다음 그림의 출발 지점에서 시작하여 각 사각형 안의 두 수 중 큰 수에 연결된 화살표를 따라 이동할 때, A, B, C, D, E 중 어느 곳이 도착 지점이 되는지 구하시오. [10점]

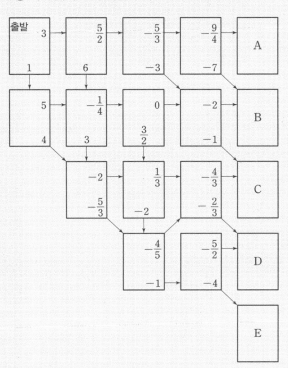

20

자연수 n에 대하여

$$\frac{1}{n \times (n+1)} = \frac{1}{n} - \frac{1}{n+1}$$

임을 이용하여 다음을 계산하시오. [10점]

$$\frac{1}{6} + \frac{1}{12} + \frac{1}{20} + \frac{1}{30} + \frac{1}{42} + \frac{1}{56}$$

III

문자의 사용과
식의 계산

☑ 학습 계획 및 성취도 체크

· 유형 이해도에 따라 ☐ 안에 O, △, X를 표시합니다.

· 시험 전에 X 표시한 유형은 반드시 한 번 더 풀어 봅니다.

01 문자의 사용

	학습 계획	1차 학습	2차 학습
유형 01 곱셈 기호의 생략	/	☐	☐
유형 02 곱셈 기호와 나눗셈 기호의 생략	/	☐	☐
유형 03 식의 값 구하기	/	☐	☐
유형 04 식의 값의 활용	/	☐	☐

02 다항식

	학습 계획	1차 학습	2차 학습
유형 05 다항식의 뜻과 용어	/	☐	☐
유형 06 일차식	/	☐	☐
유형 07 일차식과 수의 곱셈과 나눗셈	/	☐	☐
유형 08 일차식과 수의 곱셈과 나눗셈의 응용	/	☐	☐

03 일차식과 그 계산

	학습 계획	1차 학습	2차 학습
유형 09 동류항	/	☐	☐
유형 10 일차식의 계산	/	☐	☐
유형 11 문자에 일차식 대입하기	/	☐	☐
유형 12 어떤 식 구하기	/	☐	☐

문자의 사용과 식의 계산

1 문자의 사용

1. 문자를 사용한 식

(1) **문자를 사용한 식**: 문자를 사용하여 수량 사이의 관계를 간단히 나타낸 식

(2) **곱셈 기호의 생략**: 수와 문자, 문자와 문자의 곱에서는 곱셈 기호 ×를 생략한다.

    ① 수와 문자 사이의 곱에서 수는 문자 앞에 쓴다.

      예 $a \times 2 = 2a$, $x \times (-3) = -3x$

    ② 문자끼리는 알파벳 순서로 쓴다.

      예 $y \times x = xy$, $c \times b \times a = abc$

    ③ 같은 문자의 곱은 거듭제곱의 꼴로 나타낸다.

      예 $x \times x = x^2$, $a \times a \times b \times b \times b = a^2 b^3$

    ④ 1 또는 −1과 문자의 곱에서는 1을 생략한다.

      예 $1 \times a = a$, $(-1) \times a = -a$

    주의 $0.1 \times a$는 $0.a$로 쓰지 않고 $0.1a$로 쓴다.

(3) **나눗셈 기호의 생략**: 나눗셈에서는 나눗셈 기호 ÷를 생략하고 분수의 꼴로 나타낸다.

    예 $a \div b = \dfrac{a}{b}$ (단, $b \neq 0$)

2. 문자를 사용하여 식 세우기

❶ 문제의 뜻을 정확히 파악하여 수량 사이의 관계 또는 수량 사이에 성립하는 규칙을 찾는다.

❷ 문자를 사용하여 ❶의 관계나 규칙에 맞도록 식을 세운다.

3. 식의 값

(1) **대입**: 문자를 사용한 식에서 문자를 어떤 수로 바꾸어 넣는 것

(2) **식의 값**: 문자를 사용한 식에서 문자에 어떤 수를 대입하여 계산한 결과의 값

(3) **식의 값을 구하는 방법**

    ❶ 문자에 수를 대입할 때에는 생략된 기호 ×, ÷를 다시 쓴다.

    ❷ 문자에 주어진 수를 대입하여 순서대로 계산한다.

    주의 문자에 음수를 대입할 때에는 반드시 괄호를 사용한다.

2 일차식과 그 계산

1. 다항식과 일차식

(1) **항**: 수 또는 문자의 곱으로 이루어진 식

(2) **상수항**: 수만으로 이루어진 항

(3) **계수**: 수와 문자의 곱으로 이루어진 항에서 문자에 곱해진 수

(4) **다항식**: 한 개 또는 두 개 이상의 항의 합으로 이루어진 식

(5) **단항식**: 하나의 항으로만 이루어진 식　예 $2x$, $-3ab^2$, 5

(6) **항의 차수**: 어떤 항에서 곱해진 문자의 개수　예 $-4x$의 차수는 1, $3y^2$의 차수는 2

(7) **다항식의 차수**: 다항식에서 차수가 가장 큰 항의 차수

(8) **일차식**: 차수가 1인 다항식　예 $3x+1$, $4y-2$, $x+2y+3$

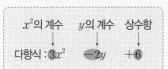

2. 일차식과 수의 곱셈, 나눗셈

(1) (수)×(다항식), (다항식)×(수): 수끼리 곱하여 문자 앞에 쓴다.

(2) (수)×(일차식): 분배법칙을 이용하여 일차식의 각 항에 수를 곱하여 계산한다.

(3) (일차식)÷(수): 분배법칙을 이용하여 일차식의 각 항에 나누는 수의 역수를 곱하여 계산한다.

3. 동류항

(1) **동류항**: 문자와 차수가 모두 같은 항

　참고　상수항끼리는 모두 동류항이다.

(2) **동류항의 덧셈과 뺄셈**: 분배법칙을 이용하여 각 항의 계수의 합 또는 차에 문자를 곱한다.

　예 $2a+7a=(2+7)a=9a$

4. 일차식의 덧셈과 뺄셈

❶ 괄호가 있으면 분배법칙을 이용하여 괄호를 푼다.

❷ 동류항끼리 모아서 계산한다.

01 문자의 사용

Mstory1 Mstory2

M1 문자의 사용 ⊛ 개념강의

1병
1000원

개수(병)	1	2	3
가격(원)	1000	2000	3000

개수 에 1000을 곱한 값

☐ $\times 1000$(원)

$(x \times 1000)$원 ➡ $1000x$원

M2 곱셈, 나눗셈 기호의 생략 ⊛ 개념강의

- (수)×(문자)　　$3 \times a = 3a$　　　　$x \times (-2) = -2x$ ← 수는 문자 앞
- 1 생략　　　　$1 \times a = a$　　　　$b \times (-1) = -b$　　　$0.1 \times c = 0.1c$
- (문자)×(문자)　$x \times y = xy$　　　　$c \times b \times a = abc$ ← 알파벳순서
- 거듭제곱　　　$a \times a \times a = a^3$　　$x \times x \times y \times y \times x = x^3 y^2$
- 괄호　　　　　$(x-3) \times 2 = 2(x-3)$ ← 한덩어리의 문자
- 나눗셈　　　　$(x+y) \div 5 = \dfrac{x+y}{5}$ ← 분수

$$(x+y) \times \dfrac{1}{5} = \dfrac{1}{5}(x+y) \text{ ← 역수의 곱셈}$$

M3 식의 값 ⊛ 개념강의

1개 700원

n개에 $700n$원

대입 ↑ $700 \times 3 = 2100$(원)
식의 값

3개에~ $n=3$

- $x=5$, $y=-2$ 이때,　　　　　　식의 값
  (1) $-3x+y = -3 \times 5 + (-2) = -17$ ← ×, ÷ 부활
  (2) $x^2+y^2 = 5^2 + (-2)^2 = 29$ ← (음수) 괄호로 나타내기

유형 | 곱셈 기호의 생략

01

$(-5) \times x \times y \times y \times (-3) \times y \times x$를 곱셈 기호를 생략하여 나타내면?

① $-8x^2y^3$

② $-2x^2y^3$

③ $15x^2y^3$

④ $-5xy^2 - 3xy$

⑤ $3xy + 5xy^2$

 유형 | 곱셈 기호와 나눗셈 기호의 생략

02

다음 중 계산 결과가 $\dfrac{ac}{b}$와 같은 것을 모두 고르면?

(정답 2개)

① $a \div b \div c$

② $a \div b \times c$

③ $a \times b \div c$

④ $a \div (b \times c)$

⑤ $a \div (b \div c)$

 學

01

다음 중 옳지 <u>않은</u> 것은?

① $a \times (-3) \times b = -3ab$

② $(-1) \times (-x) \times y = xy$

③ $(x+y) \times 2 \times a = 2a(x+y)$

④ $0.01 \times a \times b \times b \times b = 0.0ab^3$

⑤ $5 \times x \times (-1) \times x \times y = -5x^2y$

 學

02

$\dfrac{5a^2}{x-2y}$을 곱셈 기호와 나눗셈 기호를 사용하여 나타내면?

① $5 \times a \times a \div x - 2 \times y$

② $5 \times a \times a \div (x - 2 \times y)$

③ $5 \times a \times 2 \div (x - 2 \times y)$

④ $5 \times a \times a \div x \div (-2) \div y$

⑤ $5 \div (-2) \times a \times a \div (x - y)$

유형 | 식의 값 구하기

03

$a = -3$, $b = 2$일 때, $a^2 - b^2 + \dfrac{1}{3}ab$의 값을 구하시오.

유형 | 식의 값의 활용

04

지면에서 초속 $40\,\mathrm{m}$로 똑바로 던져 올린 물체의 t초 후의 높이가 $(40t - 5t^2)\,\mathrm{m}$일 때, 이 물체를 던져 올린 지 2초 후의 높이를 구하시오.

學

03

$a = -\dfrac{1}{4}$, $b = \dfrac{1}{3}$, $c = \dfrac{1}{5}$일 때, $\dfrac{3}{a} - \dfrac{5}{b} + \dfrac{4}{c}$의 값을 구하시오.

學

04

기온이 $x\,^\circ\mathrm{C}$일 때, 공기 중에서 소리의 속력은 초속 $(0.6x + 331)\,\mathrm{m}$이다. 기온이 30 °C일 때, 3초 동안 소리가 전달되는 거리는?

① $1035\,\mathrm{m}$ ② $1038\,\mathrm{m}$ ③ $1041\,\mathrm{m}$

④ $1044\,\mathrm{m}$ ⑤ $1047\,\mathrm{m}$

+MEMO

 라디오수타

01

다음 중 기호 ×를 생략하여 나타낸 것으로 옳은 것은?

① $0.1 \times x = 0.x$

② $2 \times a \times (-4) = -\dfrac{8}{a}$

③ $(8b-3) \times (-a) = -a(8b-3)$

④ $a \times 2 \times b \times b \times b \times (-1) = -12ab^3$

⑤ $(-3) \times x \times y - y \times 2 \times y = -\dfrac{3x}{y} - \dfrac{y^2}{2}$

02

다음 〈보기〉 중 $\dfrac{a}{bc}$와 같은 것을 모두 고르시오.

〈 보기 〉
ㄱ. $a \div b \div c$ 　　　ㄴ. $a \div b \times c$
ㄷ. $a \div (b \div c)$ 　　ㄹ. $a \div (b \times c)$

꼭 **03**

$x=\dfrac{1}{2}$, $y=2$일 때, 다음 중 식의 값이 옳지 <u>않은</u> 것은?

① $2x+3y=7$

② $-x^2y^2=-1$

③ $xy-\dfrac{1}{4}y=-\dfrac{1}{2}$

④ $2x^2+3y=\dfrac{13}{2}$

⑤ $2x+y^2-y=3$

생각➕

$a=-\dfrac{1}{2}$일 때, 다음을 그 값이 가장 큰 것부터 크기순으로 나열하시오.

$$-\dfrac{1}{a}, \quad (-a)^2, \quad -a^2, \quad \left(-\dfrac{1}{a}\right)^2$$

꼭 **04**

물이 가득찬 물탱크에서 어떤 바가지로 물을 x번 퍼내면 물탱크에 남아 있는 물의 높이는 $(7-0.03x)\,\mathrm{m}$이다. 물이 가득찬 물탱크에서 이 바가지로 물을 30번 퍼낼 때, 물탱크에 남아 있는 물의 높이는?

① $6.03\,\mathrm{m}$ ② $6.1\,\mathrm{m}$ ③ $6.45\,\mathrm{m}$

④ $6.7\,\mathrm{m}$ ⑤ $6.97\,\mathrm{m}$

윗변의 길이가 a cm, 아랫변의 길이가 b cm, 높이가 h cm인 사다리꼴의 넓이가 S cm² 이다. S를 a, b, h를 사용한 식으로 나타내고, $a=8$, $b=4$, $h=5$인 경우의 S의 값을 구하시오.

생각 +++

바코드는 컴퓨터가 판독할 수 있도록 고안된 코드로, 상점의 물건 등과 같이 주로 제품의 포장에 인쇄된다. 바코드는 일반적으로 다음과 같이 13자리의 숫자로 이루어져 있다.

○○○   ○○○○   ○○○○○   ○
제조 국가   제조업체   상품 코드   체크 숫자

이 중 가장 오른쪽에 있는 체크 숫자는 바코드가 손상되거나 기계가 바코드를 잘못 읽어 엉뚱한 값을 계산하는 것을 방지하는 안전장치이다.

이 체크 숫자는 자기 자신을 제외한 12개의 숫자 중에서 왼쪽부터 홀수 번째 자리에 있는 숫자를 모두 더한 값을 x라 하고, 짝수 번째 자리의 숫자를 모두 더하여 3을 곱한수를 y라 하여 $x+y+$(체크 숫자)의 값이 10의 배수가 되도록 정한 것이다.

이를 이용하여 다음 바코드가 바른 바코드가 되도록 체크 숫자를 구하시오.

8 801051 94166?

02 다항식
Mstory1 Mstory2

M1 다항식 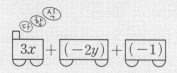 개념강의

$$3x + (-2y) + (-1)$$

$3x / -2y / -1$ 항의 개수: 3개

• 다항식 vs 단항식, 계수 vs 차수

	$4x-1$	$3x^2$	x^2-y+5
항	$4x+(-1)$	$3x^2$ (단항식)	$x^2/-y/+5$
다항식	○	○	○
계수	$4x-1$ x의 계수: 4	x^2의 계수: 3	x^2의 계수: 1 y의 계수: -1
항의 차수	$4x-1$ 일차항 상수항	$3x^2$ 이차항	x^2-y+5 이차항 일차항 상수항
다항식의 차수	1 (일차식)	2 (이차식)	2 (이차식)

M2 일차식과 수의 곱셈과 나눗셈 개념강의

• (수)×(단항식)

$2a \times (-3) = 2 \times a \times (-3) = -6a$

    수끼리

• (수)×(일차식)

$5 \times (3m-2) = 5 \times 3m - 5 \times 2 = 15m - 10$

    분배법칙

• (단항식)÷(수)

$-18a \div \left(-\dfrac{3}{2}\right) = -18a \times \left(-\dfrac{2}{3}\right) = 12a$

    역수의 곱셈

• (일차식)÷(수)

$(-6x+3) \div 3 = (-6x+3) \times \dfrac{1}{3} = -2x+1$

$\dfrac{-6x+3}{3} = -2x+1$

| 다항식의 뜻과 용어

05

다항식 $-3x^3+2x^2+4x$의 차수를 a, 일차항의 계수를 b 라 할 때, $a+b$의 값을 구하시오.

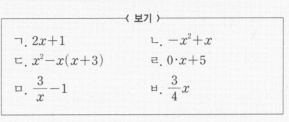 | 일차식

06

다음 〈보기〉 중 일차식인 것은 모두 몇 개인지 구하시오.

─〈 보기 〉─

ㄱ. $2x+1$　　　　　ㄴ. $-x^2+x$

ㄷ. $x^2-x(x+3)$　　ㄹ. $0 \cdot x+5$

ㅁ. $\dfrac{3}{x}-1$　　　　ㅂ. $\dfrac{3}{4}x$

05

다음 중 다항식 $2x^2-\dfrac{x}{3}-7$에 대한 설명으로 옳지 <u>않은</u> 것은?

① $2x^2$의 차수는 2이다.

② x의 계수는 $-\dfrac{1}{3}$이다.

③ 다항식의 차수는 2이다.

④ 상수항은 -7이다.

⑤ 항은 $2x^2$, $\dfrac{x}{3}$, 7이다.

06

x의 계수가 2인 일차식에서 $x=-1$일 때의 식의 값을 a, $x=3$일 때의 식의 값을 b라 할 때, $a-b$의 값은?

① -8　　　　② -4　　　　③ -2

④ 2　　　　　⑤ 4

유형 | 일차식과 수의 곱셈과 나눗셈

07

다음 중 옳은 것은?

① $2 \times 5x = 5x^2$

② $\dfrac{1}{2}(4x-8) = 2x-8$

③ $-3(x-2) = -3x-6$

④ $\dfrac{9x-12}{3} = 9x-4$

⑤ $\left(-\dfrac{2}{5}x - \dfrac{3}{10}\right) \times (-10) = 4x+3$

유형 | 일차식과 수의 곱셈과 나눗셈의 응용

08

$\left(\dfrac{1}{3}x - 2\right) \div \left(-\dfrac{1}{3}\right) = Ax + B$일 때, AB의 값은?

(단, A, B는 상수이다.)

① -7 ② -6 ③ -5

④ 6 ⑤ 7

學 07

다음 중 계산 결과가 $-4\left(x - \dfrac{3}{2}\right)$과 같은 것을 모두 고르면? (정답 2개)

① $2(2-3x)$

② $(-8x+12) \div 2$

③ $(2x-1) \times \dfrac{1}{6}$

④ $\left(-x + \dfrac{3}{2}\right) \div \left(-\dfrac{1}{4}\right)$

⑤ $\left(\dfrac{4}{3}x - 2\right) \div \left(-\dfrac{1}{3}\right)$

學 08

다음 식을 간단히 할 때, x의 계수와 상수항의 합이 가장 큰 것은?

① $5(0.2x-3)$

② $(12x-8) \times \dfrac{3}{4}$

③ $-2(6-5x)$

④ $(3-5x) \div 2$

⑤ $(2x-1) \div \left(-\dfrac{1}{4}\right)$

Tip : 페이지 번호를 클릭하면 스마트매스⁺를 이용하실 수 있어요!

+MEMO

 라디오수타

꼭

05

다항식 $2x+5y-3$에서 x의 계수를 a, y의 계수를 b, 상수항을 c라 할 때, $a+b-c$의 값은?

① -2　　　② 0　　　③ 4

④ 7　　　⑤ 10

꼭

06

다음 〈보기〉 중 x에 대한 일차식을 모두 고르시오.

〈 보기 〉

ㄱ. x　　　　ㄴ. 7　　　　ㄷ. $\dfrac{1}{3}x+2$

ㄹ. $-0.1x+5$　　ㅁ. $\dfrac{1}{x}+1$　　ㅂ. x^2+3

07

다음 중 옳지 <u>않은</u> 것은?

① $(-2) \times 3x = -6x$

② $\dfrac{6x-18}{3} = 2x-6$

③ $(3x-5) \div \dfrac{1}{2} = 6x-10$

④ $-4(x-1) = -4x-4$

⑤ $(12x+6) \div (-3) = -4x-2$

생각 ➕

다음 중 옳지 <u>않은</u> 것은?

① xL는 $1000x$mL이다.

② 7개에 x원인 사과 한 개의 값은 $\dfrac{x}{7}$원이다.

③ 1000원을 주고 150원짜리 연필 x개를 사고 받은 거스름돈은 $(1000-150x)$원이다.

④ 10개씩 묶인 숟가락 x묶음의 전체 숟가락의 개수는 $(10+x)$개이다.

⑤ 4점짜리 문제 x개, 5점짜리 문제 y개를 맞혔을 때, 점수는 $(4x+5y)$점이다.

08

$(0.5-3x) \times 4$를 간단히 한 식에서 x의 계수와 상수항의 곱은?

① -24 ② -10 ③ 10

④ 14 ⑤ 24

상윤이는 학교를 출발하여 $x\,$km 떨어진 집을 향하여 시속 $4\,$km로 y시간 동안 걸어갔는데 집에 도착하지 않았다. 집까지 남은 거리를 문자 x, y를 사용한 식으로 나타내시오.

$a\,\%$의 소금물 $200\,$g과 $b\,\%$의 소금물 $500\,$g을 섞어 만든 소금물의 농도를 문자 a, b를 사용한 식으로 나타내시오.

03 일차식과 그 계산

 Mstory1 Mstory2

M1 동류항 개념강의

$$3a+2b+2a+b$$

동류항 $5a+3b$

동류항
문자와 차수가 각각 같은 항
• $2x$, $2y$ 문자 다르다.
• $2x$, x^2 차수 다르다.
• 5, -3 상수항 ○

M2 일차식의 계산 개념강의

모든 항의 부호를 반대로

• $(5-2x)-(-3x+4)$
$=5-2x+3x-4$
$=-2x+3x+5-4$ ← 동류항끼리
$=(-2+3)x+1$
$=x+1$ → 계수끼리

(소괄호) → {중괄호} → [대괄호]

• $2x-1+3\{2x-(x+3)\}$
          ②   ①
$=2x-1+3(2x-x-3)$
$=2x-1+3(x-3)$
$=2x-1+3x-9$
$=5x-10$

하트공식

• $\dfrac{3x+2}{4}-\dfrac{x+1}{6}$ $\Longleftrightarrow$ $\dfrac{3}{4}x+\dfrac{2}{4}-\dfrac{1}{6}x-\dfrac{1}{6}$

통분

$=\dfrac{9x+6}{12}-\dfrac{2x+2}{12}$

$=\dfrac{9x+6-2x-2}{12}$

$=\dfrac{7x+4}{12}$

$=\left(\dfrac{3}{4}-\dfrac{1}{6}\right)x+\dfrac{1}{2}-\dfrac{1}{6}$

$=\left(\dfrac{9}{12}-\dfrac{2}{12}\right)x+\dfrac{3}{6}-\dfrac{1}{6}$

$=\dfrac{7}{12}x+\dfrac{1}{3}$

용어사전 • 동류(同 같다, 類 무리)항 similar term

| 동류항

09

다음 중 $3x$와 동류항인 것의 개수는?

$$-y, \quad x^2, \quad x, \quad 3, \quad -\frac{1}{5}x, \quad \frac{3}{x}, \quad -0.1x$$

① 1개　　　　② 2개　　　　③ 3개

④ 4개　　　　⑤ 5개

 | 일차식의 계산

10

$4\left(\dfrac{1}{2}x - \dfrac{3}{4}\right) - (6x-9) \div (-3)$을 간단히 하면

$ax+b$이다. 이때, 상수 a, b에 대하여 $a-b$의 값은?

① -10　　　② -2　　　③ 0

④ 2　　　　⑤ 10

09

다음 〈보기〉 중 동류항끼리 짝지어진 것을 모두 고르시오.

〈 보기 〉

ㄱ. $3, -9$

ㄴ. $\dfrac{3}{x}, 2x$

ㄷ. $4y, 2y$

ㄹ. $2x^2, 4x^3$

ㅁ. $x, -2y$

ㅂ. $a^2b, 2ab^2$

10

$-3x - \{4y - \{7x - (2x+9y) - 3y\}\}$를 간단히 하면?

① $-2x-16y$　　　② $2x-16y$

③ $2x+16y$　　　　④ $8x-8y$

⑤ $8x+8y$

유형 | 문자에 일차식 대입하기

11

$A=2x+7y$, $B=x-5y$일 때, $A-3B$를 x, y를 사용하여 나타내면?

① $-5x-22y$ ② $-5x+8y$

③ $-x-8y$ ④ $-x+22y$

⑤ $x+22y$

유형 | 어떤 식 구하기

12

$-2(4x+3)+\boxed{}=-6x+7$에서 $\boxed{}$ 안에 알맞은 식은?

① $-14x-13$ ② $-14x+1$

③ $2x-13$ ④ $2x+1$

⑤ $2x+13$

學

11

$A=3a-5b$, $B=-2a+b$일 때, $-4(A+3B)+3(2A-B)$를 a, b를 사용하여 나타내면?

① $-24a+5b$ ② $2a-15b$

③ $2a-6b$ ④ $24a-5b$

⑤ $36a-25b$

學

12

$5x-7$에서 어떤 다항식을 빼어야 할 것을 잘못하여 더했더니 $11x-3$이 되었다. 바르게 계산한 식은?

① $-11x-1$ ② $-x-11$

③ $x+11$ ④ $11x-1$

⑤ $11x+1$

Tip : 페이지 번호를 클릭하면 스마트매쓰+를 이용하실 수 있어요!

+MEMO

09

다음 〈보기〉 중 동류항끼리 짝지어진 것을 모두 고르시오.

〈 보기 〉

ㄱ. 5와 -8

ㄴ. $\dfrac{x}{7}$와 $\dfrac{7}{x}$

ㄷ. a^2과 b^2

ㄹ. $-x^2$과 $\dfrac{2}{7}x^2$

ㅁ. $2a^2b$와 ab^2

10

다음 식을 간단히 하시오.

$$(11x+4)-\left\{2-\dfrac{1}{3}\left(-15x+\dfrac{9}{2}\right)\right\}$$

03 일차식과 그 계산

꿈

11

$A=3x-\dfrac{1}{4}$, $B=\dfrac{1}{3}x+4$일 때, $2A-\dfrac{B}{2}$를 x를 사용하여 나타내면 $ax+b$이다. 이때, 두 상수 a, b에 대하여 $a-b$의 값은?

① $-\dfrac{15}{2}$　　② $-\dfrac{10}{3}$　　③ $-\dfrac{5}{2}$

④ $\dfrac{10}{3}$　　⑤ $\dfrac{25}{3}$

생각 +

다항식 $-\dfrac{1}{5}x^2+x-11-ax^2-bx+2$가 x에 대한 일차식이 될 조건은?

① $a=-\dfrac{1}{5}$, $b\neq-1$　　② $a=-\dfrac{1}{5}$, $b\neq1$

③ $a=\dfrac{1}{5}$, $b\neq1$　　④ $a\neq-\dfrac{1}{5}$, $b=1$

⑤ $a\neq\dfrac{1}{5}$, $b=1$

꿈

12

어떤 다항식에 $11a-9b$를 빼어야 할 것을 잘못해서 더했더니 $5a+b$가 되었다. 이때, 어떤 다항식에서 $3a-2b$를 뺀 다항식을 구하시오.

다음 그림에서 위의 식은 아래 두 식의 합과 같다. 이때, $A+B$를 x에 대한 식으로 간단히 나타내시오.

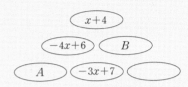

아람이와 종구는 그동안 용돈을 모아 각각 a원씩을 마련하였는데 이렇게 모은 용돈 a원으로 각자 마음에 드는 1년 만기의 정기예금에 가입하였다. 아람이가 가입한 상품은 연이율 6 %에 세금이 이자의 25 %이고, 종구가 가입한 상품은 연이율 5 %에 세금이 이자의 5 %이다. 다음 물음에 답하시오. (단, $a>0$)

(1) 아람이와 종구 중 만기 후 받는 금액이 더 많은 사람은 누구인지 구하시오.

(2) 아람이와 종구가 각각 20000원을 예금한다면 만기 후 아람이가 받는 금액과 종구가 받는 금액의 차를 구하시오.

단원 종합 문제

객관식 … 객관식 문제는 각 문항당 4점입니다.

01

다음 중 계산 결과가 나머지 넷과 <u>다른</u> 하나는?

① $a \times b \div c$ ② $a \div c \times b$

③ $a \div b \times c$ ④ $a \times (b \div c)$

⑤ $a \div (c \div b)$

02

$x = -2$일 때, 다음 중 식의 값이 가장 큰 것은?

① $-2x$ ② $(-x)^2$ ③ $2x + 7$

④ $x^2 + 3$ ⑤ $3 - \dfrac{2}{x}$

03

$a : b : c = 3 : 4 : 5$일 때, $\dfrac{a^2 - b^2 + c^2}{ab + bc - 2ca}$의 값은?

① 5   ② 7   ③ 9

④ 11   ⑤ 13

04

$A = 2a - b$, $B = -4a + b$일 때, 다음 식을 a, b를 사용하여 나타내면?

$$A - 5B - 3(A - 2B)$$

① $-8a - 3b$ ② $-8a$

③ $-8a + 3b$ ④ $8a - 3b$

⑤ $8a + 3b$

05

다음 중 옳은 것을 모두 고르면? (정답 2개)

① $x+y$의 항은 1개이다.

② 다항식 $-4x^2+3x-1$의 차수는 -4이다.

③ 다항식 $3x-2y+1$의 차수는 1이다.

④ x^2-2x+3에서 항은 x^2, $2x$, 3이다.

⑤ $2x^2+x-5$에서 x의 계수와 상수항의 곱은 -5
   이다.

07

$a*b=3a-2b$, $a◎b=5a+3b$라 약속할 때,
$$(3x*2y)-2(2x◎3y)=mx+ny$$
이다. 상수 m, n에 대하여 $m-n$의 값은?

① 5 　　　　② 7 　　　　③ 9

④ 11 　　　⑤ 13

06

$\dfrac{5x-4}{3}+\dfrac{7x-1}{6}-\dfrac{9x-5}{4}$ 를 간단히 하면 $ax+b$일
때, 상수 a, b에 대하여 ab의 값은?

① -1 　　　② $-\dfrac{1}{2}$ 　　　③ $-\dfrac{7}{48}$

④ $\dfrac{2}{3}$ 　　　⑤ 2

08

$\dfrac{x-5}{2}-\boxed{}=\dfrac{-2x+3}{6}$ 에서 $\boxed{}$ 안에 알맞
은 식은?

① $-\dfrac{5}{6}x+2$ 　　　　② $-\dfrac{1}{3}x-1$

③ $\dfrac{1}{6}x-2$ 　　　　　④ $\dfrac{5}{6}x-3$

⑤ $2x+\dfrac{1}{3}$

09

다항식 $ax^2-3x+1-5x^2+x+9$가 x에 대한 일차식이 되도록 하는 상수 a의 값은?

① 1   ② 2   ③ 3

④ 4   ⑤ 5

11

다음 중 옳지 <u>않은</u> 것은?

① a원의 3할은 $\dfrac{3}{10}a$원이다.

② 2000원의 $x\%$는 $20x$원이다.

③ x분 15초는 $(60x+15)$초이다.

④ $x\,\mathrm{m}\,y\,\mathrm{cm}$는 $(100x+y)\mathrm{cm}$이다.

⑤ 소수 첫째 자리의 숫자가 a, 소수 둘째 자리의 숫자가 b인 수는 $0.ab$이다.

10

$A\neq0$, $B\neq0$이면 $\dfrac{1}{AB}=\dfrac{1}{B-A}\left(\dfrac{1}{A}-\dfrac{1}{B}\right)$이 항상 성립한다. 이를 이용하여 다음 식에서 $n=20$일 때의 식의 값은?

$$\frac{1}{n(n+1)}+\frac{1}{(n+1)(n+2)}+\cdots$$
$$+\frac{1}{(n+9)(n+10)}$$

① $\dfrac{1}{60}$ ② $\dfrac{1}{30}$ ③ $\dfrac{1}{20}$

④ $\dfrac{1}{15}$ ⑤ $\dfrac{1}{12}$

12

다음 그림과 같은 직사각형 ABCD에서 $\overline{\mathrm{AD}}=8a$, $\overline{\mathrm{CD}}=7b$, $\overline{\mathrm{BE}}=3b$, $\overline{\mathrm{BF}}=4a$ 일 때, 삼각형 DEF의 넓이는?

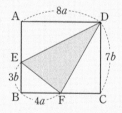

① $16ab$ ② $20ab$ ③ $24ab$

④ $26ab$ ⑤ $28ab$

Tip : 페이지 번호를 클릭하면 스마트매쓰⁺를 이용하실 수 있어요!

13

성냥개비를 사용하여 다음 그림의 규칙에 따라 도형을 만들려고 한다. [n단계]의 도형을 만드는 데 필요한 성냥개비의 개수를 문자 n을 사용하여 나타내면?

[1단계]　　　[2단계]　　　　[3단계]　　　…

① $(2n-1)$개　　　② $(2n+3)$개

③ $(4n-1)$개　　　④ $4n$개

⑤ $(4n+3)$개

14

다음 그림과 같이 지구의 반지름의 길이가 r이고, 배의 바닥에서 갑판까지의 높이가 a이다. 이 배가 지구를 한 바퀴 돌 때, 배의 바닥에 있는 사람과 갑판에 있는 사람이 움직인 거리의 차는? (단, 원주율은 3.14로 계산한다.)

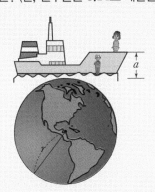

① $6.22a$　　② $6.24a$　　③ $6.26a$

④ $6.28a$　　⑤ $7.14a$

15

하민이네 집과 학교 사이의 거리는 x km이다. 등교할 때에는 자전거를 타고 시속 12 km로 가고 하교할 때에는 걸어서 시속 4 km로 왔을 때, 왕복하는 동안의 평균 속력은?

① 시속 6 km　　　② 시속 7 km

③ 시속 8 km　　　④ 시속 9 km

⑤ 시속 10 km

16

A비커에는 a%의 소금물이 300 g, B비커에는 b%의 소금물이 400 g 들어 있다. A비커의 소금물 100 g을 B비커에 넣어 잘 섞은 후, 다시 B비커의 소금물 100 g을 A비커에 넣었다. 이때, A비커의 소금물의 농도를 a, b를 사용한 식으로 나타내면?

① $\dfrac{12a+3b}{25}$%　　　② $\dfrac{11a+4b}{15}$%

③ $\dfrac{9a+3b}{13}$%　　　④ $\dfrac{13a+7b}{9}$%

⑤ $\dfrac{10a+5b}{6}$%

Ⅲ 문자의 사용과 식의 계산

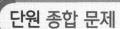
독심술

17

x에 대한 다항식 $A=x^2-3x+a$, $B=-bx^2+2x+1$, $C=(1+b)x^2+5x-4$에 대하여 $A+B$는 일차식, $A+C$는 항이 2개인 식이 된다고 한다. 다음 물음에 답하시오. [총 6점]

(1) a, b의 값을 구하시오. [3점]

(2) $A+B-C$의 x^2의 계수와 상수항의 합을 구하시오.

[3점]

18

어떤 다항식에서 $-2x+5$를 빼어야 할 것을 잘못하여 더했더니 $-8x+7$이 되었다. 어떤 다항식을 A, 바르게 계산한 식을 B라 할 때, $A-2B$를 x에 대한 식으로 나타내시오. [10점]

Tip : 페이지 번호를 클릭하면 **스마트매쓰⁺**를 이용하실 수 있어요!

19

$\dfrac{1}{a} - \dfrac{1}{b} = 3$일 때,

$\dfrac{a - 7ab - b}{2ab}$

의 값을 구하시오.(단, $a \neq 0$, $b \neq 0$) [10점]

20

자연수 n에 대하여 $\langle n \rangle$을 다음과 같이 약속하였다.

$$\langle n \rangle = (n\text{의 각 자리의 숫자의 곱})$$

예를 들어, $\langle 13 \rangle = 1 \times 3 = 3$, $\langle 45 \rangle = 4 \times 5 = 20$, $\langle 342 \rangle = 3 \times 4 \times 2 = 24$이다.

이때, $\langle x \rangle \times \langle y \rangle = 16$을 만족하는 두 자리의 자연수 x, y에 대하여 $x + y$의 최댓값을 구하시오. (단, $\langle x \rangle < \langle y \rangle$)

[10점]

IV

일차방정식

☑ 학습 계획 및 성취도 체크

· 유형 이해도에 따라 □ 안에 O, △, X를 표시합니다.

· 시험 전에 X 표시한 유형은 반드시 한 번 더 풀어 봅니다.

01 방정식의 뜻과 해

	학습 계획	1차 학습	2차 학습
유형 01 등식	/	☐	☐
유형 02 방정식과 항등식	/	☐	☐
유형 03 항등식이 되기 위한 조건	/	☐	☐
유형 04 방정식의 해	/	☐	☐

02 등식의 성질과 일차방정식

	학습 계획	1차 학습	2차 학습
유형 05 등식의 성질	/	☐	☐
유형 06 등식의 성질을 이용한 방정식의 풀이	/	☐	☐
유형 07 이항	/	☐	☐
유형 08 일차방정식	/	☐	☐

03 일차방정식의 풀이

	학습 계획	1차 학습	2차 학습
유형 09 계수가 소수나 분수인 일차방정식의 풀이	/	☐	☐
유형 10 비례식으로 주어진 일차방정식의 풀이	/	☐	☐
유형 11 해가 주어질 때, 미지수 구하기	/	☐	☐
유형 12 두 방정식의 해가 같을 때, 미지수 구하기	/	☐	☐

IV 일차방정식

1 방정식과 항등식

1. 등식: 등호($=$)를 사용하여 두 수 또는 두 식이 같음을 나타낸 식

(1) **좌변**: 등식에서 등호의 왼쪽 부분

(2) **우변**: 등식에서 등호의 오른쪽 부분

(3) **양변**: 등식의 좌변과 우변을 통틀어 양변이라 한다.

등식
$3x - 2 = 7$
좌변　우변
양변

2. 방정식과 항등식

(1) **방정식**: 문자를 포함한 등식에서 미지수의 값에 따라 참이 되기도 하고 거짓이 되기도 하는 등식

   ① **미지수**: 방정식에서 x 등의 문자

   ② **방정식의 해(근)**: 방정식을 참이 되게 하는 미지수의 값

   ③ **방정식을 푼다**: 방정식의 해를 구하는 것

(2) **항등식**: 미지수에 어떤 수를 대입하여도 항상 참이 되는 등식

2 등식의 성질

1. 등식의 성질

(1) 등식의 양변에 같은 수를 더하여도 등식은 성립한다.

   ➡ $a = b$이면 $a + c = b + c$

(2) 등식의 양변에서 같은 수를 빼어도 등식은 성립한다.

   ➡ $a = b$이면 $a - c = b - c$

(3) 등식의 양변에 같은 수를 곱하여도 등식은 성립한다.

   ➡ $a = b$이면 $ac = bc$

(4) 등식의 양변을 0이 아닌 같은 수로 나누어도 등식은 성립한다.

   ➡ $a = b$이면 $\dfrac{a}{c} = \dfrac{b}{c}$ (단, $c \neq 0$)

2. 등식의 성질을 이용한 방정식의 풀이

등식의 성질을 이용하여 $x = (수)$의 꼴로 고쳐서 방정식의 해를 구할 수 있다.

3 일차방정식

1. 이항: 등식의 성질을 이용하여 등식의 한 변에 있는 항을 부호를 바꾸어 다른 변으로 옮기는 것

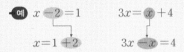

예
$$x-2=1 \qquad 3x=x+4$$
$$x=1+2 \qquad 3x-x=4$$

2. 일차방정식

(1) 일차방정식

등식의 모든 항을 좌변으로 이항하여 정리한 식이

$(x$에 대한 일차식$)=0$, 즉 $ax+b=0\,(a\neq0)$

의 꼴로 나타내어지는 방정식을 x에 대한 일차방정식 또는 일차방정식이라 한다.

(2) 일차방정식의 풀이

❶ 괄호가 있으면 먼저 분배법칙을 이용하여 괄호를 푼다.

❷ 미지수 x를 포함하는 항은 좌변으로, 상수항은 우변으로 이항한다.

❸ 양변을 동류항끼리 정리하여 $ax=b\,(a\neq0)$의 꼴로 고친다.

❹ 양변을 x의 계수 a로 나누어 해 $x=\dfrac{b}{a}$를 구한다.

(3) 복잡한 일차방정식의 풀이

계수가 소수 또는 분수인 일차방정식은 양변에 적당한 수를 곱하여 계수를 모두 정수로 고쳐서 푼다.

① 계수에 소수가 있는 일차방정식

양변에 10, 100, 1000, …을 곱하여 계수를 정수로 고쳐서 푼다.

② 계수에 분수가 있는 일차방정식

양변에 분모의 최소공배수를 곱하여 계수를 정수로 고쳐서 푼다.

주의 양변에 적당한 수를 곱할 때는 모든 항에 빠짐없이 곱해야 한다.

계수를 정수로 고치기

↓

괄호 풀기

↓

이항하기

↓

$ax=b$의 꼴로 정리하기

↓

$x=(수)$의 꼴로 나타내기

01 방정식의 뜻과 해
Mstory1 Mstory2

M1 등식의 뜻 ⊗ 개념강의

		총 금액
500원	700원	3200원
x개	1개	

등호

$$500x + 700 \stackrel{=}{} 3200$$

좌변   우변
양변

M2 방정식과 항등식 ⊗ 개념강의

미지수

방정식 $2\textcircled{x}-1=5$	항등식 $x-3=-3+x$
$x=1$ ➡ $2\times1-1=5$(거짓)	$x=1$ ➡ $1-3=-3+1$(참)
$x=2$ ➡ $2\times2-1=5$(거짓)	$x=2$ ➡ $2-3=-3+2$(참)
$x=3$ ➡ $2\times3-1=5$(참)	$x=3$ ➡ $3-3=-3+3$(참)
해(근) ← 푼다	(좌변)=(우변) ← 조건
참/거짓~ 등식	항상 참이 되는 등식

용어사전
• 등(等 같다)식 equality   • 항(恒 항상)등식 identity
• 미지(未知 알려지지 않다)수 unknown   • 해(解 풀다)=근(根 뿌리) solution=root

유형 | 등식

01

다음 중 등식인 것을 모두 고르면? (정답 2개)

① $2x+3$

② $5-1=2$

③ $4x>7$

④ $2(x+6)=2x-1$

⑤ $3 \leq 5$

유형 | 방정식과 항등식

02

다음 중 방정식인 것을 모두 고르면? (정답 2개)

① $2x-1=5$

② $7+x$

③ $3(x+1)=3x+3$

④ $4x=4$

⑤ $5x-3=(3x+4)+(2x-7)$

01

'어떤 수 x에 5를 더하면 x의 2배보다 10이 크다.'를 등식으로 나타내시오.

02

다음 중 항등식인 것은?

① $3x-1=4x$

② $5x-8=4$

③ $-3x+2=3x-2$

④ $\dfrac{1}{5}x-1=5x+1$

⑤ $-2(x+3)=-2x-6$

유형 | 항등식이 되기 위한 조건

03

등식 $\dfrac{4x+3}{5}-1=ax-b$가 모든 x에 대하여 항상 참일 때, 상수 a, b에 대하여 $a-b$의 값은?

① $-\dfrac{2}{5}$
② $-\dfrac{1}{5}$
③ $\dfrac{1}{5}$

④ $\dfrac{2}{5}$
⑤ $\dfrac{6}{5}$

유형 | 방정식의 해

04

다음 방정식 중 그 해가 $x=-1$이 아닌 것은?

① $x+1=0$
② $5x+4=-1$

③ $4(x+3)=8$
④ $\dfrac{1}{3}(x-5)=-2$

⑤ $2x-6=3x-7$

學

03

등식 $3(x-4)=\boxed{}+2x$가 x에 대한 항등식일 때, $\boxed{}$ 안에 알맞은 식은?

① $-5x-12$
② $-x-12$

③ $x-12$
④ $x+12$

⑤ $5x-12$

學

04

x의 값이 $-2\le x\le 2$인 정수일 때, 방정식 $2x-7=-3$ 의 해는?

① -2
② -1
③ 0

④ 1
⑤ 2

Tip : 페이지 번호를 클릭하면 스마트메스⁺를 이용하실 수 있어요!

+MEMO

01

다음 중 문장을 등식으로 나타낼 수 없는 것은?

① 3000원을 내고 200원짜리 연필 a자루를 샀더니 거스름돈이 600원이었다.

② 시속 x km로 2시간 동안 간 거리는 60 km이다.

③ 한 변의 길이가 x cm인 정사각형의 넓이는 4 cm²이다.

④ 어떤수 x에서 5를 빼면 x의 3배와 같다.

⑤ a에 5를 더한 후 2배한다.

02

다음 중 x의 값에 어떤 수를 대입해도 항상 참인 것은?

① $7+2x$

② $3x+5x=8$

③ $4x-1=1-4x$

④ $-2x+1=2\left(\dfrac{1}{2}-x\right)$

⑤ $\dfrac{1}{3}(2x+1)=\dfrac{2}{3}\left(\dfrac{1}{2}-x\right)$

01 방정식의 뜻과 해

03

등식 $ax-12=-3(x-b)$가 x의 값에 관계없이 항상 성립할 때, 상수 a, b에 대하여 $a-b$의 값은?

① -2　　　② -1　　　③ 0

④ 1　　　⑤ 2

생각 ➕

다음 중 용어에 대한 설명으로 옳지 않은 것은?

① 등식: 등호(=)를 사용하여 두 수 또는 두 식이 서로 같음을 나타낸 식

② 해: 방정식을 참이 되게 하는 미지수의 값

③ 양변: 등호의 왼쪽 부분

④ 방정식: 미지수의 값에 따라 참 또는 거짓이 되는 등식

⑤ 항등식: 미지수의 값에 관계없이 항상 참이 되는 등식

04

x의 값이 -1, 0, 1, 2일 때, 방정식 $2+4x=2x+4$의 해는?

① $x=-1$　　　② $x=0$　　　③ $x=1$

④ $x=2$　　　⑤ 없다.

생각 ✚✚

등식 $ax-3=2(-x+b)$는 x에 대한 항등식이다. x에 대한 방정식 $cx+1=2x+7$의 해가 $x=a$일 때, abc의 값은? (단, a, b, c는 상수이다.)

① -1 ② -2 ③ -3

④ -4 ⑤ -5

생각 ✚✚✚

다음은 '구장산술'에 있는 방정식의 활용 문제이다. 다음 중 주어진 질문에 바르게 답한 것은?

> 소 다섯 마리와 양 두 마리에 열 냥, 소 두 마리와 양 다섯 마리에 여덟 냥이다. 소와 양 한 마리의 가격은 각각 얼마인가?

① 소: $\dfrac{2}{5}$냥, 양: 4냥

② 소: $\dfrac{20}{7}$냥, 양: $\dfrac{25}{7}$냥

③ 소: $\dfrac{25}{7}$냥, 양: $\dfrac{20}{7}$냥

④ 소: $\dfrac{20}{21}$냥, 양: $\dfrac{34}{21}$냥

⑤ 소: $\dfrac{34}{21}$냥, 양: $\dfrac{20}{21}$냥

02 등식의 성질과 일차방정식

Mstory1 Mstory2

M1 등식의 성질 ⊗ 개념강의

$$\boxed{ABC} = \boxed{ABC}$$

$a=b$이면

$a+c=b+c$ $a-c=b-c$

$ac=bc$ $\dfrac{a}{c}=\dfrac{b}{c}$ (단, $c\neq0$)

• $2x-3=9$

  $2x-3+3=9+3$

  $2x=12$

  $\dfrac{2x}{2}=\dfrac{12}{2}$ 푼다.

$\therefore \; x=6$ ← 해(근) ←

M2 일차방정식: (일차식)=0꼴 ⊗ 개념강의

$x-2=3$

$x-2+2=3+2$ 부호가 반대로!

$x=3+2$ 이항

$4x=6+3x$

$4x-3x=6+3x-3x$

$4x-3x=6$

$3x+2=x$

$3x+2-x=0$

$2x+2=0$

$ax+b=0$

(단, a, b는 상수, $a\neq0$)

일차방정식

$-x+x^2=x^2+2$

$-x+x^2-x^2-2=0$

$-x-2=0$

용어사전 🔍 • 이 (移 옮기다) 항 transposition

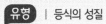 | 등식의 성질

05

다음 중 옳지 <u>않은</u> 것은?

① $a=b$이면 $a+c=b+c$이다.

② $a=b$이면 $ac=bc$이다.

③ $a=b$이면 $\dfrac{a}{c}=\dfrac{b}{c}$이다. (단, $c\neq 0$)

④ $a+c=b+c$이면 $a=b$이다.

⑤ $ac=bc$이면 $a=b$이다.

유형 | 등식의 성질을 이용한 방정식의 풀이

06

오른쪽은 방정식 $2x-5=7$을 등식의 성질을 이용하여 푸는 과정이다. (가), (나)에 이용된 등식의 성질을 〈보기〉에서 차례로 고르시오.

$$\begin{aligned} 2x-5&=7 \\ 2x&=12 \\ \therefore x&=6 \end{aligned} \quad \begin{array}{l}\text{(가)}\\ \text{(나)}\end{array}$$

〈 보기 〉

c가 자연수일 때,

ㄱ. $a=b$이면 $a+c=b+c$

ㄴ. $a=b$이면 $a-c=b-c$

ㄷ. $a=b$이면 $ac=bc$

ㄹ. $a=b$이면 $\dfrac{a}{c}=\dfrac{b}{c}$

05

다음 〈보기〉 중 옳은 것을 모두 고르시오.

〈 보기 〉

ㄱ. $\dfrac{a}{3}=\dfrac{b}{4}$이면 $4a=3b$이다.

ㄴ. $-x=5$이면 $x=-5$이다.

ㄷ. $2x=-6$이면 $-4x=24$이다.

ㄹ. $-3m+2=3n+2$이면 $m=n$이다.

ㅁ. $-3a=\dfrac{b}{3}$이면 $a=-\dfrac{b}{9}$이다.

06

일차방정식 $\dfrac{3x+2}{5}=4$를 푸는 과정에 〈보기〉의 등식의 성질을 이용하고자 한다. 이용되는 등식의 성질을 차례로 고르시오.

〈 보기 〉

c가 자연수일 때,

ㄱ. $a=b$이면 $a+c=b+c$

ㄴ. $a=b$이면 $a-c=b-c$

ㄷ. $a=b$이면 $ac=bc$

ㄹ. $a=b$이면 $\dfrac{a}{c}=\dfrac{b}{c}$

유형 | 이항

유형 | 이항

07

다음 중 이항을 바르게 한 것을 모두 고르면? (정답 2개)

① $2x-5=8 \Rightarrow 2x=8-5$

② $3x=4-5x \Rightarrow 3x+5x=4$

③ $-6x=7+x \Rightarrow -6x+x=7$

④ $5x+2=4x \Rightarrow 5x-4x=2$

⑤ $4x+1=-2x+3 \Rightarrow 4x+2x=3-1$

유형 | 일차방정식

08

다음 중 x에 대한 일차방정식인 것은?

① $x^2-4=x$

② $3x-8$

③ $0.1x=2$

④ $x(x-9)=1$

⑤ $2(x+1)=2x-5$

07

등식 $-7x+3=11x-6$을 이항만을 이용하여

$ax=b \ (a<0)$의 꼴로 고쳤을 때, $\dfrac{b}{a}$의 값을 구하시오.

(단, a, b는 상수이다.)

08

방정식 $x+2=a(5-x)$가 x에 대한 일차방정식일 때, 다음 중 상수 a의 값으로 옳지 <u>않은</u> 것은?

① -2　　② -1　　③ 0

④ 1　　⑤ 5

Tip : 페이지 번호를 클릭하면 스마트매쓰⁺를 이용하실 수 있어요!

정답 및 해설 p. 42

+MEMO

 라디오수타

05

$a=5b$일 때, 다음 중 옳은 것을 모두 고르면? (정답 2개)

① $\dfrac{a}{5}=\dfrac{b}{5}$

② $a-2=5b-2$

③ $3a=3(b+5)$

④ $5-\dfrac{a}{10}=5-2b$

⑤ $2(a+1)=10b+2$

06

다음은 방정식 $5x-4=3x+1$을 등식의 성질을 이용하여 푸는 과정이다. ㈎~㈑에 알맞은 것을 써넣으시오.

$$5x-4=3x+1$$
$$5x-4-\boxed{㈎}=3x+1-\boxed{㈎}$$
$$2x-4=1$$
$$2x-4+\boxed{㈏}=1+\boxed{㈏}$$
$$2x=5$$
$$\dfrac{2x}{\boxed{㈐}}=\dfrac{5}{\boxed{㈐}}$$
$$x=\boxed{㈑}$$

07

다음 중 일차방정식 $5x-7=10$에서 좌변의 -7을 이항하는 것과 같은 뜻을 갖는 것은?

① 양변에서 7을 뺀다.

② 양변에 7을 더한다.

③ 양변에 -7을 더한다.

④ 양변에 -7을 곱한다.

⑤ 양변을 7로 나눈다.

생각➕

다음 중 방정식 $ax^2+6x=b(x-4)$가 x에 대한 일차방정식이 되도록 하는 상수 a, b의 조건으로 옳은 것은?

① $a=0, b\neq0$

② $a\neq0, b=0$

③ $a=0, b\neq6$

④ $a\neq6, b=4$

⑤ $a\neq0, b\neq4$

08

다음 중 일차방정식이 <u>아닌</u> 것은?

① $5=2-x$

② $0.1x=1$

③ $4x-1=-4x+1$

④ $3x^2+x=3x^2-x$

⑤ $2(x-3)=2x+7$

다음의 가로세로 퀴즈를 풀고, 아래 표의 빈칸에 알맞은 것을 써넣으시오.

〈가로 열쇠〉

① 근의 다른 이름은 무엇인가?

③ $2x^2+3x-1$에서 -1을 무엇이라 하는가?

⑥ (일차식)+(방정식)은?

〈세로 열쇠〉

② $2x^2+3x-1$에서 2와 3을 무엇이라 하는가?

④ $3(x-2)=3x-6$과 같은 등식을 무엇이라 하는가?

⑤ $3x-1$과 같은 다항식을 무엇이라고 하는가?

(가)   (나)

다음 그림의 (가)와 (나)는 윗접시 저울에 콜라, 치킨, 삼각김밥, 햄버거를 올려놓아 수평이 되도록 만든 것이다.

> (가)의 왼쪽 접시에는 콜라 2캔, 치킨 1조각이 놓여 있고, 오른쪽 접시에는 삼각김밥 4개, 치킨 1조각이 놓여 있다.
> (나)의 왼쪽 접시에는 햄버거 1개, 삼각김밥 2개가 놓여 있고, 오른쪽 접시에는 콜라 1캔, 치킨 1조각, 삼각김밥 1개가 놓여 있다.

다음 중 햄버거 1개와 같은 무게를 갖는 것은? (단, 콜라 1캔, 치킨 1조각, 삼각김밥 1개, 햄버거 1개는 각각 무게가 일정하다.)

① 콜라 2캔

② 삼각김밥 3개

③ 콜라 1캔, 치킨 1조각

④ 콜라 1캔, 삼각김밥 1개

⑤ 치킨 1조각, 삼각김밥 1개

03 일차방정식의 풀이

Mstory1 Mstory2

M1 일차방정식의 풀이 🔅 개념강의

$2x+3=18-x$ → $2x+3-18+x=0$

$2x+x=18-3$ $3x-15=0$ (일차방정식)

$3x=15$ $ax=b$ (단, a, b는 상수, $a\neq0$)

$\dfrac{3x}{3}=\dfrac{15}{3}$

$\therefore\ x=5$ $x=\dfrac{b}{a}$ 해(근)

(검산) $2\times5+3=18-5$ (참)

M2 복잡한 일차방정식의 풀이 🔅 개념강의

간단한

• 괄호: 분배법칙

$10+2(1-x)=3-5x$

$10+2-2x=3-5x$

$-2x+5x=3-12$

$3x=-9$

$\dfrac{3x}{3}=\dfrac{-9}{3}$

$\therefore\ x=-3$

• 비례식: (내항의 곱)=(외항의 곱)

$(x-2):(x-1)=2:3$

$2(x-1)=3(x-2)$

$2x-2=3x-6$

$2x-3x=-6+2$

$-x=-4$

$\therefore\ x=4$

• 소수: 10의 거듭제곱

$3.4x-2.8=2.7x$

$(3.4x-2.8)\times10=2.7\times10$

$34x-28=27x$

$7x=28$

$\therefore\ x=4$

• 분수: 분모의 최소공배수

$\dfrac{x-3}{6}-1=\dfrac{3x+1}{8}$

$\left(\dfrac{x-3}{6}-1\right)\times24=\dfrac{3x+1}{8}\times24$

$4x-12-24=9x+3$

$-5x=39$

$\therefore\ x=-\dfrac{39}{5}$

| 계수가 소수나 분수인 일차방정식의 풀이

09

일차방정식 $0.2x-0.3=0.1(x-4)+0.15$를 풀면?

① $x=-50$ ② $x=-\dfrac{1}{2}$

③ $x=\dfrac{1}{4}$ ④ $x=\dfrac{1}{2}$

⑤ $x=50$

 | 비례식으로 주어진 일차방정식의 풀이

10

다음 비례식을 만족하는 x의 값은?

$$5:4=\frac{1}{2}(x-1):\frac{1}{5}(3x+7)$$

① -9 ② -5 ③ -1

④ 5 ⑤ 9

09

일차방정식 $\dfrac{3}{4}x+\dfrac{2}{3}=\dfrac{1}{3}x+\dfrac{3}{4}$의 해를 $x=a$, 일차방정식 $\dfrac{1}{3}(x+1)=\dfrac{x}{2}-\dfrac{4-x}{9}$의 해를 $x=b$라 할 때, $a+b$의 값을 구하시오.

10

비례식 $\dfrac{2}{7}(x-1):3=(0.6x+2):7$을 만족하는 x의 값을 a라 할 때, $|a-35|-\left|9-\dfrac{1}{4}a\right|$의 값은?

① 0 ② 1 ③ 2

④ 3 ⑤ 4

11

x에 대한 일차방정식 $5(2x-a)-(2x+a)=9$의 해가 $x=\dfrac{3}{4}$일 때, 상수 a의 값은?

① $-\dfrac{1}{8}$ ② $-\dfrac{1}{4}$ ③ $-\dfrac{1}{2}$

④ $\dfrac{1}{2}$ ⑤ $\dfrac{1}{4}$

12

x에 대한 다음 두 일차방정식의 해가 서로 같을 때, 상수 a의 값은?

$$\dfrac{2x-1}{3}=\dfrac{3x+1}{2},\ 0.3(x-1)=a+0.4(x-3)$$

① -2 ② -1 ③ 0

④ 1 ⑤ 2

11

일차방정식 $4x-\dfrac{x-6}{2}=\dfrac{5x+2k}{3}$의 해가 $x=-2$일 때, 일차방정식 $3x+k(x-7)=13$의 해는?

(단, k는 상수이다.)

① $x=1$ ② $x=2$ ③ $x=3$

④ $x=4$ ⑤ $x=5$

12

x에 대한 두 일차방정식

$$7x+m=x-5m,\ 2\left(x+\dfrac{1}{2}\right)-nx=-8$$

의 해가 모두 $x=3$일 때, $m+n$의 값은?

(단, m, n은 상수이다.)

① 1 ② 2 ③ 3

④ 4 ⑤ 5

+MEMO

껌

09

일차방정식 $\dfrac{2(x-1)}{5}-1=0.6(x-3)$을 풀면?

① $x=-2$ ② $x=-1$ ③ $x=1$

④ $x=2$ ⑤ $x=3$

껌

10

비례식 $\dfrac{1}{4}(x-1):5=(0.6x+3):4$를 만족하는 x의 값은?

① -8 ② -4 ③ -2

④ 4 ⑤ 8

IV
일차방정식

꼽

11

x에 대한 일차방정식

$-0.4x+\dfrac{p}{10}=\dfrac{x-3}{2}-0.2(px+3)$의 해가 $x=5$일

때, $11p$의 값은? (단, p는 상수이다.)

① 16   ② 20   ③ 24

④ 28   ⑤ 32

생각➕

두 수 a, b에 대하여 $a☆b-a+ab+1$로 약속할 때,

$$(3☆x)☆4=6$$

을 만족하는 x의 값은?

① -2 ② -1 ③ 0

④ 1   ⑤ 2

꼽

12

두 일차방정식 $3x+7=1$과 $\dfrac{3x-4}{2}=a$의 해는 절댓값

이 서로 같고 부호가 서로 반대이다. 이때, 상수 a의 값을

구하시오.

x에 대한 일차방정식

$$2ax-8=4(x+7)-3x$$

의 해가 자연수가 되도록 하는 모든 자연수 a의 값의 합은?

① 5 　　　　② 6 　　　　③ 7

④ 8 　　　　⑤ 9

x에 대한 방정식

$$ax=b$$

를 푸시오. (단, a, b는 상수이다.)

단원 종합 문제

객관식 … 객관식 문제는 각 문항당 4점입니다.

01

다음 중 등식인 것을 모두 고른 것은?

> ㄱ. $2x - 3x = 6x$
> ㄴ. $4x - 1$
> ㄷ. $x < 2$

① ㄱ   ② ㄴ   ③ ㄷ
④ ㄱ, ㄴ   ⑤ ㄱ, ㄷ

02

등식 $2x + 3b = ax + 6$이 x에 대한 항등식일 때, 상수 a, b에 대하여 $a + b$의 값은?

① 1   ② 2   ③ 3
④ 4   ⑤ 5

03

다음 중 [ ] 안의 수가 주어진 방정식의 해인 것은?

① $x + 3 = 2$ [1]
② $4 - 3x = 2x - 6$ [2]
③ $5 - 2x = -3$ [3]
④ $8x + 6 = -7x - 9$ [4]
⑤ $2(x - 3) = x + 1$ [5]

04

x의 값이 $-1 \leq x \leq 1$인 정수일 때, 다음 방정식 중 해를 가지는 것은?

① $x + 5 = -2x - 1$
② $3(x - 2) = 2x - 1$
③ $-6x = 0$
④ $2(x + 4) = 0$
⑤ $x + 2 = \dfrac{1}{3}(4x - 8)$

Tip : 페이지 번호를 클릭하면 **스마트매쓰⁺**를 이용하실 수 있어요!

05

다음 중 옳은 것을 모두 고르면? (정답 2개)

① $a+3=b+3$이면 $a=b$이다.

② $ac=bc$이면 $a=b$이다.

③ $a=b$이면 $\dfrac{a}{c}=\dfrac{b}{c}$이다. (단, $c\neq0$)

④ $\dfrac{a}{4}=\dfrac{b}{5}$이면 $4(a+1)=5(b+1)$이다.

⑤ $a=5b$이면 $a-5=5(b-5)$이다.

06

다음 방정식의 풀이 과정에서 등식의 성질 '$a=b$이면 $ac=bc$이다.'가 이용된 곳을 모두 고른 것은?

(단, c는 자연수이다.)

$$\frac{1}{2}x+3=\frac{3}{4} \quad\Big]\ \text{㉠}$$
$$2x+12=3 \quad\Big]\ \text{㉡}$$
$$2x=-9 \quad\Big]\ \text{㉢}$$
$$\therefore\ x=-\frac{9}{2}$$

① ㉠   ② ㉡   ③ ㉢

④ ㉠, ㉡   ⑤ ㉡, ㉢

07

등식 $6x-5=3x+3$을 이항만을 이용하여 $ax=b\ (a>0)$의 꼴로 고쳤을 때, $a+b$의 값은?

(단, a, b는 상수이다.)

① 7   ② 8   ③ 9

④ 10   ⑤ 11

08

다음 중 x에 대한 일차방정식인 것을 모두 고르면?

(정답 2개)

① $2x^2+3=x$

② $\dfrac{1}{x}+4=2x$

③ $x^2+3x=x^2+x+2$

④ $7x-5=2x$

⑤ $2x+1=x(x+1)$

IV

일차방정식

09

다음 그림과 같이 어떤 수 x에서 시작하여 화살표를 따라 주어진 계산을 한 결과 x가 되었을 때, 어떤 수 x는?

① 1   ② 2   ③ 3

④ 4   ⑤ 5

10

일차방정식 $\frac{1}{3}x + \frac{1}{2} = \frac{1}{2}x - \frac{2}{3}$의 해를 $x=a$, 일차방정식 $0.3x + 0.2 = 0.2(x-0.5)$의 해를 $x=b$라 할 때, $a+b$의 값은?

① 1   ② 2   ③ 3

④ 4   ⑤ 5

11

일차방정식 $\frac{2(x-1)}{3} - 1 = 0.6(x-3)$을 풀면?

① $x=-2$ ② $x=-1$

③ $x=1$ ④ $x=2$

⑤ $x=3$

12

x에 대한 일차방정식 $a(x-3)=8$의 해가 $x=5$일 때, x에 대한 일차방정식 $2.4x + a = 1.7x - 2.3$의 해는?

① $x=-10$ ② $x=-9$

③ $x=-8$ ④ $x=-7$

⑤ $x=-6$

13

x에 대한 다음 두 일차방정식의 해가 서로 같을 때, 상수 a의 값은?

$$a(x-1)=\frac{x}{3}, \qquad \frac{x}{2}+\frac{2-x}{6}=\frac{x+1}{2}$$

① $\frac{1}{6}$ ② $\frac{1}{3}$ ③ $\frac{1}{2}$

④ $\frac{2}{3}$ ⑤ $\frac{5}{6}$

14

$\begin{vmatrix} a & b \\ c & d \end{vmatrix}=ad-bc$ 로 약속할 때,

$\begin{vmatrix} 4 & 6 \\ 2 & x \end{vmatrix}=\begin{vmatrix} x & -1 \\ -1 & 2 \end{vmatrix}$ 를 만족하는 x의 값은?

① $\frac{3}{2}$ ② 3 ③ $\frac{9}{2}$

④ $\frac{11}{2}$ ⑤ 5

15

x에 대한 방정식 $(3-a)x-5=2$의 해는 없고, $2x+3=bx-c$의 해는 무수히 많을 때, $a+b+c$의 값은? (단, a, b, c는 상수이다.)

① 1 ② 2 ③ 3

④ 4 ⑤ 5

16

방정식 $\frac{1}{x}+\frac{3}{2x}-\frac{3}{8}=\frac{1}{4}$ 을 풀면? (단, $x \neq 0$)

① $x=-2$ ② $x=-1$

③ $x=2$ ④ $x=4$

⑤ $x=6$

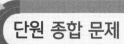

17

어떤 분수의 분모와 분자의 합이 63이고, 이 분수를 기약분수로 나타내면 $\dfrac{8}{13}$이다. 다음 물음에 답하시오. [총 6점]

(1) 분자를 x라 할 때, 분모를 x로 나타내시오. [2점]

(2) 분모와 분자를 각각 구하시오. [4점]

18

비례식 $(x-1):3=(3x+2):4$를 만족하는 x의 값이 x에 대한 일차방정식 $\dfrac{5x-2}{2}=3-a$의 해일 때, 상수 a에 대하여 a^2-3a+6의 값을 구하시오. [10점]

19

x에 대한 일차방정식 $kx=8-2x$의 해가 자연수가 되도록 k의 값을 정할 때, 자연수 k의 개수를 구하시오. [10점]

20

방정식 $|2x-3|=5$의 모든 해의 합을 구하시오. [10점]

V

일차방정식의 활용

☑ 학습 계획 및 성취도 체크

· 유형 이해도에 따라 ☐ 안에 O, △, X를 표시합니다.

· 시험 전에 X 표시한 유형은 반드시 한 번 더 풀어 봅니다.

01 일차방정식의 활용-수

	학습 계획	1차 학습	2차 학습
유형 01 어떤 수에 관한 문제	/	☐	☐
유형 02 연속하는 자연수에 관한 문제	/	☐	☐
유형 03 자릿수에 관한 문제	/	☐	☐
유형 04 개수의 합이 일정한 문제	/	☐	☐

02 일차방정식의 활용-도형

	학습 계획	1차 학습	2차 학습
유형 05 과부족에 관한 문제	/	☐	☐
유형 06 나이에 관한 문제	/	☐	☐
유형 07 예금액에 관한 문제	/	☐	☐
유형 08 도형에 관한 문제	/	☐	☐

03 일차방정식의 활용-속력

	학습 계획	1차 학습	2차 학습
유형 09 속력에 관한 식 세우기	/	☐	☐
유형 10 속력이 바뀌는 경우	/	☐	☐
유형 11 시간차가 발생하는 경우	/	☐	☐
유형 12 서로 만나는 경우	/	☐	☐

04 일차방정식의 활용-농도

	학습 계획	1차 학습	2차 학습
유형 13 농도에 관한 식 세우기	/	☐	☐
유형 14 농도에 관한 문제	/	☐	☐
유형 15 증가, 감소에 관한 문제	/	☐	☐
유형 16 일에 관한 문제	/	☐	☐

V 일차방정식의 활용

1 일차방정식의 활용 문제 푸는 순서

❶ 문제의 뜻을 파악하고 구하고자 하는 것을 미지수 x로 놓는다.

❷ 수량 사이의 관계를 찾아 문제의 뜻에 맞게 방정식을 세운다.

❸ 방정식을 풀어 x의 값을 구한다.

❹ 구한 해가 문제의 뜻에 맞는지 확인한다.

> **주의** 문제의 답을 구할 때, 단위를 꼭 확인한다.

2 유형별 일차방정식의 활용 문제를 푸는 방법

1. 수에 관한 문제

(1) 어떤 수를 구하는 경우는 어떤 수를 x로 놓는다.

(2) 십의 자리의 숫자가 x, 일의 자리의 숫자가 y인 두 자리의 자연수는 $10x+y$이다.

(3) 연속한 세 자연수는 x, $x+1$, $x+2$ 또는 $x-1$, x, $x+1$로 놓는다.

(4) 연속한 세 홀수 또는 세 짝수는 x, $x+2$, $x+4$ 또는 $x-2$, x, $x+2$로 놓는다.

> **참고** (1) x분 $=\dfrac{x}{60}$시간 ➡ 30분 $=\dfrac{30}{60}$시간 $=\dfrac{1}{2}$시간
>
> (2) $\underset{\frac{1}{10}}{3할}\ \underset{\frac{1}{100}}{2푼}\ \underset{\frac{1}{1000}}{7리}=3\times\dfrac{1}{10}+2\times\dfrac{1}{100}+7\times\dfrac{1}{1000}=0.327$
>
> (3) $x\%=\dfrac{x}{100}$
>
> (4) 킬로(1000), 센티$\left(\dfrac{1}{100}\right)$, 밀리$\left(\dfrac{1}{1000}\right)$
>
> $7\,kg=7000\,g$, $7\,mL=\dfrac{7}{1000}\,L$
>
> $7\,km=7000\,m$, $7\,cm=\dfrac{7}{100}\,m$, $7\,mm=\dfrac{7}{1000}\,m$

2. 도형에 관한 문제

(1) (직사각형의 넓이)$=$(가로의 길이)$\times$(세로의 길이)

(2) (직사각형의 둘레의 길이)$=2\times\{$(가로의 길이)$+$(세로의 길이)$\}$

(3) (삼각형의 넓이)$=\dfrac{1}{2}\times$(밑변의 길이)$\times$(높이)

(4) (사다리꼴의 넓이)$=\dfrac{1}{2}\times\{$(윗변의 길이)$+$(아랫변의 길이)$\}\times$(높이)

3 거리, 속력, 시간에 관한 문제

속력

$$(거리)=(속력)\times(시간)$$

$$(속력)=\frac{(거리)}{(시간)}$$

$$(시간)=\frac{(거리)}{(속력)}$$

예 시속 20km의 속력으로 3시간을 달린 거리
➡ $(거리)=20\times3=60(km)$

(1) 시간의 합이 주어진 경우 ➡ (갈 때 걸린 시간)+(올 때 걸린 시간)=(전체 시간)

(2) 두 사람이 호수의 둘레나 트랙을 도는 경우 ➡ 같은 방향으로 돌면 두 사람의 이동 거리의 차가, 반대 방향으로 돌면 두 사람의 이동 거리의 합이 한 바퀴가 될 때 처음으로 만난다.

(3) 기차가 다리를 지나는 경우 ➡ 다리의 길이와 기차의 길이를 합한 만큼의 거리를 이동해야 다리를 완전하게 통과하게 된다.

4 농도에 관한 문제

농도

$$(소금물의 농도)=\frac{(소금의 양)}{(소금물의 양)}\times100(\%)$$

$$(소금의 양)=\frac{(소금물의 농도)}{100}\times(소금물의 양)$$

예 소금물 100 g 안에 소금이 20 g 들어 있다면
$$(소금물의 농도)=\frac{20}{100}\times100=20(\%)$$

(1) 소금물에 물을 더 넣거나 증발시키는 경우 ➡ (처음 소금의 양)=(나중 소금의 양)

(2) 두 소금물을 섞는 경우
➡ (섞기 전 각 소금물에 들어 있는 소금의 양의 합) = (섞은 후 소금물에 들어 있는 소금의 양)

주의 물을 더 넣거나 증발시키면 소금물의 농도는 변하지만 소금의 양은 변하지 않는다.

01 일차방정식의 활용-수

Mstory1 Mstory2

M1 방활송 (개념강의)

정식의 용

• 멤버 9명이 두 방송국의 프로그램에 나뉘어서 출연한다.
  M방송국보다 K방송국에 3명이 더 출연할 때,
  M방송국 프로그램에 출연하는 멤버의 수를 구하시오.

1. 구하고자 하는 것을 ⓧ로 두고   M: x명, K: $(x+3)$명
   └─미지수

2. x에 대한 방정식을 세우고 $x+(x+3)=9$

3. 방정식을 풀어서 $2x=6$ ∴ $x=3$

4. 뜻에 맞는지 확인한다.   M방송국 프로그램에 출연하는멤버의 수는 3명이다.

유형 │ 어떤 수에 관한 문제

01

어떤 수에 5를 더한 수의 2배는 어떤 수의 $\frac{1}{3}$ 배와 같다. 어떤 수는?

① -6 ② -4 ③ -2
④ 4 ⑤ 6

유형 │ 연속하는 자연수에 관한 문제

02

연속하는 세 자연수에서 가장 큰 수의 $\frac{1}{3}$ 배는 다른 두 수의 합보다 7만큼 작다고 한다. 이 세 수 중 가장 작은 수는?

① 1 ② 2 ③ 3
④ 4 ⑤ 5

學

01

서로 다른 두 자연수에 대하여 큰 수를 작은 수로 나눈 몫은 4, 나머지는 2이다. 큰 수와 작은 수의 차가 17일 때, 큰 수를 구하시오.

學

02

연속하는 세 짝수의 합이 168일 때, 이 연속하는 세 짝수를 구하시오.

03

일의 자리의 숫자가 4인 두 자리의 자연수가 있다. 이 자연수의 십의 자리의 숫자와 일의 자리의 숫자를 바꾼 수는 처음 수보다 27만큼 작다. 이때, 처음 두 자리의 자연수는?

① 44   ② 54   ③ 64

④ 74   ⑤ 84

03

어떤 두 자리의 자연수의 각 자리의 숫자의 합이 9이고, 이 자연수의 십의 자리의 숫자와 일의 자리의 숫자를 바꾼 수는 처음 수보다 27만큼 작다고 한다. 이때, 처음 두 자리의 자연수를 구하시오.

04

경란이가 한 자루에 300원 하는 연필과 한 자루에 250원 하는 볼펜을 합하여 모두 10자루를 샀더니 2700원이었다. 이때, 경란이가 산 연필은 모두 몇 자루인지 구하시오.

04

지난 수학 시험에서는 3점짜리 문제와 8점짜리 문제만으로 모두 25문항이 출제되었다. 만점은 100점일 때, 8점짜리 문제는 몇 문항 출제되었는가?

① 3문항   ② 4문항   ③ 5문항

④ 6문항   ⑤ 7문항

Tip : 페이지 번호를 클릭하면 스마트매쓰+ 를 이용하실 수 있어요!

+MEMO

01

어떤 수에 5를 더해야 할 것을 잘못하여 곱하였더니 처음 구하려고 했던 수보다 19만큼 커졌다고 한다. 처음 구하려고 했던 수를 구하시오.

02

연속하는 세 홀수의 합이 597일 때, 이 세 홀수 중 가장 큰 수는?

① 199   ② 201   ③ 203

④ 205   ⑤ 207

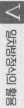

03

일의 자리의 숫자와 십의 자리의 숫자의 합이 14인 두 자리의 자연수가 있다. 이 자연수의 십의 자리의 숫자와 일의 자리의 숫자를 바꾼 수가 처음 수보다 18만큼 작다고 할 때, 처음 두 자리의 자연수를 구하시오.

주연이네 농장에 염소와 오리를 합하여 65마리가 있다. 염소와 오리의 다리의 수의 합이 210개일 때, 오리의 수는?

① 20마리 ② 25마리 ③ 30마리
④ 35마리 ⑤ 40마리

04

어느 야구장의 어른 입장료는 8000원이고, 어린이 입장료는 6500원이다. 어른과 어린이를 합한 8명의 입장료가 59500원일 때, 어린이 수를 구하시오.

생각 **+**+

1에서 100까지의 자연수를 한 줄에 6개씩 순서대로 나열한 숫자판을 만든다. 여기서 다음 그림과 같이 이웃한 가로 2줄, 이웃한 세로 4줄에 있는 8개의 수를 묶는다. 이와 같은 방법으로 묶은 8개의 수의 합이 332일 때, 8개의 수 중에서 가장 작은 수를 구하시오.

1	2	3	4	5	6
7	8	9	10	11	12
13	14	15	16	17	18
19	20	21	22	23	24
25	26	27	28	…	…
⋮	⋮	⋮	⋮	⋮	⋮
97	98	99	100		

생각 **+++**

다음의 대화를 보고, 하영이가 성준이의 생일을 맞힌 방법을 설명하시오.

하영: 성준아~ 내가 네 생일을 맞혀 볼게!

성준: 그래, 해 봐! 어떻게 맞힐건데?

하영: 일단 마음 속으로 네 생일을 한 줄로 늘어놓아 봐. 예를 들어, 11월 15일이면 1115를 생각하는 거야.

성준: 그래, 생각했어.

하영: 그 수에 4를 곱하고 30을 더한 다음, 그 값에서 처음에 한 줄로 생일을 늘어놓아 만든 수를 빼 봐. 그리고 그 수를 3으로 나누면 얼마야?

성준: 음…… 1026이 되는데?

하영: 훗! 네 생일은 10월 16일이구나?

성준: 오~ 어떻게 알았지?

V
일차방정식의 활용

02 일차방정식의 활용 – 도형

Mstory1 Mstory2

M1 도형에 관한 활용 문제 ⊛ 개념강의

• 둘레의 길이가 24m인 직사각형 모양의 화단에서 가로의 길이가 세로의 길이의 2배보다 3m 짧다. 이 화단의 넓이를 구하시오.

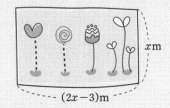

1. 구하고자 하는 것을 x로 두고　　　세로: xm, 가로: $(2x-3)$m

2. x에 대한 방정식을 세우고　　　(둘레)$=2\{(2x-3)+x\}=24$

3. 방정식을 풀어서　　　$6x-6=24$　　　$\therefore x=5$(m)

4. 뜻에 맞는지 확인한다.　　　세로: 5m, 가로: 7m, 넓이: 35m^2

유형 | 과부족에 관한 문제

05

학생들에게 사과를 나누어 주려고 한다. 한 학생에게 4개씩 나누어 주면 7개가 남고, 5개씩 나누어 주면 2개가 모자랄 때, 사과의 개수는?

① 40개   ② 41개   ③ 42개

④ 43개   ⑤ 44개

 유형 | 나이에 관한 문제

06

현재 어머니와 아들의 나이의 합은 53세이고, 8년 후에 어머니의 나이는 아들의 나이의 2배가 된다고 한다. 이때, 현재 아들의 나이는?

① 13세   ② 14세   ③ 15세

④ 16세   ⑤ 17세

05

강당의 긴 의자에 학생들이 앉으려고 한다. 한 의자에 5명씩 앉으면 의자에 모두 앉고도 8명이 앉지 못하고, 한 의자에 6명씩 앉으면 의자 3개가 비어 있고 마지막 의자에는 4명이 앉는다고 한다. 이때, 학생 수를 구하시오.

06

현재 수인이와 아버지의 나이의 차는 28세이고, 10년 후에는 아버지의 나이가 수인이의 나이의 2배보다 7세 많아진다고 한다. 현재 아버지의 나이를 구하시오.

유형 | 예금액에 관한 문제

07

현재 한 은행에 동생은 18000원, 형은 42000원이 예금되어 있다. 앞으로 동생은 매달 2000원씩, 형은 매달 3000원씩 예금한다면 형의 예금액이 동생의 예금액의 2배가 되는 것은 몇 개월 후인가? (단, 이자는 생각하지 않는다.)

① 6개월 후 ② 7개월 후
③ 8개월 후 ④ 9개월 후
⑤ 10개월 후

유형 | 도형에 관한 문제

08

가로의 길이가 7 cm, 세로의 길이가 4 cm인 직사각형이 있다. 이 직사각형의 가로의 길이를 3 cm, 세로의 길이를 x cm만큼 늘였더니 새로운 직사각형의 넓이가 처음 직사각형의 넓이의 5배가 되었다. 이때, 새로운 직사각형의 세로의 길이는?

① 7 cm ② 9 cm ③ 10 cm
④ 12 cm ⑤ 14 cm

07

현재 재호와 선희의 통장에는 각각 90000원, 81000원이 예금되어 있다. 앞으로 재호는 매달 3500원씩, 선희는 매달 2500원씩 각자 자신의 통장에서 돈을 찾아 쓴다고 할 때, 선희의 예금액이 재호의 예금액의 2배가 되는 것은 몇 개월 후인가? (단, 이자는 생각하지 않는다.)

① 20개월 후 ② 21개월 후
③ 22개월 후 ④ 23개월 후
⑤ 24개월 후

08

아랫변의 길이가 7 cm, 높이가 8 cm인 사다리꼴의 넓이가 44 cm² 일 때, 윗변의 길이를 구하시오.

Tip : 페이지 번호를 클릭하면 스마트매쓰+를 이용하실 수 있어요!

+MEMO

껌

05

학생들이 야영을 하는데 한 개의 텐트에 5명씩 들어가면 2명이 들어가지 못하고, 한 개의 텐트에 6명씩 들어가면 마지막 텐트에는 3명만 들어가게 된다. 이때, 야영에 참가한 학생 수를 구하시오.

껌

06

올해 딸의 나이는 8세, 아버지의 나이는 38세이다. 아버지의 나이가 딸의 나이의 3배가 되는 것은 몇 년 후인가?

① 3년 후 　　② 4년 후 　　③ 5년 후
④ 6년 후 　　⑤ 7년 후

꼼
07

현재 수정이의 저금통에는 7000원, 수인이의 저금통에는 3000원이 들어 있다. 앞으로 수정이는 매일 300원씩, 수인이는 매일 500원씩 저금통에 넣는다면 수정이와 수인이의 저금통에 들어 있는 금액이 같아지는 것은 며칠 후인지 구하시오.

생각➕

지운이가 책 한 권을 읽는데, 첫째 날에는 전체의 $\frac{1}{3}$을 읽고, 둘째 날에는 전체의 $\frac{1}{5}$을 읽고, 셋째 날에는 21쪽을 읽었더니 전체의 $\frac{2}{5}$가 남았다. 이 책의 전체 쪽수를 구하시오.

꼼
08

길이가 84 cm인 철사를 남김 없이 사용하여 가로의 길이와 세로의 길이의 비가 2 : 5인 직사각형을 만들려고 한다. 이 직사각형의 세로의 길이를 구하시오.

생각 ➕➕

다음은 인도의 수학자 '바스카라'가 쓴 시이다. 벌 떼는 모두 몇 마리인지 구하시오.

> 벌 떼의 3분의 1은 목련꽃으로
> 5분의 1은 나팔꽃으로
> 그들의 차에 3배는 아카시아 꽃으로 날아갔네.
>
> 남겨진 한 마리의 벌은
> 장미의 향기와
> 재스민의 향기에 갈팡질팡하다가
>
> 두 사람의 연인에게 말을 시킬 것 같은
> 남자의 고독처럼
> 허공을 헤매고 있도다.
> 벌 떼는 어느 만큼인가.

생각 ➕➕➕

'대수학의 아버지'인 디오판토스는 훌륭한 수학자임에도 불구하고 그의 일생에 대해서는 알려진 것이 거의 없고, 그의 나이만 묘비의 글귀를 통해서 알 수 있다. 다음은 디오판토스의 묘비에 적힌 글이다. 이를 보고 디오판토스가 사망할 때의 나이를 구하시오.

> 이 돌 아래에는 디오판토스의 영혼이 잠들어 있다.
> 그의 신비스런 생애를 수로 말해 보겠소.
> 그는 일생의 $\frac{1}{6}$을 소년으로 지냈고,
> 일생의 $\frac{1}{12}$은 수염을 기른 청년으로 보냈소.
> 그 후 일생의 $\frac{1}{7}$을 더 독신으로 지내고, 결혼하였소.
> 5년 뒤에 아들이 태어났으나
> 그 아들은 아버지의 생애의 반 밖에 살지 못하였소.
> 그리고 아들이 죽고 난 뒤 4년 후에
> 그도 생애를 마감했소.

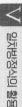

03 일차방정식의 활용 – 속력

Mstory1 Mstory2

M1 속력에 관한 공식 ⊛ 개념강의

시속 30 km
속력

시간(시간)	1 $\times 30$	2 $\times 30$	3 $\times 30$	...
거리(km)	30	60	90	...

속력

$(거리) = (속력) \times (시간)$

$(속력) = \dfrac{(거리)}{(시간)}$

$(시간) = \dfrac{(거리)}{(속력)}$

• 굴삭기는 3시간에 60 km의 거리를 움직인다 ➡ $(속력) = \dfrac{60}{3} = 20(km/시)$

M2 그림으로 나타내기 ⊛ 개념강의

A, B 두 지점 사이를 왕복하는데 갈 때는 시속 5km, 돌아올 때는 시속 4km로 걸었다. 돌아올 때가 갈 때보다 5분 더 걸릴 때, A, B 두 지점 사이의 거리를 구하시오.

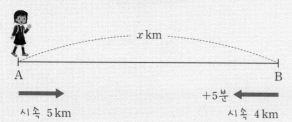

x km

A   B

+5분

시속 5 km   시속 4 km

A, B 두 지점 사이의 거리를 x km라 하면

$\dfrac{x}{4} - \dfrac{x}{5} = \dfrac{5}{60}$ ← 단위 통일

$15x - 12x = 5,\ 3x = 5 \qquad \therefore x = \dfrac{5}{3}(km)$

따라서 A, B 두 지점 사이의 거리는 $\dfrac{5}{3}$ km이다.

| 속력에 관한 식 세우기

09

시속 4 km의 속력으로 집에서 x km 떨어진 학교까지 가는 데 걸리는 시간을 구하시오.

 | 속력이 바뀌는 경우

10

A, B 두 지점을 왕복하는데 갈 때는 시속 4 km로 걸어서 가고, 올 때는 같은 길을 시속 12 km로 자전거를 타고 왔더니 총 3시간이 걸렸다고 한다. 이때, A, B 두 지점 사이의 거리는?

① 6 km　　② 7 km　　③ 8 km

④ 9 km　　⑤ 10 km

09

A지점을 출발하여 150 km만큼 떨어진 B지점을 향하여 시속 60 km의 속력으로 a시간 동안 달렸지만 도착하지 못하였다. 남은 거리를 문자 a를 사용한 식으로 나타내면?

① $(150-60a)$ km　　② $\left(150-\dfrac{a}{6}\right)$ km

③ $\left(\dfrac{a}{150}-60\right)$ km　　④ $\left(\dfrac{150}{a}-60\right)$ km

⑤ $(60a-150)$ km

10

수빈이가 등산을 하는데 올라갈 때는 시속 2 km로 걷고, 내려올 때는 올라갈 때보다 2 km 더 먼 다른 등산로를 시속 5 km로 걸어서 모두 6시간이 걸렸다고 한다. 이때, 산을 올라가는 데 걸린 시간을 구하시오.

유형 | 시간차가 발생하는 경우

11

민수가 집에서 학교까지 가는데 시속 4 km로 걸어서 가면 등교 시간보다 5분 늦게 도착하고, 시속 6 km로 뛰어가면 등교 시간보다 15분 빨리 도착한다. 집에서 학교까지의 거리는?

① 2 km   ② 3 km   ③ 4 km

④ 5 km   ⑤ 6 km

유형 | 서로 만나는 경우

12

희진이와 동생이 각각 분속 80 m, 분속 70 m로 둘레의 길이가 3 km인 호수의 둘레를 같은 지점에서 동시에 출발하여 서로 반대 방향으로 걸을 때, 두 사람은 출발한 지 몇 분 후에 처음으로 만나는가?

① 10분 후   ② 15분 후   ③ 20분 후

④ 25분 후   ⑤ 30분 후

學

11

지은이가 집에서 출발하여 매분 60 m의 속력으로 걸어서 학교로 향했다. 20분 후에 동생이 매분 300 m의 속력으로 자전거를 타고 지은이를 따라갔다. 이때, 동생은 집을 출발한 지 몇 분 후에 지은이를 만나게 되는지 구하시오.

(단, 지은이와 동생은 학교에 도착하기 전에 만난다.)

學

12

둘레의 길이가 600 m인 트랙이 있다. 이 트랙의 둘레를 석민이와 윤정이가 같은 지점에서 동시에 출발하여 서로 같은 방향으로 걸었다. 석민이는 매분 90 m의 속력으로, 윤정이는 매분 70 m의 속력으로 걸었다면 두 사람은 출발한 지 몇 분 후에 처음으로 다시 만나게 되는가?

① 20분 후   ② 25분 후   ③ 30분 후

④ 35분 후   ⑤ 40분 후

Tip : 페이지 번호를 클릭하면 스마트매쓰 를 이용하실 수 있어요!

+MEMO

 라디오수타

09

정희는 집에서 6 km 떨어진 고모네 집까지 시속 x km로 걸어갔는데, 도중에 힘이 들어 20분 간 휴식을 취하였다. 정희가 집에서 고모네 집까지 가는 데 걸린 시간을 문자 x 를 사용한 식으로 나타내면?

① $\left(\dfrac{x}{6}+20\right)$시간

② $\left(\dfrac{x}{60}+\dfrac{1}{3}\right)$시간

③ $\left(\dfrac{6}{x}+20\right)$시간

④ $\left(\dfrac{6}{x}+\dfrac{1}{3}\right)$시간

⑤ $(6x+20)$시간

10

집에서 학교까지 가는데 처음의 반은 시속 6 km로 뛰어가다가 지쳐서 나머지 반은 시속 3 km으로 걸어 갔더니 총 30분이 걸렸다. 집에서 학교까지의 거리는?

① 500 m   ② 1 km   ③ 1.5 km

④ 2 km   ⑤ 2.5 km

11

민석이는 8시 10분에 집에서 출발하여 매분 60 m의 속력으로 걸어서 학교로 향했다. 이때, 형이 민석이의 도시락을 가져다 주기 위해 8시 30분에 집에서 출발하여 자전거를 타고 매분 180 m의 속력으로 따라갔다. 형이 출발한 지 몇 분 후에 민석이를 만나게 되는지 구하시오.

(단, 민석이와 형은 학교에 도착하기 전에 만난다.)

A, B 두 지점 사이의 거리는 200 km이다. 오전 8시에 A 지점에서 B지점을 향해 시속 80 km로 출발한 버스가 오전 8시 10분에 B지점에서 A지점을 향해 시속 60 km로 출발한 버스와 서로 마주치는 시각은?

① 오전 9시 정각   ② 오전 9시 30분
③ 오전 9시 40분   ④ 오전 10시 30분
⑤ 오전 10시 40분

12

둘레의 길이가 4.2 km인 공원 산책로를 A, B 두 사람이 같은 위치에서 반대 방향으로 걸어간다. A는 1분에 60 m의 속력으로 B는 1분에 80 m의 속력으로 걷는다고 할 때, 두 사람은 출발한 지 몇 분 후에 처음으로 만나는지 구하시오.

생각 ✚✚

일정한 속력으로 달리는 기차가 길이 240 m인 다리를 완전히 건너가는 데 30초가 걸리고, 길이 185 m인 터널을 완전히 통과하는 데 24초가 걸린다. 이때, 이 기차의 길이는 몇 m인지 구하시오.

생각 ✚✚✚

흐르는 강물 사이의 두 지점 A, B를 보트를 타고 왕복하려고 한다. 강물은 A지점에서 B지점을 향해서 시속 2 km로 흐르고, 흐르지 않는 물에서 보트의 속력은 시속 6 km이다. 왕복하는 데 걸린 시간이 4시간 30분일 때, 두 지점 A, B 사이의 거리를 구하시오.

04 일차방정식의 활용 – 농도

Mstory1 Mstory2

M1 농도에 관한 공식 ⊙ 개념강의

$(소금물) = (소금) + (물)$　　　$(농도) = \dfrac{10}{200} \times 100 = 5(\%)$
　200 g　　　10 g　　190 g

- $(소금물의\ 농도) = \dfrac{(소금의\ 양)}{(소금물의\ 양)} \times 100(\%)$

- $(소금의\ 양) = \dfrac{(소금물의\ 농도)}{100} \times (소금물의\ 양)$

- 농도가 8 %인 소금물 300 g ➡ $(소금의\ 양) = \dfrac{8}{100} \times 300 = 24(g)$

M2 그림으로 나타내기 ⊙ 개념강의

소금물 300 g에 물 20 g과 소금 15 g을 넣어 12 %의 소금물을 만들었다. 이때, 처음 소금물의 농도를 구하시오.

처음 소금물의 농도: x %

$$\dfrac{x}{100} \times 300 + 15 = \dfrac{12}{100} \times 335$$

$3x + 15 = 40.2$　　$\therefore\ x = 8.4(\%)$

따라서 처음 소금물의 농도는 8.4 %이다.

정답 및 해설 p. 54

유형 | 농도에 관한 식 세우기

13

$a\%$ 설탕물 $200\,g$에 들어 있는 설탕의 양을 구하시오.

유형 | 농도에 관한 문제

14

5%의 소금물 $400\,g$이 있다. 이 소금물에서 몇 g의 물을 증발시키면 8%의 소금물이 되는가?

① $135\,g$ ② $140\,g$ ③ $145\,g$
④ $150\,g$ ⑤ $155\,g$

學

13

$x\%$의 소금물 $300\,g$과 8%의 소금물 $400\,g$을 섞어 만든 소금물에 들어 있는 소금의 양을 문자 x를 사용한 식으로 나타내면?

① $96x\,g$
② $(3x+32)\,g$
③ $(3x+3200)\,g$
④ $(300x+32)\,g$
⑤ $(300x+3200)\,g$

學

14

소금물 $200\,g$에서 물 $60\,g$을 증발시킨 후 소금 $10\,g$을 더 녹였더니 농도가 처음 농도의 2배가 되었다. 처음 소금물의 농도는?

① 10% ② 15% ③ 20%
④ 25% ⑤ 30%

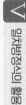

증가, 감소에 관한 문제

15

어느 클럽에 가입한 학생 수는 작년에 비해 8 % 증가하여 올해는 162명이 되었다. 이때, 작년에 이 클럽에 가입한 학생 수를 구하시오.

 일에 관한 문제

16

어떤 일을 완성하는 데 진영이가 혼자 하면 12시간, 현석이가 혼자 하면 9시간이 걸린다고 한다. 이 일을 진영이가 먼저 4시간 동안 일한 후 나머지를 현석이가 혼자서 완성하였다. 현석이가 혼자 일한 시간을 구하시오.

15

M 중학교의 작년 전체 학생 수는 820명이었다. 작년에 비하여 남학생 수는 5 % 증가하고, 여학생 수는 2 % 감소하여 전체 학생 수가 6명이 증가하였다. 올해 여학생 수를 구하시오.

16

어떤 물통에 두 호스 A, B를 이용하여 물을 가득 채우는데 각각 30분, 40분이 걸린다. 또한, 물통에 가득찬 물을 C호스로 모두 빼내는 데 20분이 걸린다. A, B 두 호스로 물통에 물을 넣으면서 동시에 C호스로 물을 빼낼 때, 물통에 물을 가득 채우는 데에는 몇 분이 걸리는지 구하시오.

+MEMO

13

농도가 $a\%$인 소금물 $500\,\mathrm{g}$에 소금 $b\,\mathrm{g}$을 더 넣었을 때, 이 소금물의 농도를 문자를 사용한 식으로 나타내면?

① $\dfrac{5a+b}{5+b}\%$

② $\dfrac{5a+100b}{500}\%$

③ $\dfrac{100(5a+b)}{500+b}\%$

④ $\dfrac{500ab}{500+b}\%$

⑤ $\dfrac{a+500b}{500+100b}\%$

14

3%의 소금물 $100\,\mathrm{g}$이 있다. 여기에 물 $200\,\mathrm{g}$과 소금을 더 넣어 10%의 소금물을 만들려고 한다. 소금을 몇 g 더 넣어야 하는가?

① $15\,\mathrm{g}$　　② $20\,\mathrm{g}$　　③ $25\,\mathrm{g}$

④ $30\,\mathrm{g}$　　⑤ $35\,\mathrm{g}$

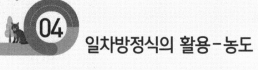

04 일차방정식의 활용 – 농도

15

어느 학교의 작년의 전체 학생 수가 900명이었는데 올해에는 작년에 비하여 남학생은 4 % 감소하고, 여학생은 5 % 증가하여 전체적으로는 9명이 증가하였다. 이 학교의 올해의 남학생 수는?

① 365명   ② 372명   ③ 384명

④ 393명   ⑤ 416명

10 %의 소금물 200 g에서 소금물을 조금 퍼내고, 퍼낸 소금물의 양만큼 물을 부은 후 4 %의 소금물을 섞어 6 %의 소금물 350 g을 만들었다. 처음 퍼낸 소금물의 양을 구하시오.

16

어떤 일을 완성하는 데 수빈이가 혼자 하면 16일, 현수가 혼자 하면 12일이 걸린다고 한다. 이 일을 수빈이가 혼자서 3일 동안 한 후, 수빈이와 현수가 함께 일하다가 나머지를 현수가 혼자서 1일 더 하여 완성하였다. 수빈이와 현수가 함께 일한 기간은 몇 일인지 구하시오.

A 비커에는 10 %의 소금물이 300 g, B 비커에는 14 %의 소금물이 500 g 들어 있다. A, B 두 비커에서 각각 같은 양의 소금물을 덜어내어 서로 바꾸어 넣었더니, A, B 두 비커의 소금물의 농도가 같아졌다. 이때, 각각 몇 g씩 덜어 내어 바꾸었는지 구하시오.

3시와 4시 사이에 시계의 시침과 분침이 일치하는 시각을 구하시오.

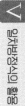

단원 종합 문제

객관식 … 객관식 문제는 각 문항당 4점입니다.

01

어떤 수에서 3을 뺀 수의 $\frac{1}{4}$은 어떤 수의 $\frac{1}{2}$보다 3만큼 크다. 어떤 수는?

① 10　　　　② 5　　　　③ -5

④ -10　　　⑤ -15

02

연속하는 세 자연수 중 가운데 수의 3배는 나머지 두 수의 합보다 20만큼 크다고 한다. 이때, 가장 큰 수와 가장 작은 수의 합은?

① 36　　　　② 38　　　　③ 40

④ 42　　　　⑤ 44

03

십의 자리의 숫자가 일의 자리의 숫자보다 1만큼 큰 두 자리의 자연수가 있다. 이 자연수는 각 자리의 숫자의 합의 6배와 같을 때, 이 자연수는?

① 32　　　　② 43　　　　③ 54

④ 65　　　　⑤ 76

04

혜란이는 한 개에 1200원 하는 사과와 한 개에 2000원 하는 배를 합하여 15개를 사고 2000원짜리 바구니에 넣어 포장하였다. 과일 바구니 가격으로 모두 25600원을 지불하였을 때, 산 배의 개수는?

① 4개　　　　② 5개　　　　③ 6개

④ 7개　　　　⑤ 8개

Tip : 페이지 번호를 클릭하면 스마트매스⁺ 를 이용하실 수 있어요!

05

1학년 학생들이 강당에 모였다. 긴 의자 하나당 5명씩 앉으면 학생 13명이 서 있게 되고, 6명씩 앉으면 마지막 의자에 4명이 앉고 빈 의자가 5개 생긴다. 이때, 긴 의자의 개수는?

① 35개 ② 43개 ③ 45개
④ 48개 ⑤ 53개

07

현재 성희와 재원이의 예금액은 각각 20000원, 6000원이다. 앞으로 두 사람이 모두 매월 1000원씩 예금을 할 때, 성희의 예금액이 재원이의 예금액의 2배가 되는 것은 몇 개월 후인가? (단, 이자는 생각하지 않는다.)

① 4개월 후 ② 5개월 후 ③ 6개월 후
④ 7개월 후 ⑤ 8개월 후

06

아버지와 아들의 나이의 합은 52세이고, 6년 후에는 아버지의 나이가 아들의 나이의 3배가 된다고 한다. 올해 아들의 나이는?

① 8세 ② 10세 ③ 12세
④ 14세 ⑤ 16세

08

밑변의 길이가 6 cm이고, 넓이가 21 cm²인 삼각형의 높이는?

① 5 cm ② 7 cm ③ 9 cm
④ 11 cm ⑤ 13 cm

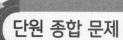

09

교실에서 매점 사이를 왕복하는데, 매점을 갈 때는 초속 10 m로 달리고, 교실로 올라올 때는 초속 2 m로 걸었더니 모두 3분이 걸렸다고 한다. 교실에서 매점 사이의 거리는?

① 260 m ② 270 m ③ 280 m
④ 290 m ⑤ 300 m

11

12 %의 설탕물 300 g과 5 %의 설탕물을 섞어서 8 %의 설탕물을 만들려고 한다. 이때, 5 %의 설탕물을 몇 g 섞으면 되는가?

① 320 g ② 340 g ③ 360 g
④ 380 g ⑤ 400 g

10

A열차의 길이는 210 m, B열차의 길이는 90 m이다. 두 열차가 어떤 터널을 완전히 건너가는 데 A열차는 40초, B열차는 30초가 걸렸다. A, B 두 열차의 속력이 서로 같을 때, 터널의 길이는?

① 230 m ② 250 m ③ 270 m
④ 290 m ⑤ 310 m

12

만두 가게에서 아르바이트를 하는 A, B 두 사람이 있다. 하루치의 만두를 빚는데, A는 9시간, B는 6시간이 각각 걸린다. 어느 날 A가 3시간 동안 한 후 나머지를 B가 완성하였다. B는 몇 시간 동안 만두를 빚었는가?

① 2시간   ② 2시간 30분
③ 3시간   ④ 3시간 30분
⑤ 4시간

Tip : 페이지 번호를 클릭하면 **스마트메스U**를 이용하실 수 있어요!

13

현우는 3일 만에 책 한 권을 모두 읽었는데 첫째 날에는 전체의 $\frac{1}{3}$ 을, 둘째 날에는 남은 부분의 $\frac{3}{5}$ 을 읽었고, 마지막 날에는 나머지 60쪽을 모두 읽었다. 현우가 읽은 책의 전체 쪽수는?

① 222쪽   ② 223쪽   ③ 224쪽
④ 225쪽   ⑤ 226쪽

15

10시와 11시 사이에 시침과 분침이 이루는 각도가 180°일 때의 시각은?

① 10시 $21\frac{6}{11}$ 분   ② 10시 $21\frac{7}{11}$ 분

③ 10시 $21\frac{8}{11}$ 분   ④ 10시 $21\frac{9}{11}$ 분

⑤ 10시 $21\frac{10}{11}$ 분

14

어떤 물건을 정가의 30%를 할인하여 팔았더니 원가의 12%의 이익을 얻었다고 한다. 이 물건의 원가에 몇 %의 이익을 붙여서 정가를 정한 것인가?

① 40%   ② 50%   ③ 60%
④ 70%   ⑤ 80%

16

A고등학교 입학시험에서 남학생 50명과 여학생 20명이 합격하였다. 지원자의 남학생과 여학생의 비는 2 : 1이고 불합격자의 남학생과 여학생의 비는 15 : 8이다. 여학생 지원자의 수는?

① 70명   ② 80명   ③ 90명
④ 100명   ⑤ 110명

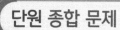

17

어느 중학교의 올해 여학생 수와 남학생 수는 작년에 비해 여학생은 5 % 증가하고, 남학생은 8 % 감소하여 전체 학생 수는 12명이 줄었다. 올해 전체 학생 수가 658명일 때, 올해 여학생 수를 구하시오. [총 6점]

(1) 작년 여학생 수를 x명이라 할 때, 작년 남학생 수를 구하시오. [2점]

(2) 올해 전체 학생 수가 12명이 줄었음을 이용하여 작년 여학생 수를 구하시오. [2점]

(3) 올해 여학생 수를 구하시오. [2점]

18

10 %의 소금물 500 g을 가열하여 물을 50 g의 증발시킨 후, 소금을 더 넣어서 20 %의 소금물을 만들었다. 이때, 더 넣은 소금은 몇 g인지 구하시오. [10점]

Tip : 페이지 번호를 클릭하면 **스마트매쓰**를 이용하실 수 있어요!

19

정확하지 않은 두 개의 시계 A, B를 자정 12시 정각에 맞추어 놓았다. 그날 시계 A가 오전 6시를 가리킬 때, 시계 B는 오전 5시 36분을 나타내고 있었다. 실제로 그날 오전 7시 정각일 때, 시계 B를 다시 오전 7시로 맞추었고 7시를 지난 시계 A는 그대로 두었다. 그 후 시계 B가 오후 2시를 가리킬 때, 시계 A는 오후 2시 45분을 나타내고 있었다. 실제로 그날 오전 7시 정각일 때, 시계 B는 실제 시각보다 몇 분 느린지 구하시오. [10점]

20

용량이 같은 파일 5개를 차례로 다운로드 받으려고 한다. 다음 그림은 현재 다운로드 받는 파일의 전송 비율과 전체 파일의 전송 비율을 나타낸 그림이다. 5개의 파일을 모두 다운로드 받는 데에는 총 5분이 걸리고, 전송을 시작한 지 t 분 후에 두 그래프의 길이가 같다고 할 때, 가능한 t의 값을 모두 구하시오. (단, $0 < t < 5$일 때만 생각하고 파일의 전송 속도는 일정하다.) [10점]

[현재 다운로드 받는 파일의 전송 비율]

[전체 파일의 전송 비율]

VI

그래프와 비례 관계

01 순서쌍과 좌표평면

	학습 계획	1차 학습	2차 학습
유형 01 좌표평면 위의 점	/	☐	☐
유형 02 사분면	/	☐	☐
유형 03 대칭인 점의 좌표	/	☐	☐
유형 04 좌표평면 위의 도형의 넓이	/	☐	☐

02 그래프와 그 해석

	학습 계획	1차 학습	2차 학습
유형 05 그래프 그리기	/	☐	☐
유형 06 그래프의 해석	/	☐	☐
유형 07 물통의 모양과 그래프	/	☐	☐
유형 08 두 그래프 비교하기	/	☐	☐

03 정비례 관계와 그 그래프

	학습 계획	1차 학습	2차 학습
유형 09 정비례	/	☐	☐
유형 10 정비례 관계 $y=ax(a\neq0)$의 그래프	/	☐	☐
유형 11 정비례 관계 $y=ax(a\neq0)$의 그래프의 이해	/	☐	☐
유형 12 정비례 관계 $y=ax(a\neq0)$의 그래프의 식 구하기	/	☐	☐

04 반비례 관계와 그 그래프

	학습 계획	1차 학습	2차 학습
유형 13 반비례	/	☐	☐
유형 14 반비례 관계 $y=\dfrac{a}{x}(a\neq0)$의 그래프	/	☐	☐
유형 15 반비례 관계 $y=\dfrac{a}{x}(a\neq0)$의 그래프의 이해	/	☐	☐
유형 16 반비례 관계 $y=\dfrac{a}{x}(a\neq0)$의 그래프의 식 구하기	/	☐	☐

05 정비례 관계와 반비례 관계의 활용

	학습 계획	1차 학습	2차 학습
유형 17 물의 양에 관한 문제		☐	☐
유형 18 톱니바퀴에 관한 문제	/	☐	☐
유형 19 속력, 시간, 거리에 관한 문제	/	☐	☐
유형 20 농도에 관한 문제	/	☐	☐

VI 그래프와 비례 관계

1 순서쌍과 좌표

1. 수직선 위의 점의 좌표

(1) 수직선 위의 한 점에 대응하는 수를 그 점의 좌표라 한다.

(2) 좌표가 a인 점 P를 기호로 P(a)와 같이 나타낸다.

2. 순서쌍과 좌표평면

(1) **순서쌍**: 두 수의 순서를 생각하여 (a, b)와 같이 짝지어 나타낸 쌍

주의 순서쌍은 순서를 생각하여 짝지은 것이므로 (a, b)와 (b, a)는 서로 다르다.

(2) **좌표평면**: 평면 위의 두 수직선이 점 O에서 서로 수직으로 만날 때

① 가로의 수직선을 x축, 세로의 수직선을 y축이라 하고, x축과 y축을 통틀어 좌표축이라 한다.

② 두 좌표축의 교점 O를 원점이라 한다.

③ 좌표축이 그려진 평면을 좌표평면이라 한다.

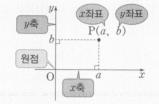

(3) **좌표평면 위의 점의 좌표**: 좌표평면 위의 한 점 P에서 x축, y축에 각각 수선을 긋고, 이 수선이 x축, y축과 만나는 점에 대응하는 수를 각각 a, b라 할 때, 순서쌍 (a, b)를 점 P의 좌표라 하고, 이것을 기호로 P(a, b)와 같이 나타낸다. 이때 a를 점 P의 좌표, b를 점 P의 y좌표라 한다.

3. 사분면

(1) 좌표평면은 오른쪽 그림과 같이 좌표축에 의하여 네 부분으로 나누어진다. 이 네 부분을 각각 제1사분면, 제2사분면, 제3사분면, 제4사분면이라 한다.

주의 좌표축 위의 점은 어느 사분면에도 속하지 않는다.

	y	
제2사분면 $(-, +)$		제1사분면 $(+, +)$
	O	x
제3사분면 $(-, -)$		제4사분면 $(+, -)$

2 그래프

(1) **변수**: x, y와 같이 여러 가지로 변하는 값을 나타내는 문자

(2) **그래프**: 서로 함께 변하는 두 변수 x, y의 순서쌍 (x, y)를 좌표로 하는 점 전체를 좌표평면 위에 나타낸 것

3 정비례와 반비례

1. 정비례

x의 값이 2배, 3배, 4배, … 변함에 따라 y의 값도 2배, 3배, 4배, …로 변할 때, y가 x에 정비례한다고 한다.

(1) 정비례 관계식: $y=ax\,(a\neq0)$

(2) $\dfrac{y}{x}=a$(일정)

2. 정비례 관계 $y=ax\,(a\neq0)$의 그래프

x의 값이 모든 수일 때, 정비례 관계 $y=ax\,(a\neq0)$의 그래프는 원점을 지나는 직선이다.

(1) $a>0$일 때

　① 제1사분면과 제3사분면을 지난다.

　② 오른쪽 위로 향하는 직선이다.

　③ x의 값이 증가하면 y의 값도 증가한다.

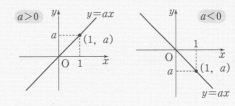

(2) $a<0$일 때

　① 제2사분면과 제4사분면을 지난다.

　② 오른쪽 아래로 향하는 직선이다.

　③ x의 값이 증가하면 y의 값은 감소한다.

3. 반비례

x의 값이 2배, 3배, 4배, … 변함에 따라 y의 값이 $\dfrac{1}{2}$배, $\dfrac{1}{3}$배, $\dfrac{1}{4}$배, …로 변할 때, y가 x에 반비례한다고 한다.

(1) 반비례 관계식: $y=\dfrac{a}{x}\,(a\neq0)$

(2) $xy=a$(일정)

4. 반비례 관계 $y=\dfrac{a}{x}\,(a\neq0)$의 그래프

x의 값이 0이 아닌 모든 수일 때, 반비례 관계 $y=\dfrac{a}{x}\,(a\neq0)$의 그래프는 원점에 대하여 대칭이고, 좌표축에 한없이 가까워지는 한 쌍의 곡선이다.

(1) $a>0$일 때

　① 제1사분면과 제3사분면을 지난다.

　② x의 값이 증가하면 y의 값은 감소한다.

(2) $a<0$일 때

　① 제2사분면과 제4사분면을 지난다.

　② x의 값이 증가하면 y의 값도 증가한다.

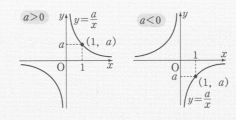

01 순서쌍과 좌표평면
Mstory1 Mstory2

M1 순서쌍과 좌표 ⊙ 개념강의

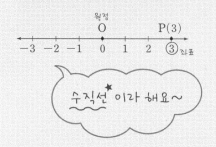

수직선★ 이라 해요~

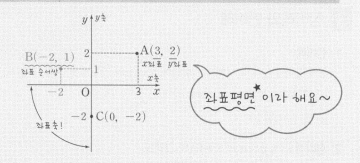

좌표평면★ 이라 해요~

M2 사분면 ⊙ 개념강의

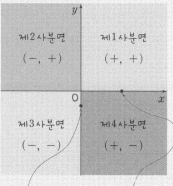

• 각 사분면 위의 점의 좌표의 부호

	제1사분면	제2사분면	제3사분면	제4사분면
x좌표의 부호	+	−	−	+
y좌표의 부호	+	+	−	−

y축 위의 점(x좌표 0) x축 위의 점(y좌표 0)
└ 어느 사분면에도 속하지 않는다. ┘

M3 대칭인 점의 좌표 ⊙ 개념강의

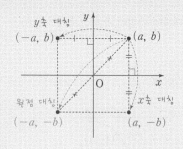

• x축 대칭 ➡ y좌표의 부호만 반대로
• y축 대칭 ➡ x좌표의 부호만 반대로
• 원점 대칭 ➡ x좌표, y좌표의 부호 모두 반대로

유형 | 좌표평면 위의 점

01

다음 좌표평면 위의 점 A, B, C, D, E의 좌표를 나타낸 것으로 다음 중 옳지 <u>않은</u> 것은?

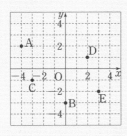

① A($-4, 2$)
② B($-3, 0$)
③ C($-3, -1$)
④ D($2, 1$)
⑤ E($3, -2$)

유형 | 사분면

02

다음 중 좌표평면에 대한 설명으로 옳지 <u>않은</u> 것은?

① y축 위의 점은 x좌표가 0이다.

② 점 ($-2, 1$)은 제2사분면 위의 점이다.

③ 점 ($1, 4$)와 점 ($4, 1$)은 서로 다른 점이다.

④ 점 ($3, -2$)와 점 ($0, -2$)는 같은 사분면 위의 점이다.

⑤ 제3사분면 또는 제4사분면에 속하는 점의 y좌표는 음수이다.

學

01

좌표평면 위의 점 A($m-1, n+5$)는 x축 위의 점이고, 점 B($m, 2n-4$)는 y축 위의 점일 때, $m+n$의 값은?

① -5　　　② -3　　　③ 1
④ 3　　　　⑤ 5

學

02

점 ($3a, -2b$)가 제4사분면 위의 점일 때, 다음 중 제2사분면 위에 있는 점은?

① ($-a, -b$)　　　② ($a, -b$)
③ (b, ab)　　　④ ($-ab, b$)
⑤ ($ab, -a$)

유형 | 대칭인 점의 좌표

03

좌표평면 위의 두 점 A(-6, $1-a$), B($2b$, 5)가 x축에 대하여 대칭일 때, $a+b$의 값은?

① 1　　　　② 2　　　　③ 3

④ 4　　　　⑤ 5

유형 | 좌표평면 위의 도형의 넓이

04

점 A(2, -3)과 y축에 대하여 대칭인 점을 B, 원점에 대하여 대칭인 점을 C라 할 때, 삼각형 ABC의 넓이는?

① 8　　　　② 10　　　　③ 12

④ 14　　　　⑤ 16

03

점 A(a, b)가 제2사분면 위의 점일 때,
점 B($b-a$, $-ab$)와 원점에 대하여 대칭인 점은 제 몇 사분면 위의 점인가?

① 제1사분면　　　② 제2사분면

③ 제3사분면　　　④ 제4사분면

⑤ 어느 사분면에도 속하지 않는다.

04

좌표평면 위의 세 점 A(5, 0), B(1, -2), C(5, -2)와 원점을 꼭짓점으로 하는 사각형 OBCA의 넓이를 구하여라.

Tip : 페이지 번호를 클릭하면 **스마트매쓰**를 이용하실 수 있어요!

+MEMO

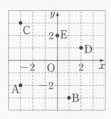

01

다음 중 좌표평면 위의 점 A, B, C, D, E의 좌표를 나타낸 것으로 옳은 것을 모두 고르면? (정답 2개)

① A(3, −2)   ② B(−1, −3)

③ C(−3, 3)   ④ D(2, 1)

⑤ E(2, 0)

02

점 A(x, y)가 제4사분면 위의 점일 때, 다음 〈보기〉 중 항상 옳은 것을 모두 고른 것은?

〈 보기 〉

ㄱ. $x+y<0$ ㄴ. $x-y>0$

ㄷ. $xy>0$ ㄹ. $\dfrac{y}{x}<0$

① ㄱ, ㄴ   ② ㄱ, ㄷ   ③ ㄴ, ㄷ

④ ㄴ, ㄹ   ⑤ ㄷ, ㄹ

끌

03

점 $A(4, -5)$와 원점에 대하여 대칭인 점을 $B(a, b)$, 점 B와 y축에 대하여 대칭인 점을 $C(c, d)$라 할 때, $a+b+c+d$의 값을 구하시오.

생각➕

x의 값은 2, 3, 4이고 y의 값은 6, 7, 8, 9, 10일 때, x, y가 서로소가 되는 순서쌍 (x의 값, y의 값)의 개수는?

① 6개　　　② 7개　　　③ 8개
④ 9개　　　⑤ 10개

끌

04

좌표평면 위의 세 점 $A(-4, 3)$, $B(1, -2)$, $C(0, 3)$을 꼭짓점으로 하는 삼각형 ABC의 넓이를 구하시오.

다음 그림은 우리나라의 모습을 간략히 나타낸 지도이다. 아래 주어진 도시들의 위치를 좌표평면 위에 점으로 나타내시오.

서울 $\left(\dfrac{3}{2}, -\dfrac{3}{2}\right)$	대구 $(4, -5)$
강릉 $(3.5, -1)$	평양 $(0, 1.5)$

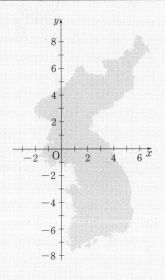

좌표평면 위의 세 점 $A(2, -3)$, $B(-4, 0)$, $C(0, 3)$을 꼭짓점으로 하는 삼각형 ABC의 넓이는?

① 12   ② 13   ③ 14

④ 15   ⑤ 16

02 그래프와 그 해석

Mstory1 Mstory2

M1 그래프 🔅 개념강의

변수 → x(개월)	3	6	9	12
상수 → y(kg)	4	6	7	8

순서쌍 → (3, 4)   (6, 6)   (9, 7)   (12, 8)

- x, y 사이의 관계   순서쌍
  ↓
- 좌표평면 위에   점
  ↓
- x, y가 모든 수   선

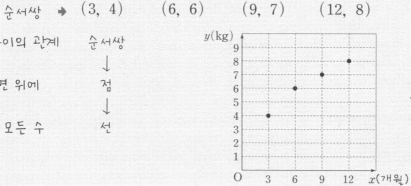

한 눈에 알아볼 수
있도록

M2 그래프의 해석 🔅 개념강의

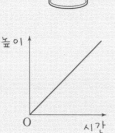

시간에 따라 높이가
일정하게 증가

시간에 따라 높이가
점점 천천히 증가

시간에 따라 높이가
점점 빠르게 증가

유형 | 그래프 그리기

05

다음은 서울의 월 평균 기온을 조사하여 나타낸 것이다. x월의 월 평균 기온을 y℃라 할 때, 두 변수 x, y에 대한 그래프를 〈보기〉에서 고르시오.

x	2	4	6	8	10	12
y	0	13	22	26	15	0

〈 보기 〉

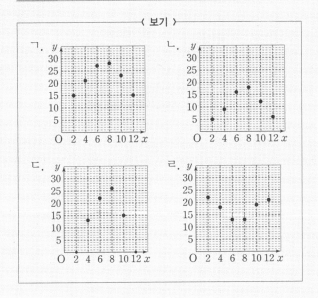

유형 | 그래프의 해석

06

다음 그래프는 시간에 따른 금 시세를 나타낸 것이다. 다음 중 금 시세가 하락한 구간을 구하시오.

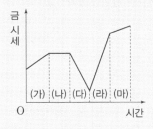

05

호주의 시드니는 지구 남반구에 위치하여 6월의 월 평균 기온은 13℃로 시원하고 12월의 월 평균 기온은 21℃로 따뜻하다고 한다. x월의 시드니의 월 평균 기온을 y℃라 할 때, 두 변수 x, y에 대한 그래프를 유형 05의 〈보기〉에서 고르시오.

06

유형 06의 그래프에서 금에 투자를 하여 가장 높은 수익을 얻을 수 있는 구간은? (단, 각 구간의 폭은 일정하며 한 구간 동안만 투자한다.)

① (가) 　　② (나) 　　③ (다)

④ (라) 　　⑤ (마)

유형 | 물통의 모양과 그래프

07

오른쪽 그래프는 물통 A에 일정한 속력으로 물을 채울 때, 물의 높이를 시간에 따라 나타낸 것이다. 물통 B에 일정하게 물을 채울 때, 물의 높이를 시간에 따라 나타낸 그래프를 〈보기〉에서 고르시오.

A   B

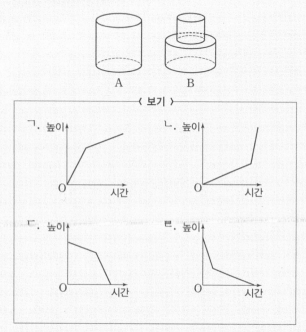

유형 | 두 그래프 비교하기

08

다음 그래프는 초등학생인 영서와 희진이가 100 m를 달릴 때, 각각 출발점에서 떨어진 거리를 시간에 따라 나타낸 것이다. 두 사람이 같은 지점에서 같은 방향으로 동시에 출발한다면 영서가 100 m 지점에 도착한 지 몇 초 후에 희진이가 도착하는지 구하시오.

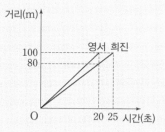

學

07

오른쪽 컵에 우유가 가득 채워져 있다. 이 컵에서 빨대를 이용하여 일정한 양의 우유를 마실 때, 우유의 높이를 시간에 따라 나타낸 그래프를 유형 07의 〈보기〉에서 고르시오.

學

08

유형 08에서 영서가 100 m 지점에 도착했을 때, 영서와 희진이의 떨어진 거리의 차를 구하시오.

Tip : 페이지 번호를 클릭하면 스마트매쓰⁺를 이용하실 수 있어요!

+MEMO

 라디오수타

껄 05

가로의 길이가 3cm인 직사각형 모양의 색종이를 다음 그림과 같이 가로의 길이가 1cm씩 겹쳐지도록 여러 장을 놓았다. 색종이 x장을 이와 같은 방법으로 겹쳐 놓을 때, 전체의 길이를 $y$cm라 하여 두 변수 x, y에 대한 그래프를 완성하시오. (단, x의 값은 1, 2, 3, 4이다.)

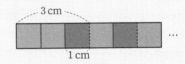

껄 06

다음 그래프는 세영이가 1층에서 엘리베이터를 타고 출발하면서부터 20층에 도착했을 때까지 1층으로부터의 높이를 시간에 따라 나타낸 것이다. 중간에 엘리베이터는 몇 번 멈추었는지 구하시오.

(단, 1층과 20층에서 멈춘 것은 제외한다.)

깜 07

다음의 (가)의 그래프는 물통 A에 일정한 속력으로 물을 채울 때, 물의 높이를 시간에 따라 나타낸 것이다. 똑같은 속력으로 물을 채울 때, 다음 중 (나)의 그래프를 갖게 되는 물통은?

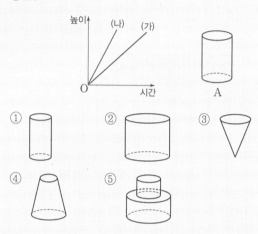

생각 ➕

다음 그래프는 주현이가 패러글라이딩을 했을 때, 지면에서부터의 높이를 시간에 따라 나타낸 것이다. 주현이가 가장 높은 곳에서부터 지면에 도착하기까지의 걸린 시간을 구하시오.

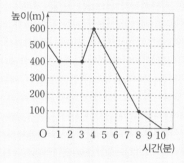

깜 08

다음 그래프는 A, B 두 러닝머신의 각각 속력을 시간에 따라 나타낸 것이다. 두 러닝머신의 속력의 차의 최댓값을 구하시오.

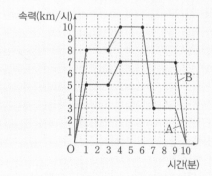

토끼와 거북이가 5 km 달리기 시합을 했는데, 토끼가 중간에 낮잠을 자서 거북이가 역전하여 이겼다고 한다. 다음 그래프는 출발한 지 x분 후 이동 거리를 y km라 할 때, x와 y 사이의 관계를 나타낸 것이다. 거북이가 토끼를 역전한 때는 출발한 지 몇 분 후인지 구하시오.

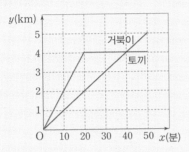

의 그래프에서 토끼가 잠에서 25분만 잠을 자고 계속 경기에 임했다면 달리기 시합에서 누가 이겼을지 설명하시오. (단, 토끼의 달리는 속력은 일정하다.)

03 정비례 관계와 그 그래프

Mstory1 Mstory2

M1 정비례 관계 ⊕ 개념강의

볼펜 수(x개)	1	2	3	$\cdots$
심 수(y개)	3	6	9	$\cdots$

×2 ×3
×3
×2 ×3

삼색볼펜

$$y = 3x \;\Rightarrow\; \frac{y}{x} = \frac{3}{1} = \frac{6}{2} = \frac{9}{3} = 3(\text{일정})$$

$$y = ax(a \neq 0) \;\Rightarrow\; \frac{y}{x} = a(\text{일정})$$

M2 정비례 관계 $y = ax(a \neq 0)$의 그래프 ⊕ 개념강의

x	-2	-1	0	1	2
$y = x$	-2	-1	0	1	2
$y = 2x$	-4	-2	0	2	4
$y = -x$	2	1	0	-1	-2
$y = -2x$	4	2	0	-2	-4

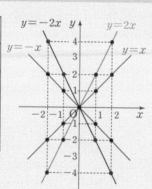

- $a > 0$ ➡ 오른쪽 위를 향한다.
  $x\uparrow y\uparrow$ 제1, 3 사분면 지남!
- $a < 0$ ➡ 오른쪽 아래를 향한다.
  $x\uparrow y\downarrow$ 제2, 4 사분면 지남!

$y = ax(a \neq 0)$
- 원점을 지나는 직선
- $|a|\uparrow y$축에 가까워짐.
- 점$(1, a)$를 지남.
- $y = -ax : x$축에 대칭

M3 정비례 관계 $y = ax(a \neq 0)$의 그래프의 식 구하기 ⊕ 개념강의

점의 좌표

대입 $y = ax(a \neq 0)$

$2 = a \times 5$ ∴ $a = \frac{2}{5}$

➡ $y = \frac{2}{5}x$

그래프가 원점을 지나는 직선 ➡ $\underline{y = ax}$

$y = ax(a \neq 0)$

$3 = a \times (-2)$ ∴ $a = -\frac{3}{2}$

➡ $y = -\frac{-1}{x}$

용어사전 • 정비례 (正 바르다, 比 견주다, 例 법식) direct proportion

유형 | 정비례

09

다음 중 y가 x에 정비례하는 것은 (정답 2개)

① $y=3x+2$

② $y=100-5x$

③ $y=\dfrac{x}{2}$

④ $y=3.2x$

⑤ $xy=10$

유형 | 정비례 관계 $y=ax\,(a\neq0)$의 그래프

10

다음 중 정비례 관계 $y=-\dfrac{3}{2}x$의 그래프는?

①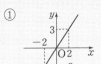

②

③

④

⑤

學

09

다음 〈보기〉 중 정비례 관계 $y=8x$에 대한 설명으로 옳은 것을 모두 고른 것은?

─〈 보기 〉─

ㄱ. x의 값이 0일 때, y의 값은 0이다.

ㄴ. x의 값이 -2일 때, y의 값은 -4이다.

ㄷ. x의 값이 2배가 되면 y의 값은 $\dfrac{1}{2}$배가 된다.

① ㄱ

② ㄴ

③ ㄱ, ㄴ

④ ㄴ, ㄷ

⑤ ㄱ, ㄴ, ㄷ

學

10

다음 중 $x\geq0$일 때, 정비례 관계 $y=ax\,(a>0)$의 그래프가 될 수 있는 것은?

①

②

③

④

⑤

03 정비례 관계와 그 그래프 _____

유형 | 정비례 관계 $y=ax(a\neq0)$의 그래프의 이해

11

정비례 관계 $y=ax(a\neq0)$의 그래프에 대한 다음 설명 중 옳지 <u>않은</u> 것은?

① 점 $(1, a)$를 지난다.

② 원점을 지나는 직선이다.

③ a의 절댓값이 커질수록 y축에 가까워진다.

④ $a<0$일 때, 제1사분면과 제3사분면을 지난다.

⑤ $a>0$일 때, x의 값이 증가하면 y의 값도 증가한다.

유형 | 정비례 관계 $y=ax(a\neq0)$의 그래프의 식 구하기

12

y가 x에 정비례할 때, 이 정비례 관계의 그래프가 점 $(-2, 6)$을 지난다. 이때, 정비례 관계의 식을 구하시오.

學

11

다음 정비례 관계의 그래프 중에서 y축에 가장 가까운 것은?

① $y=-4x$ ② $y=-2x$

③ $y=-\dfrac{3}{2}x$ ④ $y=\dfrac{1}{5}x$

⑤ $y=\dfrac{7}{2}x$

學

12

y가 x에 정비례할 때, 이 정비례 관계의 그래프가 두 점 $(-2, 8)$, $(3, a)$를 지난다. 이때, a의 값은?

① -15 ② -12 ③ -9

④ -6 ⑤ -3

Tip : 페이지 번호를 클릭하면 스마트매쓰를 이용하실 수 있어요!

+MEMO

꿉

09

다음 중 y가 x에 정비례하는 것은?

① 자연수 x의 약수의 개수 y개
② 한 변의 길이가 x인 정사각형의 넓이 y
③ 길이가 250 cm인 테이프를 x cm 사용하고 남은 테이프의 길이 y cm
④ 공책 100개를 x명에게 똑같이 나누어 줄 때, 한 사람이 받는 공책의 개수 y개
⑤ 한 변의 길이가 x cm인 정삼각형의 둘레의 길이 y cm

꿉

10

x의 값이 -4, 0, 4일 때, 정비례 관계 $y = -\dfrac{1}{2}x$의 그래프는?

① 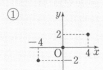 ②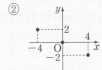

③ 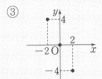 ④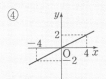

⑤

11

정비례 관계 $y=-\dfrac{1}{2}x$의 그래프에 대한 〈보기〉의 설명 중 옳은 것을 모두 고르시오.

──〈 보기 〉──

ㄱ. 원점을 지나는 직선이다.

ㄴ. 오른쪽 위로 향하는 직선이다.

ㄷ. xy의 값이 $-\dfrac{1}{2}$로 일정하다.

ㄹ. x의 값이 증가하면 y의 값은 감소한다.

생각➕

정비례 관계 $y=\dfrac{1}{6}x$의 그래프가 점 $(-2a+2,\ a-5)$를 지날 때, a의 값은?

① -2 ② -1 ③ 1

④ 2 ⑤ 4

12

정비례 관계 $y=ax$의 그래프가 다음 그림과 같을 때, $a+b$의 값을 구하시오. (단, a는 상수이다.)

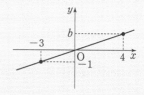

생각 ✛✛

다음 그림과 같이 점 $P(-3, 0)$을 지나고 y축에 평행한 직선이 두 정비례 관계 $y=ax$, $y=4x$의 그래프와 각각 제3사분면의 두 점 A, B에서 만난다. 삼각형 AOB의 넓이가 12일 때, 상수 a의 값을 구하시오.

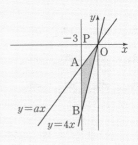

생각 ✛✛✛

일반적으로 호수에 있는 물고기 수를 알아보는 방법은 다음과 같이 정비례 관계를 이용한다고 한다.

> (1) 호수에서 물고기 a마리를 잡는다.
> (2) 잡은 물고기에 작은 표시를 붙이고 다시 호수에 놓아준다.
> (3) 약 한 달 후 x마리의 물고기를 잡아서 표시가 있는 물고기 수를 센다.
> (4) 표시가 있는 물고기 수가 b마리일 때, 호수에 사는 전체 물고기 수를 y마리라 하면 다음이 성립한다.
> $$a : y = b : x \qquad \therefore y = \frac{a}{b}x$$

처음 174마리를 잡은 다음 표시를 하여 풀어 주고, 약 한 달 후 다시 x마리를 잡아 표시가 있는 물고기를 세어 보니 6마리였다. 다음 물음에 답하시오.

(1) $x=50$일 때와 $x=45$일 때의 전체 물고기 수의 차를 구하시오.

(2) 호수에 사는 전체 물고기 수가 2088마리일 때, 풀어 주고 다시 잡은 물고기 수를 구하시오.

04 반비례 관계와 그 그래프
Mstory1 Mstory2

M1 반비례 관계 🔘 개념강의

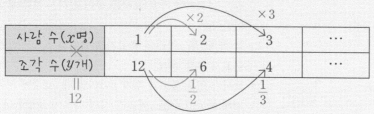

사람 수(x명) × 조각 수(y개) ‖ 12	1	2	3	···
조각 수(y개)	12	6 $\frac{1}{2}$	4 $\frac{1}{3}$	···

$$y=\frac{12}{x} \Rightarrow xy=1\times12=2\times6=3\times4=\cdots=12(\text{일정})$$

$$y=\frac{a}{x}\ (a\neq0) \Rightarrow xy=a(\text{일정})$$

M2 반비례 관계 $y=\dfrac{a}{x}(a\neq0)$의 그래프 ⊛ 개념강의

x	-2	-1	1	2
$y=\frac{6}{x}$	-3	-6	6	3
$y=\frac{4}{x}$	-2	-4	4	2
$y=-\frac{6}{x}$	3	6	-6	-3
$y=-\frac{4}{x}$	2	4	-4	-2

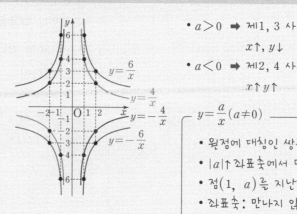

- $a>0$ ➡ 제1, 3 사분면 지남!
  $x\uparrow, y\downarrow$
- $a<0$ ➡ 제2, 4 사분면 지남!
  $x\uparrow y\uparrow$

$y=\dfrac{a}{x}(a\neq0)$

- 원점에 대칭인 쌍곡선
- $|a|\uparrow$ 좌표축에서 멀어진다.
- 점$(1,\ a)$를 지난다.
- 좌표축: 만나지 않는다.
  점점 가까워진다.

M3 반비례 관계 $y=\dfrac{a}{x}(a\neq0)$의 그래프의 식 구하기 ⊛ 개념강의

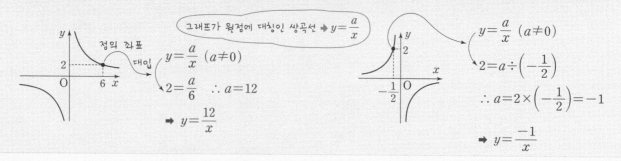

그래프가 원점에 대칭인 쌍곡선 ➡ $y=\dfrac{a}{x}$

$y=\dfrac{a}{x}\ (a\neq0)$

$2=\dfrac{a}{6}$ ∴ $a=12$

➡ $y=\dfrac{12}{x}$

$y=\dfrac{a}{x}\ (a\neq0)$

$2=a\div\left(-\dfrac{1}{2}\right)$

∴ $a=2\times\left(-\dfrac{1}{2}\right)=-1$

➡ $y=\dfrac{-1}{x}$

용어사전 • 반비례 (反 돌이키다, 比 견주다, 例 법식) inverse proportion

유형 | 반비례

13

다음 〈보기〉 중 y가 x에 반비례하는 것의 개수는?

〈 보기 〉

ㄱ. $y=3-x$

ㄴ. $y=-\dfrac{x}{2}$

ㄷ. $xy=-8$

ㄹ. $\dfrac{y}{x}=4$

ㅁ. $y=\dfrac{20}{x}$

ㅂ. $y=-\dfrac{3}{5x}$

① 1개   ② 2개   ③ 3개

④ 4개   ⑤ 5개

유형 | 반비례 관계 $y=\dfrac{a}{x}\,(a\neq0)$의 그래프

14

x의 값이 -4, -2, -1, 1, 2, 4일 때, 반비례 관계 $y=\dfrac{4}{x}$의 그래프는?

①

②

③

④

⑤

13

다음 〈보기〉 중 반비례 관계 $y=-\dfrac{6}{x}$에 대한 설명으로 옳은 것을 모두 고른 것은?

〈 보기 〉

ㄱ. xy의 값이 6으로 일정하다.

ㄴ. x의 값이 2일 때, y의 값은 -3이다.

ㄷ. x의 값이 2배, 3배, 4배, …로 변함에 따라 y의 값은 $\dfrac{1}{2}$배, $\dfrac{1}{3}$배, $\dfrac{1}{4}$배, …로 변한다.

① ㄱ   ② ㄴ   ③ ㄱ, ㄴ

④ ㄴ, ㄷ   ⑤ ㄱ, ㄴ, ㄷ

14

다음 중 반비례 관계 $y=-\dfrac{12}{x}$의 그래프는?

①

②

③

④

⑤

유형 | 반비례 관계 $y=\dfrac{a}{x}\,(a\neq0)$의 그래프의 이해

15

다음 중 반비례 관계 $y=\dfrac{a}{x}\,(a\neq0)$의 그래프에 대한 설명으로 옳지 <u>않은</u> 것을 모두 고르면? (정답 2개)

① 점 $(a,\ -1)$을 지난다.
② 원점에 대하여 대칭인 한 쌍의 곡선이다.
③ x축과 y축에 한없이 가까워진다.
④ $a>0$이면 제2사분면과 제4사분면을 지난다.
⑤ $x>0$일 때, $a<0$이면 x의 값이 증가하면 y의 값도 증가한다.

유형 | 반비례 관계 $y=\dfrac{a}{x}\,(a\neq0)$의 그래프의 식 구하기

16

다음 그림과 같은 반비례 관계의 그래프가 나타내는 반비례 관계의 식을 구하시오.

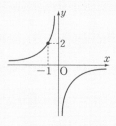

學

15

$x<0$일 때, x의 값이 증가하면 y의 값은 감소하는 그래프를 〈보기〉에서 모두 고르시오.

〈 보기 〉
ㄱ. $y=3x$
ㄴ. $y=-\dfrac{2}{x}$
ㄷ. $y=-\dfrac{x}{7}$
ㄹ. $y=\dfrac{1}{5}x$
ㅁ. $y=\dfrac{4}{x}$
ㅂ. $y=-6x$

學

16

y가 x에 반비례하고, 이 반비례 관계의 그래프가 점 $\left(-\dfrac{9}{2},\ 4\right)$를 지날 때, 이 반비례 관계의 그래프 위의 점 중 x좌표와 y좌표가 모두 정수인 점의 개수를 구하시오.

Tip : 페이지 번호를 클릭하면 스마트메스+를 이용하실 수 있어요!

+MEMO

 라디오수타

꿀
13

y가 x에 반비례하지 <u>않는</u> 것은?

① 시속 x km로 y시간 달린 거리는 5 km이다.

② 농도가 3 %인 소금물 x g 속에 녹아 있는 소금의 양은 y g이다.

③ 가로, 세로의 길이가 각각 x cm, y cm인 직사각형의 넓이가 20 cm²이다.

④ 길이가 18 cm인 리본을 x도막으로 똑같이 자를 때, 한 도막의 길이는 y cm이다.

⑤ 100 L들이 물통에 매분 x L씩 물을 넣을 때, 물통을 가득 채우는 데 걸리는 시간은 y분이다.

꿀
14

$x > 0$일 때, 반비례 관계 $y = \dfrac{a}{x}\,(a < 0)$의 그래프가 될 수 있는 것은?

①

②

③

④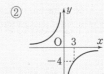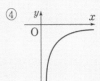

⑤

04 반비례 관계와 그 그래프

15

x의 값이 $2 \le x \le 4$인 자연수일 때, 반비례 관계 $y = \dfrac{8}{x}$의 그래프에 대한 설명 중 옳은 것은?

① 원점을 지나는 직선이다.

② y는 x에 정비례한다.

③ 점 $(2, -4)$를 지난다.

④ x의 값이 증가하면 y의 값도 증가한다.

⑤ 제1사분면 위에 점으로 나타난다.

생각➕

다음 그림은 반비례 관계 $y = \dfrac{36}{x}$의 그래프이다. 이때, 사각형 OAPB와 사각형 OCQD의 넓이의 합을 구하시오.

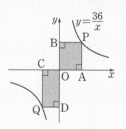

16

y가 x에 반비례하고, 이 반비례 관계의 그래프가 점 $P(-3, 4)$를 지날 때, 이 반비례 관계의 그래프 위의 점 중에서 y좌표가 양의 정수인 점의 개수는?

(단, x좌표는 정수이다.)

① 4개   ② 6개   ③ 8개

④ 12개   ⑤ 18개

생각 ✚✚

다음 그림은 정비례 관계 $y=\dfrac{2}{3}x$의 그래프와 반비례 관계 $y=\dfrac{a}{x}$의 그래프이다. 두 그래프의 교점 A의 x좌표가 3일 때, 상수 a의 값은?

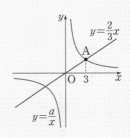

① 2 　　② 3 　　③ 4
④ 5 　　⑤ 6

생각 ✚✚✚

시력검사표에서 사용하는 다음 그림과 같은 원 모양의 고리인 란돌트 고리는 끊어진 부분의 길이가 바깥쪽 원의 지름의 길이의 $\dfrac{1}{5}$이다. 란돌트 고리를 이용한 시력검사에서 시력이 1.0이라 함은 4 m 거리에서 끊어진 부분의 길이 1.5 mm를 구분할 수 있는 능력을 말한다. 아래의 표는 시력 x에 따라 구분 가능한 길이(분리력) y mm를 나타낸 표이다. 다음 물음에 답하시오. (단, y가 x에 반비례한다.)

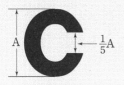

x	0.1	0.5	1.0	1.2	1.5	2.0
y(mm)	15		1.5		1	

(1) 위의 표의 빈칸을 알맞게 채우시오.

(2) x, y 사이의 관계식을 구하시오.

(3) 시력이 1.2인 사람이 구분할 수 있는 란돌트 고리의 바깥쪽 원의 지름의 최소 길이를 구하시오.

05 정비례 관계와 반비례 관계의 활용

M1 정비례 관계와 반비례 관계의 활용 (개념강의)

Ⅰ. 변화하는 두 양을 x, y로 두고

↓

Ⅱ. x, y에 관한 관계식 세우고

↓

Ⅲ. 묻는 것을 구하고

↓

Ⅳ. 뜻에 맞는지 확인한다.

■ 운동장에 길이가 1 m인 지팡이를 세워보니 2 m길이의 그림자가 생겼다.

Ⅰ. 지팡이의 길이 x m, 그림자의 길이 y m

Ⅱ. $y = 2x$

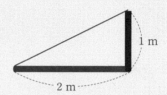

지팡이의 길이가 3 m라면 그림자의 길이는 몇 m?

Ⅲ. $x = 3$ 대입 ➡ $2 \times 3 = 6$(m)

Ⅳ. 그림자의 길이는 6 m이다.

M2 여러 가지 공식 (개념강의)

(1) (물의 양)＝(시간 당 채워지는 물의 양)×(시간)

(2) (맞물린 톱니 수)＝(톱니 수)×(회전 수)

(3) (거리)＝(속력)×(시간)

(4) (소금의 양)＝$\dfrac{(소금물의 \ 농도)}{100}$×(소금물의 양)

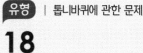

유형 | 물의 양에 관한 문제

17

정수기에서 1초에 나오는 물의 양이 20 mL라 한다. x초 동안 나온 물의 양을 y mL라 할 때, x와 y 사이의 관계식을 구하시오.

유형 | 톱니바퀴에 관한 문제

18

톱니 수가 각각 45개, x개인 두 톱니바퀴 A, B가 서로 맞물려 돌아가고 있다. 톱니바퀴 A가 3번 회전하는 동안 톱니바퀴 B는 y번 회전한다고 할 때, x와 y 사이의 관계식을 구하시오.

17

부피가 24 L인 수조에 물을 채우는 데 1분에 들어가는 물의 양을 x L 물을 가득 채우는 데 걸리는 시간을 y분이라 할 때, x와 y 사이의 관계식을 구하시오.

18

톱니 수가 각각 24개, 18개인 두 톱니바퀴 A, B가 서로 맞물려 돌고 있다. 톱니바퀴 A가 x번 회전할 때, 톱니바퀴 B는 y번 회전한다고 한다. 이때, x와 y 사이의 관계식을 구하시오.

유형 | 속력, 시간, 거리에 관한 문제

19

1 L의 휘발유로 15.8 km를 가는 자동차가 있다. x L의 휘발유로 갈 수 있는 거리를 y km라 할 때, x와 y 사이의 관계식을 구하고, 이 자동차로 316 km를 가려면 몇 L의 휘발유가 필요한지 구하시오.

유형 | 농도에 관한 문제

20

20 g의 소금을 넣어 소금물 500 g을 만들었다. 이 소금물과 농도가 같은 소금물 x g에 들어 있는 소금의 양을 y g이라 할 때, x와 y 사이의 관계식은?

① $y = 4x$　　② $y = \dfrac{4}{x}$　　③ $y = 25x$

④ $y = \dfrac{x}{25}$　　⑤ $y = \dfrac{25}{x}$

學

19

어떤 자동차가 시속 x km로 y시간 동안 이동한 거리가 200 km이다. 이때, x와 y 사이의 관계식을 구하고, 이 자동차가 4시간 만에 200 km를 가려면 시속 몇 km로 이동해야 하는지 구하시오.

學

20

온도가 일정하면 기체의 부피는 압력에 반비례한다. 어떤 기체의 부피가 25 m³일 때, 이 기체의 압력이 6기압이었다. 압력이 5기압일 때, 이 기체의 부피는?

① $15\,\mathrm{m}^3$　　② $20\,\mathrm{m}^3$　　③ $25\,\mathrm{m}^3$

④ $30\,\mathrm{m}^3$　　⑤ $35\,\mathrm{m}^3$

  Tip : 페이지 번호를 클릭하면 스마트메스⁺를 이용하실 수 있어요!

+MEMO

17

부피가 x L인 물탱크에 물이 가득 채워져 있다. 1분에 빼내는 물의 양을 10 L, 물을 모두 빼 내는 데 걸리는 시간을 y 분이라 할 때, x와 y 사이의 관계식을 구하시오.

18

톱니 수가 각각 4개, x개인 두 톱니바퀴 A, B가 서로 맞물려 돌아가고 있다. 두 톱니바퀴 A, B가 1분 동안 각각 3번, y번 회전할 때, x와 y 사이의 관계식은?

① $y = \dfrac{4}{3}x$ ② $y = \dfrac{3}{4}x$ ③ $y = \dfrac{1}{12}x$

④ $y = \dfrac{12}{x}$ ⑤ $y = \dfrac{1}{12x}$

꼭
19

휘발유 1 L로 10 km를 달릴 수 있는 자동차가 있다. 휘발유 5 L의 가격은 11000원이고, 이 자동차가 x원으로 달릴 수 있는 거리는 y km일 때, x와 y 사이의 관계식을 구하시오.

생각➕

똑같은 기계 x대로 y시간 동안 작업해 끝마칠 수 있는 일이 있다. 이 일을 똑같은 기계 6대로 16시간 동안 작업하면 끝마칠 수 있을 때, 이 일을 12시간 동안 작업하여 끝마치려면 몇 대의 기계를 사용해야 하는가?

① 7대　　　② 8대　　　③ 9대

④ 10대　　　⑤ 11대

꼭
20

물에 150 g의 소금을 녹여 x g의 소금물을 만들었다. 이 소금물 30 g에 들어 있는 소금의 양이 y g일 때, x와 y 사이의 관계식은?

① $y = \dfrac{1}{5}x$　　　② $y = 5x$　　　③ $y = 4500x$

④ $y = \dfrac{5}{x}$　　　⑤ $y = \dfrac{4500}{x}$

생각 ✚✚

다음 그래프는 두 호스 A, B로 물 탱크에 있는 물을 뺄 때 나오는 물의 양을 시간에 따라 나타낸 것이다. 이때, A, B 두 호스를 모두 사용하여 1680 L의 물을 뺄 때 걸리는 시간을 구하시오.

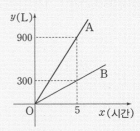

생각 ✚✚✚

시계의 시침이 $x°$ 움직일 때, 분침은 $y°$ 움직인다고 한다. x와 y 사이의 관계식을 구하시오.

단원 종합 문제

객관식 ··· 객관식 문제는 각 문항당 4점입니다.

01

다음 중 x축 위에 있고 x의 좌표가 -7인 점의 좌표를 바르게 나타낸 것은?

① $(-7, 0)$ ② $(0, -7)$ ③ $(0, 7)$

④ $(7, -7)$ ⑤ $(7, 0)$

02

점 $A(x, y)$가 제3사분면 위의 점일 때, 다음 〈보기〉 중 항상 옳은 것을 모두 고르면?

〈 보기 〉
ㄱ. $x-y>0$ ㄴ. $x+y<0$
ㄷ. $xy>0$ ㄹ. $\dfrac{y}{x}<0$

① ㄱ, ㄴ   ② ㄱ, ㄷ   ③ ㄴ, ㄷ

④ ㄴ, ㄹ   ⑤ ㄷ, ㄹ

03

오른쪽 물통에 일정한 속력으로 물을 채울 때, 물의 높이를 시간에 따라 나타낸 그래프는?

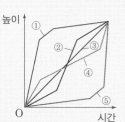

04

영수가 50 m 레인의 수영 경기장에서 자유형으로 200 m를 헤엄쳤다. 다음 그래프는 출발점에서 출발한 지 x초 후 출발점과 선수가 위치한 지점까지의 거리를 ym라 할 때, x와 y 사이의 관계를 나타낸 것이다. 가장 속력이 느린 구간은?

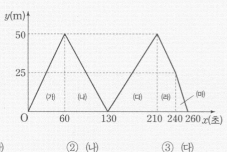

① (가)   ② (나)   ③ (다)

④ (라)   ⑤ (마)

Tip : 페이지 번호를 클릭하면 스마트매스⁺를 이용하실 수 있어요!

05

다음 중 y가 x에 정비례하는 것을 모두 고르면?

(정답 2개)

① $y=3x+2$ 　　　② $y=100-5x$

③ $\dfrac{y}{x}=\dfrac{1}{2}$ 　　　④ $y=3.2x$

⑤ $xy=10$

06

다음 〈보기〉 중 정비례 관계 $y=-6x$의 그래프에 대한 설명으로 옳은 것을 모두 고른 것은?

──〈 보기 〉──

ㄱ. 점 $(2, -12)$를 지난다.

ㄴ. x의 값이 증가하면 y의 값도 증가한다.

ㄷ. 정비례 관계 $y=2x$의 그래프보다 y축에 더 가깝다.

① ㄱ 　　　② ㄱ, ㄴ 　　　③ ㄱ, ㄷ

④ ㄴ, ㄷ 　　　⑤ ㄱ, ㄴ, ㄷ

07

다음 그래프가 나타내는 정비례 관계의 식은?

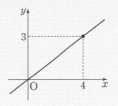

① $y=-\dfrac{4}{3}x$ 　　　② $y=-\dfrac{3}{4}x$

③ $y=\dfrac{3}{4}x$ 　　　④ $y=\dfrac{4}{3}x$

⑤ $y=\dfrac{3}{2}x$

08

다음 그림과 같이 좌표평면 위에 세 점 $A(1, 5)$, $B(3, 5)$, $C(3, 0)$이 있다. 정비례 관계 $y=ax$의 그래프가 $\overline{BC}$ 위의 점 P를 지나면서 사다리꼴 OABC의 넓이를 이등분할 때, 상수 a의 값은?

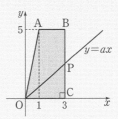

① $\dfrac{5}{18}$ 　　　② $\dfrac{5}{9}$ 　　　③ $\dfrac{25}{18}$

④ $\dfrac{25}{9}$ 　　　⑤ $\dfrac{25}{4}$

IV

그래프와 비례 관계

09

다음 〈보기〉 중 반비례 관계 $y=\dfrac{4}{x}$의 그래프에 대한 설명으로 옳은 것을 모두 고른 것은?

─〈 보기 〉─

ㄱ. 점 $(-1, -4)$를 지난다.

ㄴ. 제2사분면과 제4사분면을 지난다.

ㄷ. y축과 한 점에서 만난다.

ㄹ. $x>0$일 때, x의 값이 증가하면 y의 값도 증가한다.

① ㄱ   ② ㄴ   ③ ㄱ, ㄷ

④ ㄴ, ㄷ   ⑤ ㄱ, ㄴ, ㄷ

10

다음 그림은 반비례 관계 $y=\dfrac{a}{x}$의 그래프의 일부분이다. x좌표가 -3인 점 P의 y좌표와 x좌표가 -2인 점 Q의 y좌표의 차가 1일 때, 점 Q의 y좌표는?

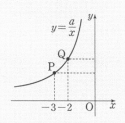

① 2   ② 3   ③ 4

④ 5   ⑤ 6

11

다음 그림은 반비례 관계 $y=\dfrac{a}{x}\,(a>0)$의 그래프이다. 두 점 A, C는 원점에 대하여 대칭이고 직사각형 ABCD의 넓이가 60일 때, 상수 a의 값은?

(단, 직사각형의 각 변은 모두 좌표축에 평행하다.)

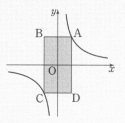

① 9   ② 11   ③ 12

④ 14   ⑤ 15

12

다음 그림과 같이 정비례 관계 $y=ax$의 그래프와 반비례 관계 $y=\dfrac{b}{x}$의 그래프가 점 $(-3, 4)$에서 만날 때, 상수 a, b에 대하여 ab의 값은?

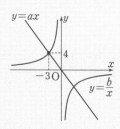

① -16 ② -9 ③ 9

④ 12   ⑤ 16

Tip : 페이지 번호를 클릭하면 *스마트매쓰*⁺를 이용하실 수 있어요!

13

다음 그림과 같은 직육면체 모양의 수조에 일정한 양씩 물을 넣을 때, 수면의 높이는 매분 $2\,\mathrm{cm}$씩 올라간다. 물을 넣기 시작하여 x분 후의 물의 부피를 $y\,\mathrm{cm}^3$라 할 때, x와 y 사이의 관계식은?

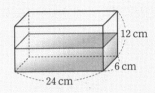

12 cm
6 cm
24 cm

① $y = 144x \ (0 \le x \le 6)$

② $y = 144x \ (0 \le x \le 12)$

③ $y = 288x \ (0 \le x \le 6)$

④ $y = 288x \ (0 \le x \le 12)$

⑤ $y = 432x \ (0 \le x \le 6)$

14

한 변의 길이가 $1\,\mathrm{cm}$인 정사각형 모양의 색종이를 다음 그림과 같은 모양으로 붙여 나간다. x번째 만들어진 도형의 둘레의 길이를 $y\,\mathrm{cm}$라 할 때, x, y 사이의 관계식과 8번째 만들어진 도형의 둘레의 길이를 차례로 구하면?

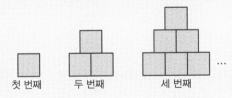

첫 번째   두 번째   세 번째   ...

① $y = 4x$, $32\,\mathrm{cm}$ ② $y = 3x$, $24\,\mathrm{cm}$

③ $y = 4x$, $36\,\mathrm{cm}$ ④ $y = 3x$, $36\,\mathrm{cm}$

⑤ $y = 4x$, $40\,\mathrm{cm}$

15

농도가 $x\,\%$인 소금물 $y\,\mathrm{g}$에 들어 있는 소금의 양이 $20\,\mathrm{g}$일 때, x와 y 사이의 관계식은?

① $y = \dfrac{2000}{x}$ ② $y = \dfrac{200}{x}$

③ $y = \dfrac{20}{x}$ ④ $y = 0.2x$

⑤ $y = 20x$

16

다음 그림은 성희와 재원이가 $100\,\mathrm{m}$를 달리는 데 걸린 시간을 그래프로 나타낸 것이다. 두 사람이 같은 지점에서 같은 방향으로 동시에 출발한다면 두 사람 사이의 거리가 $10\,\mathrm{m}$가 되는 것은 몇 초 후인가?

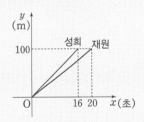

① 5초 후   ② 6초 후   ③ 7초 후

④ 8초 후   ⑤ 9초 후

IV
그래프와 그 관계식

17

어떤 물건의 원가에 30 %의 이익을 붙여서 정가를 정하였다. 할인마트에서 이 물건을 20 % 할인하여 판매한다고 할 때, 할인마트에서 2600원에 구입한 물건의 원가를 구하시오. [총 6점]

(1) 이 물건의 원가를 x원, 할인마트에서 이 물건을 판매하는 가격을 y원이라 할 때, x와 y 사이의 관계식을 구하시오. (단, $x>0$) [3점]

(2) 할인마트에서 2600원에 구입한 물건의 원가를 구하시오. [3점]

18

다음 그림과 같이 좌표평면 위에 한 변의 길이가 7인 정사각형 ABCD가 있다. x좌표가 3인 점 A는 정비례 관계 $y=5x$의 그래프 위의 점이고, 점 C는 정비례 관계 $y=ax$의 그래프 위의 점일 때, 상수 a의 값을 구하시오. [10점]
(단, 정사각형의 각 변은 모두 좌표축에 평행하다.)

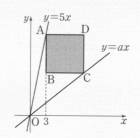

Tip : 페이지 번호를 클릭하면 **스마트매쓰⁺**를 이용하실 수 있어요!

19

다음 그림은 $x>0$일 때의 반비례 관계 $y=\dfrac{4}{x}$의 그래프이다. 색칠한 부분에 속하는 점 중에서 x좌표와 y좌표가 모두 정수인 점의 개수를 구하시오. (단, 경계선은 제외한다.)

[10점]

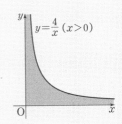

20

네 점 $A(2, 3)$, $B(-2, 1)$, $C(0, -3)$, $D(4, 0)$을 꼭짓점으로 하는 사각형 ABCD의 넓이를 구하시오. [10점]

MEMO

MEMO

MEMO

MEMO

개념엔
유형학습

개념엔
유형학습

Mbest

개념엔
유형학습

정답과 해설

중학수학 **1** · **1**

메가스터디BOOKS

정답과 해설

Ⅰ. 소인수분해   8

Ⅱ. 정수와 유리수   18

Ⅲ. 문자의 사용과 식의 계산   30

Ⅳ. 일차방정식   39

Ⅴ. 일차방정식의 활용   48

Ⅵ. 그래프와 비례 관계   59

I 소인수분해

01 소수와 합성수 p. 11 ~ p. 15

유형 01 ③	學 01 131	유형 02 ③	學 02 ①
유형 03 ④	學 03 ①	유형 04 ⑤	學 04 ②
쌤 01 ⑤	쌤 02 ③	쌤 03 ②	쌤 04 ㄷ, ㄹ

생각+ ③		생각+ 100점	

생각++ 60

02 소인수분해 p. 17 ~ p. 21

유형 05 ③	學 05 ④	유형 06 ③	學 06 ②
유형 07 ⑤	學 07 1, 5, 7, 25, 35, 175		
유형 08 ④	學 08 ③		
쌤 05 ③	쌤 06 ⑤	쌤 07 ④	쌤 08 ③

생각+ 4개	생각++ 풀이 참조

생각++ 248

03 최대공약수와 최소공배수 p. 23 ~ p. 27

유형 09 ④	學 09 $3^2 \times 7$		
유형 10 252	學 10 1260		
유형 11 7	學 11 ①	유형 12 ④	學 12 ④
쌤 09 ②	쌤 10 ①	쌤 11 10	쌤 12 ④

생각+ 7

생각++ (1) A: 39년, B: 51년 (2) 52년에서 12년으로 변한다.

생각++ 720

04 최대공약수와 최소공배수의 활용 p. 29 ~ p. 33

유형 13 20	學 13 212, 422, 632, 842		
유형 14 ⑤	學 14 7개	유형 15 60개	學 15 120장
유형 16 5바퀴	學 16 22그루		
쌤 13 184	쌤 14 ④	쌤 15 12장	
쌤 16 오전 10시 30분			

생각+ 238	생각+ ③

생각++ 1592년

단원 종합 문제 p. 34 ~ p. 39

01 ①, ④	02 ②	03 ①	04 ③
05 ⑤	06 ③	07 ③	08 ③
09 ②	10 ⑤	11 ③	12 ④
13 ③	14 ②	15 ②	16 ④
17 풀이 참조		18 48개	
19 300회		20 7개	

II 정수와 유리수

01 정수와 유리수의 뜻
p. 47~p. 51

유형 **01** ⑤ | 學 **01** ④

유형 **02** $-1, \frac{4}{2}$ | 學 **02** ②

유형 **03** ①, ⑤ | 學 **03** ④ | 유형 **04** ③ | 學 **04** ㄱ, ㄴ

꼼 **01** $a=-\frac{1}{2}, b=+\frac{1}{5}$ | 꼼 **02** 4

꼼 **03** ④ | 꼼 **04** ①, ⑤

생각 2 | 생각 ④ | 생각 풀이 참조

02 수의 대소 관계
p. 53~p. 57

유형 **05** ④ | 學 **05** ① | 유형 **06** ①, ⑤ | 學 **06** -6

유형 **07** ④ | 學 **07** ④ | 유형 **08** ② | 學 **08** ①

꼼 **05** ④ | 꼼 **06** $a=0, b=-3$

꼼 **07** ①, ③ | 꼼 **08** ⑤

생각 (1) 동일 (2) 민경 (3) 다운 (4) 5

생각 ② | 생각 G

03 정수와 유리수의 덧셈과 뺄셈
p. 59~p. 63

유형 **09** ③ | 學 **09** ③ | 유형 **10** 대구 | 學 **10** ⑤

유형 **11** ㉠ 덧셈의 교환법칙 ㉡ 덧셈의 결합법칙 | 學 **11** 덧셈의 교환법칙

유형 **12** $\frac{61}{30}$ | 學 **12** ⑤

꼼 **09** $\frac{25}{6}$ | 學 **10** ④

꼼 **11** ㈎ 덧셈의 교환법칙 ㈏ 덧셈의 결합법칙 | 꼼 **12** ⑤

생각 ④ | 생각 풀이 참조 | 생각 $+4$

04 정수와 유리수의 곱셈
p. 65~p. 69

유형 **13** ⑤ | 學 **13** ⑤

유형 **14** ㉠ 곱셈의 교환법칙 ㉡ 곱셈의 결합법칙 | 學 **14** -4

유형 **15** ③ | 學 **15** ④ | 유형 **16** -3 | 學 **16** -4

꼼 **13** ④ | 꼼 **14** ㉠ 곱셈의 교환법칙 ㉡ 곱셈의 결합법칙

꼼 **15** $\frac{23}{72}$ | 꼼 **16** -1

생각 ④ | 생각 $\frac{1}{4}$

생각 $a=3, b=14, c=7, d=4$

05 정수와 유리수의 나눗셈
p. 71~p. 75

유형 **17** ② | 學 **17** 5

유형 **18** ⑤ | 學 **18** ⑤

유형 **19** ① | 學 **19** -7

유형 **20** ㉣-㉤-㉢-㉡-㉠, $\frac{47}{10}$ | 學 **20** ③

꼼 **17** ㄴ, ㅁ | 꼼 **18** $\frac{15}{2}$ | 꼼 **19** ② | 꼼 **20** ①

생각 ① | 생각 ② | 생각 $-\frac{5}{2}$

단원 종합 문제
p. 76~p. 81

01 ③	02 ④	03 ④	04 ②
05 ③	06 ④	07 ⑤	08 ⑤
09 ②	10 ④	11 ③	12 ③
13 ③	14 ②	15 ④	16 ③
17 (1) 0 (2) 1 (3) 2		18 풀이 참조	
19 D		20 $\frac{3}{8}$	

III 문자의 사용과 식의 계산

01 문자의 사용 p. 87~p. 91

유형 **01** ③	확 **01** ④
유형 **02** ②, ⑤	확 **02** ②
유형 **03** 3	확 **03** -7
유형 **04** 60 m	확 **04** ⑤
꼭 **01** ③	꼭 **02** ㄱ, ㄹ
꼭 **03** ③	꼭 **04** ②

생각＋ $\left(-\dfrac{1}{a}\right)^2,\ -\dfrac{1}{a},\ (-a)^2,\ -a^2$

생각●●● $S=\dfrac{(a+b)h}{2},\ 30$ 　　생각●● 1

02 다항식 p. 93~p. 97

유형 **05** 7	확 **05** ⑤
유형 **06** 3개	확 **06** ①
유형 **07** ⑤	확 **07** ②, ⑤
유형 **08** ②	확 **08** ②
꼭 **05** ⑤	꼭 **06** ㄱ, ㄷ, ㄹ
꼭 **07** ④	꼭 **08** ①
생각＋ ④	생각●● $(x-4y)\,\text{km}$

생각●●● $\dfrac{2a+5b}{7}\%$

03 일차식과 그 계산 p. 99~p. 103

유형 **09** ③	확 **09** ㄱ, ㄷ
유형 **10** ⑤	확 **10** ②
유형 **11** ④	확 **11** ⑤
유형 **12** ⑤	확 **12** ②
꼭 **09** ㄱ, ㄹ	꼭 **10** $6x+\dfrac{7}{2}$
꼭 **11** ⑤	꼭 **12** $-9a+12b$
생각＋ ②	생각●● $4x-3$

생각●●● (1) 종구　(2) 50원

단원 종합 문제 p. 104~p. 109

01 ③	**02** ④	**03** ③	**04** ③
05 ③, ⑤	**06** ③	**07** ④	**08** ④
09 ⑤	**10** ①	**11** ⑤	**12** ②
13 ③	**14** ④	**15** ①	**16** ②
17 (1) $a=4,\ b=1$　(2) 7		**18** $2x+8$	
19 -5		**20** 102	

IV 일차방정식

01 방정식의 뜻과 해
p. 115~p. 119

유형 01 ②, ④	발전 01 $x+5=2x+10$
유형 02 ①, ④	발전 02 ⑤
유형 03 ④	발전 03 ③
유형 04 ⑤	발전 04 ⑤
꼼꼼 01 ⑤	꼼꼼 02 ④
꼼꼼 03 ④	꼼꼼 04 ③
생각✦ ③	생각✦✦ ③
생각✦✦✦ ⑤	

02 등식의 성질과 일차방정식
p. 121~p. 125

유형 05 ⑤	발전 05 ㄱ, ㄴ, ㅁ
유형 06 ㄱ, ㄹ	발전 06 ㄷ, ㄴ, ㄹ
유형 07 ②, ⑤	발전 07 $\frac{1}{2}$
유형 08 ③	발전 08 ②
꼼꼼 05 ②, ⑤	꼼꼼 06 (가): $3x$, (나): 4, (다): 2, (라): $\frac{5}{2}$
꼼꼼 07 ②	꼼꼼 08 ⑤
생각✦ ③	생각✦✦ 풀이 참조
생각✦✦✦ ⑤	

03 일차방정식의 풀이
p. 127~p. 131

유형 09 ④	발전 09 3
유형 10 ①	발전 10 ⑤
유형 11 ③	발전 11 ③
유형 12 ④	발전 12 ②
꼼꼼 09 ④	꼼꼼 10 ①
꼼꼼 11 ③	꼼꼼 12 1
생각✦ ②	생각✦✦ ④
생각✦✦✦ 풀이 참조	

단원 종합 문제
p. 132~p. 137

01 ①	02 ④	03 ②	04 ③
05 ①, ③	06 ①	07 ⑤	08 ③, ④
09 ①	10 ④	11 ①	12 ②
13 ①	14 ④	15 ②	16 ④
17 (1) $63-x$ (2) 분모: 39, 분자: 24			
18 60		19 2개	
20 3			

V 일차방정식의 활용

01 일차방정식의 활용-수
p. 143 ~ p. 147

유형 01 ①	학 01 22
유형 02 ④	학 02 54, 56, 58
유형 03 ④	학 03 63
유형 04 4자루	학 04 ③
힘 01 11	힘 02 ②
힘 03 86	힘 04 3명
생각 ②	생각 32
생각 풀이 참조	

02 일차방정식의 활용-도형
p. 149 ~ p. 153

유형 05 ④	학 05 148명
유형 06 ③	학 06 39세
유형 07 ①	학 07 ③
유형 08 ⑤	학 08 4 cm
힘 05 27명	힘 06 ⑤
힘 07 20일 후	힘 08 30 cm
생각 315쪽	생각 15마리
생각 84세	

03 일차방정식의 활용-속력
p. 155 ~ p. 159

유형 09 $\frac{x}{4}$시간	학 09 ①		
유형 10 ④	학 10 4시간	유형 11 ③	학 11 5분 후
유형 12 ③	학 12 ③		
힘 09 ④		힘 10 ④	
힘 11 10분 후		힘 12 30분 후	
생각 ②		생각 35 m	
생각 12 km			

04 일차방정식의 활용-농도
p. 161 ~ p. 165

유형 13 $2a$ g	학 13 ②	유형 14 ④	학 14 ①
유형 15 150명	학 15 490명	유형 16 6시간	학 16 120분
힘 13 ③	힘 14 ④	힘 15 ③	힘 16 5일
생각 50 g		생각 187.5 g	
생각 3시 $16\frac{4}{11}$분			

단원 종합 문제
p. 166 ~ p. 171

01 ⑤	02 ③	03 ③	04 ④
05 ③	06 ②	07 ⑤	08 ②
09 ⑤	10 ③	11 ⑤	12 ⑤
13 ④	14 ④	15 ④	16 ④
17 (1) $(670-x)$명 (2) 320명 (3) 336명			
18 50 g		19 14분	
20 $\frac{5}{4}$, $\frac{5}{2}$, $\frac{15}{4}$			

Ⅵ 그래프와 비례 관계

01 순서쌍과 좌표평면
p. 177~p. 181

유형 01 ②	확인 01 ①	유형 02 ④	확인 01 ④
유형 03 ③	확인 03 ③	유형 04 ③	확인 04 9
꼭 01 ③, ④	꼭 02 ④	꼭 03 10	꼭 04 10

생각＋ ②　　　　　　생각＋＋ 풀이 참조

생각＋＋ ④

02 그래프와 그 해석
p. 183~p. 187

유형 05 ㄷ	확인 05 ㄹ	유형 06 (다)	확인 06 ④
유형 07 ㄴ	확인 07 ㄷ	유형 08 5초 후	확인 08 20 m

꼭 05 풀이 참조　　　　꼭 06 3번

꼭 07 ①　　　　　　　　꼭 08 시속 4 km

생각＋ 6분　　　　　　　생각＋＋ 40분 후

생각＋＋ 무승부

03 정비례 관계와 그 그래프
p. 189~p. 193

유형 09 ③, ④	확인 09 ①	유형 10 ④	확인 10 ②
유형 11 ④		확인 11 ①	
유형 12 $y=-3x$		확인 12 ②	
꼭 09 ⑤	꼭 10 ②	꼭 11 ㄱ, ㄹ	꼭 12 $\dfrac{5}{3}$

생각＋ ⑤　　　　　　　생각＋＋ $\dfrac{4}{3}$

생각＋＋ (1) 145마리　(2) 72마리

04 반비례 관계와 그 그래프
p. 195~p. 199

유형 13 ③	확인 13 ④	유형 14 ④	확인 14 ②
유형 15 ①, ④		확인 15 ㄷ, ㅁ, ㅂ	
유형 16 $y=-\dfrac{2}{x}$		확인 16 12개	
꼭 13 ②	꼭 14 ④	꼭 15 ⑤	꼭 16 ②

생각＋ 72　　　　　　　생각＋＋ ⑤

생각＋＋ (1) 3, 1.25, 0.75　(2) $y=\dfrac{1.5}{x}$　(3) 6.25 mm

05 정비례 관계와 반비례 관계의 활용
p. 201~p. 205

유형 17 $y=20x$	확인 17 $y=\dfrac{24}{x}$
유형 18 $y=\dfrac{135}{x}$	확인 18 $y=\dfrac{4}{3}x$
유형 19 $y=15.8x$, 20 L	확인 19 $y=\dfrac{200}{x}$, 시속 50 km
유형 20 ④	확인 20 ④
꼭 17 $y=\dfrac{x}{10}$	꼭 18 ④
꼭 19 $y=\dfrac{x}{220}$	꼭 20 ⑤

생각＋ ②　　　　　　　생각＋＋ 7시간

생각＋＋ $y=12x$

단원 종합 문제
p. 206~p. 211

01 ①	02 ③	03 ②	04 ③
05 ③, ④	06 ③	07 ③	08 ③
09 ①	10 ②	11 ⑤	12 ⑤
13 ③	14 ①	15 ①	16 ④
17 (1) $y=\dfrac{26}{25}x$　(2) 2500원		18 $\dfrac{4}{5}$	
19 5개		20 19	

I 소인수분해

p. 11 ~ p. 15

01 소수와 합성수

유형 **01** ③	學 **01** 131	유형 **02** ③	學 **02** ①
유형 **03** ④	學 **03** ①	유형 **04** ⑤	學 **04** ②
깸 **01** ⑤	깸 **02** ③	깸 **03** ②	깸 **04** ㄷ, ㄹ

생각 ③	생각 100점
생각 60	

유형 01 ③
① $2+2+2+2=2\times4$
② $2\times2\times2=2^3$
③ $2\times2\times5\times5=2^2\times5^2$
④ $\dfrac{1}{4}\times\dfrac{1}{4}\times\dfrac{1}{4}=\left(\dfrac{1}{4}\right)^3$
⑤ $\dfrac{1}{2}\times\dfrac{1}{2}\times\dfrac{1}{3}\times\dfrac{1}{3}\times\dfrac{1}{3}=\left(\dfrac{1}{2}\right)^2\times\left(\dfrac{1}{3}\right)^3$

學 01 131
$2^6=64$, $5^3=125$이므로
$a=6$, $b=125$
$\therefore a+b=6+125=131$

유형 02 ③
17 이하의 자연수 중에서 소수는 2, 3, 5, 7, 11, 13, 17의 7개이다.

學 02 ①
31 이상 50 이하의 자연수 중에서 합성수는 32, 33, 34, 35, 36, 38, 39, 40, 42, 44, 45, 46, 48, 49, 50의 15개이다.
$\therefore x=15$
31 이상 50 이하의 자연수 중에서 합성수가 아니면 소수이므로 소수의 개수는 $20-15=5$(개)이다.
$\therefore y=5$

$\therefore x-y=15-5=10$

참고 31 이상 50 이하의 자연수 중에서 소수는 31, 37, 41, 43, 47이다.

유형 03 ④
① 39 ② 49 ③ 57, 63 ⑤ 91은 합성수이다.
따라서 소수로만 짝지어진 것은 ④이다.

學 03 ①
② $143=11\times13$
③ $169=13^2$
④ $256=2^8$
⑤ $323=17\times19$

유형 04 ⑤
① 2는 소수이지만 짝수이다.
② 가장 작은 소수는 2이다.
③ 2는 소수이다.
④ 1은 소수도 합성수도 아니다.

學 04 ②
① 짝수인 소수는 2로 1개뿐이다.
② $2\times3=6$에서 6은 합성수이다.
⑤ 3의 배수 중 소수는 3으로 1개뿐이다.

깸 01 ⑤
$2^7=128$, $3^5=243$이므로 $x=7$, $y=5$
$\therefore x+y=7+5=12$

깸 02 ③
15 미만의 자연수 중에서 합성수는 4, 6, 8, 9, 10, 12, 14의 7개이다.

깸 03 ②
소수는 29, 47, 139의 3개이다.

꿀 04 ㄷ, ㄹ

ㄱ. 1, 9, 15, …는 홀수이지만 소수가 아니다.

ㄴ. 2는 소수이면서 짝수이다.

ㄷ. 3, 5는 소수이지만 $3+5=8$은 합성수이다.

따라서 옳은 것은 ㄷ, ㄹ이다.

생각 ○ ③

$a \times b \times b \times a \times c \times a \times b \times c \times a = a^4 \times b^3 \times c^2$이므로

$x=4$, $y=3$, $z=2$

$\therefore x-y+z=4-3+2=3$

생각 ○○ 100점

1부터 24까지의 자연수 중 소수는 2, 3, 5, 7, 11, 13, 17, 19, 23이다. 이 수들을 모두 더하면

$2+3+5+7+11+13+17+19+23=100$

그렇습니다. 유형 학습으로 열심히 공부하는 당신의 미래의 수학 점수는 100점입니다.

생각 ○○○ 60

5의 배수는 일의 자리의 숫자가 0 또는 5인 수이다.

$n=1, 2, 3, 4, 5, \cdots, 20$일 때,

3^n-1의 일의 자리의 숫자는

2, 8, 6, 0, 2, 8, 6, 0, $\cdots$

이므로 n이 4, 8, 12, 16, 20일 때, 5의 배수가 된다.

$\therefore$ (구하는 합)$=4+8+12+16+20=60$

02 소인수분해
p. 17~p. 21

유형 **05** ③	學 **05** ④	유형 **06** ③	學 **06** ②
유형 **07** ⑤	學 **07** 1, 5, 7, 25, 35, 175		
유형 **08** ④	學 **08** ③		
꿀 **05** ③	꿀 **06** ⑤	꿀 **07** ④	꿀 **08** ③
생각⊕ 4개		생각⊕⊕ 풀이 참조	
생각⊕⊕⊕ 248			

유형 05 ③

① $12=2^2 \times 3$ ② $36=2^2 \times 3^2$

④ $90=2 \times 3^2 \times 5$ ⑤ $100=2^2 \times 5^2$

學 05 ④

$546=2 \times 3 \times 7 \times 13$

따라서 546의 소인수는 2, 3, 7, 13이다.

유형 06 ③

어떤 자연수의 제곱이 되게 하려면 자연수를 곱하여 각 소인수의 지수가 모두 짝수가 되도록 만들어야 한다.

$180=2^2 \times 3^2 \times 5$이므로

$180 \times 5 = 2^2 \times 3^2 \times 5 \times 5$

$\qquad = (2 \times 3 \times 5)^2$

따라서 곱해야 하는 가장 작은 자연수는 5이다.

學 06 ②

$108=2^2 \times 3^3$이므로 $108 \times a = 2^2 \times 3^3 \times a = b^2$이 되려면 $a=3 \times (\text{자연수})^2$의 꼴이어야 한다.

① $3=3 \times 1^2$

② $4=2^2$

③ $12=3 \times 2^2$

④ $27=3 \times 3^2$

⑤ $75=3 \times 5^2$

유형 07 ⑤

$120=2^3\times3\times5$의 약수는
(2^3의 약수)$\times$(3의 약수)$\times$(5의 약수)의 꼴이다.
⑤ $2^2\times3^3$에서 3의 지수가 1보다 크므로 약수가 될 수 없다.

學 07 1, 5, 7, 25, 35, 175

$\dfrac{175}{n}$가 자연수가 되려면 n은 175의 약수이어야 한다.
이때, $175=5^2\times7$이므로
구하는 n은 1, 5, 7, 25, 35, 175이다.

유형 08 ④

① $75=3\times5^2$이므로 약수의 개수는
$\quad(1+1)\times(2+1)=6$(개)
② 2^8의 약수의 개수는 $8+1=9$(개)
③ $2^2\times3^2$의 약수의 개수는
$\quad(2+1)\times(2+1)=9$(개)
④ $4^2\times6=2^5\times3$이므로 약수의 개수는
$\quad(5+1)\times(1+1)=12$(개)
⑤ $1\times2\times3\times4=2^3\times3$이므로 약수의 개수는
$\quad(3+1)\times(1+1)=8$(개)

學 08 ③

$2^3\times x$의 약수의 개수가 8개이고,
$8=7+1$ 또는 $8=(3+1)\times(1+1)$이므로
(i) 약수의 개수가 $8=7+1$일 때,
$\quad2^3\times x=2^7$에서 $x=2^4=16$
(ii) 약수의 개수가 $8=(3+1)\times(1+1)$일 때,
$\quad2^3\times x=2^3\times$($2$ 이외의 소수)에서
$\quad x=3, 5, 7, 11, 13, \cdots$

習 05 ③

$84=2^2\times3\times7$
따라서 84의 소인수는 2, 3, 7이다.
$\therefore$ (소인수의 합)$=2+3+7=12$

習 06 ⑤

$480=2^5\times3\times5$이므로 가장 작은 자연수 a로 나누어 각 소인수의 지수가 짝수이어야 한다.
즉, $\dfrac{480}{a}=\dfrac{2^5\times3\times5}{a}=$(자연수)^{2}의 꼴이 되려면
$a=2\times3\times5=30$

習 07 ④

$2\times3^2\times5^2$의 약수는
(2의 약수)$\times$(3^2의 약수)$\times$(5^2의 약수)의 꼴이다.
① $6=2\times3$
② $18=2\times3^2$
③ $30=2\times3\times5$
④ $60=2^2\times3\times5$
⑤ $225=3^2\times5^2$
따라서 $2\times3^2\times5^2$의 약수가 아닌 것은 ④이다.

習 08 ③

$360=2^3\times3^2\times5$이므로 360의 약수의 개수는
$(3+1)\times(2+1)\times(1+1)=4\times3\times2=24$(개)
$3^2\times5\times7^x$의 약수의 개수가 360의 약수의 개수와 같으므로
$(2+1)\times(1+1)\times(x+1)=24$
$6\times(x+1)=24$, $x+1=4$
$\therefore x=3$

생각 ○ 4개

$504=2^3\times3^2\times7$이므로 504의 약수 중에서 어떤 자연수의 제곱이 되는 수는 1, 2^2, 3^2, $2^2\times3^2$의 4개이다.

생각 ○○ 풀이 참조

우선 주어진 수들을 소인수분해하면
$14=2\times7$, 17, $25=5^2$, $26=2\times13$, $35=5\times7$,
$39=3\times13$, $51=3\times17$
예를 들어, 35의 경우, $35=5\times7$이므로 35의 왼쪽과 오른쪽에는 5 또는 7을 소인수로 갖는 합성수가 놓여

야 한다. 즉, 35의 왼쪽과 오른쪽에 올 수 있는 수는 14, 25 중 하나씩이다. 또, 25나 17과 같이 소인수가 하나뿐인 수는 좌우에 같은 소인수를 갖는 수가 하나씩 와야 하는데 소인수가 5나 17인 수는 각각 자기 자신을 제외하면 하나뿐이다. 즉, 25와 17은 맨 앞 또는 맨 뒤에 놓여야 한다.

따라서 이와 같은 규칙에 따라 주어진 수를 배열하면 다음 두 가지 중 하나로 배열할 수 있다.

(ⅰ) $25 - 35 - 14 - 26 - 39 - 51 - 17$

(ⅱ) $17 - 51 - 39 - 26 - 14 - 35 - 25$

이 가운데 가장 왼쪽에 있는 수는 가장 오른쪽에 있는 수보다 작아야 하므로

$17 - 51 - 39 - 26 - 14 - 35 - 25$

생각 OOO 248

$175 = 5^2 \times 7$이므로 약수를 구하면 다음과 같다.

×	1	5	5^2
1	1	5	25
7	7	35	175

따라서 약수의 총합은

$1 + 5 + 7 + 25 + 35 + 175 = 248$

---

03 최대공약수와 최소공배수 p. 23 ~ p. 27

유형 **09** ④	學 **09** $3^2 \times 7$		
유형 **10** 252	學 **10** 1260		
유형 **11** 7	學 **11** ①	유형 **12** ④	學 **12** ④
꿈 **09** ②	꿈 **10** ①	꿈 **11** 10	꿈 **12** ④

생각 7

생각 (1) A : 39년, B : 51년 (2) 52년에서 12년으로 변한다.

생각 720

유형 09 ④

두 수 $2^2 \times 3 \times 5^3$, $2 \times 3^2 \times 5^2$의 공약수는 두 수의 최대공약수의 약수이다.

$$\begin{array}{r} 2^2 \times 3 \times 5^3 \\ 2 \times 3^2 \times 5^2 \\ \hline (\text{최대공약수}) = 2 \times 3 \times 5^2 \end{array}$$

④ $2 \times 3^2 \times 5$는 $2 \times 3 \times 5^2$의 약수가 아니므로 두 수의 공약수가 아니다.

學 09 $3^2 \times 7$

$$\begin{array}{r} 3^2 \times 5^2 \times 7^2 \\ 2 \times 3^3 \quad\;\; \times 7^2 \\ 126 = 2 \times 3^2 \quad\;\; \times 7 \\ \hline (\text{최대공약수}) = \quad 3^2 \quad\;\; \times 7 \end{array}$$

유형 10 252

2×3^2의 배수이면서 $2^2 \times 3 \times 7$의 배수인 자연수는 두 수 2×3^2, $2^2 \times 3 \times 7$의 공배수이고, 이 중에서 가장 작은 수는 두 수의 최소공배수이다.

$$\begin{array}{r} 2 \times 3^2 \\ 2^2 \times 3 \times 7 \\ \hline (\text{최소공배수}) = 2^2 \times 3^2 \times 7 = 252 \end{array}$$

학 10 1260

```
2 ) 84   126   210
3 ) 42    63   105
7 ) 14    21    35
      2     3     5
```

$\therefore$ (최소공배수)$=2^2\times3^2\times5\times7=1260$

유형 11 7

$$\begin{array}{l}2^2\times3^a\times5\\2^b\times3^2\times5^c\end{array}$$

(최대공약수)$=2^2\times3^2\times5$
(최소공배수)$=2^2\times3^3\times5^2$

따라서 $a=3$, $b=2$, $c=2$이므로
$a+b+c=7$

학 11 ①

$6300=2^2\times3^2\times5^2\times7$이므로

$$\begin{array}{l}2^2\times3^a\times5\\3\times5^b\times c\end{array}$$

(최소공배수)$=2^2\times3^2\times5^2\times7$

따라서 $a=2$, $b=2$, $c=7$이므로
$a+b+c=11$

유형 12 ④

두 수의 최대공약수가 15이므로
$A=15\times a$ (a는 7과 서로소)라 하자.

```
15 ) A   105
       a    7
```

최소공배수가 630이므로
$15\times a\times7=630$ $\therefore a=6$
$\therefore A=15\times6=90$

학 12 ④

두 자연수를 각각 A, B라 하면 두 수의 최대공약수가 8이므로
$A=8\times a$, $B=8\times b$ (a, b는 서로소, $a>b$)
로 나타낼 수 있다.

두 수의 곱이 960이므로
$8^2\times a\times b=960$ $\therefore a\times b=15$
(ⅰ) $a=15$, $b=1$일 때,
  $A=8\times15=120$, $B=8\times1=8$
(ⅱ) $a=5$, $b=3$일 때,
  $A=8\times5=40$, $B=8\times3=24$
이때, 두 수 A, B는 두 자리의 자연수이므로
$A=40$, $B=24$
$\therefore A+B=64$

습 09 ②

$$\begin{array}{l}36=2^2\times3^2\\24=2^3\times3\end{array}$$

(최대공약수)$=2^2\times3$

따라서 두 수의 공약수는 최대공약수의 약수이므로 공약수의 개수는
$(2+1)\times(1+1)=6$(개)

습 10 ①

세 수의 공배수는 세 수의 최소공배수의 배수이다.

```
2 ) 5   12   20
2 ) 5    6   10
5 ) 5    3    5
      1    3    1
```

$\therefore$ (최소공배수)$=2^2\times3\times5=60$

이때, $60\times8=480$, $60\times9=540$이므로 500에 가장 가까운 수는 480이다.

습 11 10

$36=2^2\times3^2$이므로

$$\begin{array}{l}2^a\times3^b\qquad\times7\\2^2\times3^3\times c\end{array}$$

(최대공약수)$=2^2\times3^2$

$$\begin{array}{l}2^a\times3^b\qquad\times7\\2^2\times3^3\times c\end{array}$$

(최소공배수)$=2^3\times3^3\times5\times7$

따라서 $a=3$, $b=2$, $c=5$이므로

$a+b+c=10$

필 12 ④

(두 수의 곱)=(최소공배수)×(최대공약수)이므로

$5292=$(최소공배수)$\times 42$

$\therefore$ (최소공배수)$=126$

생각 ✚ 7

세 자연수를 $4\times x$, $2\times x$, $3\times x$ (x는 자연수)라 하면 세 자연수의 최소공배수는

$$\begin{array}{r|ccc} x & 4\times x & 2\times x & 3\times x \\ \hline 2 & 4 & 2 & 3 \\ \hline & 2 & 1 & 3 \end{array}$$

$x\times 2\times 2\times 3=84$이므로

$x=7$

따라서 세 자연수의 최대공약수는 7이다.

생각 ✚✚ (1) A: 39년, B: 51년

　　　　　(2) **52년에서 12년으로 변한다.**

(1) 매미 A: 13과 3의 최소공배수는 39이므로 매미 A 는 39년마다 천적과 만나게 된다.

　 매미 B: 17과 3의 최소공배수는 51이므로 매미 B 는 51년마다 천적과 만나게 된다.

(2) 4와 12의 최소공배수는 12이고, 13과 4의 최소공배수는 52이므로 성장 기간이 12년이 되면 천적과 만나는 주기는 52년에서 12년으로 변한다.

생각 ✚✚✚ 720

$A=12\times a$라 하면 세 수의 최소공배수가

$$\begin{array}{r|ccc} 12 & 24 & 36 & A \\ \hline & 2 & 3 & a \end{array}$$

$360=12\times 2\times 3\times 5$이므로 가능한 a의 값은

5, 5×2, 5×3, $5\times 2\times 3$

따라서 가능한 A의 값은 60, 120, 180, 360이므로 구하는 합은

$60+120+180+360=720$

---

04 최대공약수와 최소공배수의 활용

p. 29 ~ p. 33

유형 **13** 20	學 **13** 212, 422, 632, 842		
유형 **14** ⑤	學 **14** 7개	유형 **15** 60개	學 **15** 120장
유형 **16** 5바퀴	學 **16** 22그루		
필 **13** 184	필 **14** ④	필 **15** 12장	
필 **16** 오전 10시 30분			
생각 ✚ 238		생각 ✚✚ ③	
생각 ✚✚✚ 1592년			

유형 13 20

어떤 수로

92를 나누면 8이 부족하다. ➡ $(92+8)$을 나누면 나누어떨어진다.

75를 나누면 5가 부족하다. ➡ $(75+5)$를 나누면 나누어떨어진다.

67을 나누면 7이 남는다. ➡ $(67-7)$을 나누면 나누어떨어진다.

따라서 가장 큰 수는 100, 80, 60의 최대공약수이므로 20이다.

學 13 212, 422, 632, 842

5, 6, 7의 어느 수로 나누어도 나머지가 2인 자연수를 x라 하면 $x-2$는 5, 6, 7의 공배수이다.

즉, 5, 6, 7의 최소공배수는 210이므로

$x-2$는 210, 420, 630, 840, 1050, $\cdots$

따라서 x는 212, 422, 632, 842, 1052, $\cdots$이므로 구하는 세 자리의 자연수는 212, 422, 632, 842이다.

유형 14 ⑤

나누어 줄 수 있는 사람 수는 60, 36, 84의 공약수이다.

즉, 60, 36, 84의 최대공약수인 12의 약수이다.

$$\begin{array}{r|ccc} 2 & 60 & 36 & 84 \\ \hline 2 & 30 & 18 & 42 \\ \hline 3 & 15 & 9 & 21 \\ \hline & 5 & 3 & 7 \end{array}$$

따라서 나누어 줄 수 있는 사람 수는 1명, 2명, 3명, 4명, 6명, 12명이다.

學 14 7개

6, 8, 10으로 나누면 모두 5가 남으므로 감의 개수를 x개라 하면 $x-5$는 6, 8, 10의 공배수이다.

6, 8, 10의 최소공배수는 120이므로 $x-5$는 120, 240, 360, $\cdots$, 즉 x는 125, 245, 365, $\cdots$이고 주어진 조건을 만족하는 감의 개수는 245개이다.

따라서 $245 \div 14 = 17 \cdots 7$이므로 감 245개를 14개씩 포장하면 7개가 남는다.

유형 15 60개

가장 큰 정육면체 모양의 치즈를 만들어야 하므로 정육면체의 한 모서리의 길이는 80, 60, 100의 최대공약수이다.

$$\therefore 2^2 \times 5 = 20 (\text{cm})$$

2)	80	60	100
2)	40	30	50
5)	20	15	25
	4	3	5

한 모서리의 길이가 20 cm인 정육면체 모양의 치즈를 만들어야 하므로 만들어지는 치즈의 개수는

가로: $80 \div 20 = 4(\text{개})$, 세로: $60 \div 20 = 3(\text{개})$,

높이: $100 \div 20 = 5(\text{개})$

$\therefore$ (만들 수 있는 치즈 조각의 개수)

$\quad = 4 \times 3 \times 5 = 60(\text{개})$

學 15 120장

가능한 한 작게 만들려는 정육면체의 한 모서리의 길이는 12, 10, 15의 최소공배수이다.

$$\therefore 2^2 \times 3 \times 5 = 60 (\text{cm})$$

2)	12	10	15
3)	6	5	15
5)	2	5	5
	2	1	1

한 모서리의 길이가 60 cm인 정육면체를 만들어야 하므로

가로: $60 \div 12 = 5(\text{장})$, 세로: $60 \div 10 = 6(\text{장})$,

높이: $60 \div 15 = 4(\text{장})$

$\therefore$ (필요한 벽돌의 수) $= 5 \times 6 \times 4 = 120(\text{장})$

유형 16 5바퀴

20과 12의 최소공배수는

$2^2 \times 3 \times 5 = 60$

따라서 두 톱니바퀴가 같은 톱니에서 처음으로 다시 맞물리려면 톱니바퀴 B는 $60 \div 12 = 5(\text{바퀴})$ 회전해야 한다.

2)	20	12
2)	10	6
	5	3

學 16 22그루

나무 사이의 간격이 최대이므로 나무 사이의 간격은 100과 120의 최대공약수이다.

$$\therefore 2 \times 2 \times 5 = 20(\text{m})$$

2)	100	120
2)	50	60
5)	25	30
	5	6

이때, $100 \div 20 = 5(\text{그루})$, $120 \div 20 = 6(\text{그루})$이고, 네 모퉁이에서 두 번씩 겹치므로 필요한 나무의 수는

$(5+1) \times 2 + (6+1) \times 2 - 4 = 22(\text{그루})$

習 13 184

$\dfrac{x}{y}$가 가장 작은 분수가 되기 위해서는

$$\frac{x}{y} = \frac{(7, 5, 25\text{의 최소공배수})}{(27, 18, 81\text{의 최대공약수})} = \frac{175}{9}$$

따라서 $x = 175$, $y = 9$이므로 $x+y = 184$

習 14 ④

초콜릿은 3개가 남고, 캐러멜은 4개가 남고, 사탕은 4개가 부족하므로

초콜릿은 $138 - 3 = 135(\text{개})$,

캐러멜은 $58 - 4 = 54(\text{개})$, 사탕은 $41 + 4 = 45(\text{개})$를 학생들에게 똑같이 나누어 줄 수 있다.

이때, 135, 54, 45의 최대공약수가 9이므로 나누어 줄 수 있는 학생 수는 ④이다.

3)	135	54	45
3)	45	18	15
	15	6	5

習 15 12장

가능한 한 작은 정사각형의 한 변의 길이는 16과 12의 최소공배수이다.

$$\therefore 2^2 \times 4 \times 3 = 48(\text{cm})$$

2)	16	12
2)	8	6
	4	3

한 변의 길이가 48 cm인 정사각형을 만들어야 하므로
가로: $48 \div 16 = 3$(장), 세로: $48 \div 12 = 4$(장)
∴ (필요한 종이의 수)$= 3 \times 4 = 12$(장)

꿤 16 오전 10시 30분
15, 25, 30의 최소공배수는
$2 \times 3 \times 5^2 = 150$(분)

$$\begin{array}{r|lll} 5 & 15 & 25 & 30 \\ \hline 3 & 3 & 5 & 6 \\ \hline & 1 & 5 & 2 \end{array}$$

따라서 오전 8시에 동시에 출발한
후 처음으로 다시 동시에 출발하는 시각은 150분 후,
즉 2시간 30분 후인 오전 10시 30분이다.

생각 o 238
6, 8, 10의 어느 수로 나누어도 모두 2가 부족하므로
구하는 자연수를 x라 하면 $x + 2$는 6, 8, 10의 공배수
이다. 6, 8, 10의 최소공배수는 120이므로 $x + 2$는
120, 240, 360, 480, …이다.
따라서 x를 가장 작은 것부터 크기순으로 나열하면
118, 238, 358, 478, …이므로 두 번째에 오는 수는
238이다.

생각 oo ③
송희는 $3 + 1 = 4$(일)마다 일을 시작하고, 현수는
$7 + 3 = 10$(일)마다 일을 시작한다. 즉, 4와 10의 최소
공배수는 20이므로 송희와 현수가 같은 날 일을 시작
하면 20일마다 같이 일을 시작한다. 이때, 20일 동안
두 사람이 같이 쉬는 날은 2일이므로 300일 동안 두
사람이 같이 쉬는 날은 $2 \times 15 = 30$(일)이다.

생각 ooo 1592년
임진왜란은 임진년에 일본이 쳐들어온 사건이라서 '임
진'왜란이라 불린다. 이때, 2012년이 임진년이므로
$2012 - 60 = 1952$
$1952 - 60 = 1892$
⋮
$1652 - 60 = 1592$
따라서 1500년대 후반이므로 1592년이다.

단원 종합 문제   p. 34~p. 39

01 ①, ④	02 ②	03 ①	04 ③
05 ⑤	06 ③	07 ③	08 ③
09 ②	10 ⑤	11 ③	12 ④
13 ③	14 ②	15 ②	16 ④
17 풀이 참조		18 48개	
19 300회		20 7개	

01 ①, ④
① $3^2 = 9$
④ $a + a + a + a = a \times 4$

02 ②
소수란 1보다 큰 자연수 중에서 1과 자기 자신만을 약
수로 가지는 수 이므로 7, 13, 17, 23의 4개이다.

03 ①
ㄴ. 1은 소수도 아니고, 합성수도 아니다.
ㄷ. 20과 30 사이의 소수는 23, 29의 2개이다.
ㄹ. $a = 2$, $b = 3$일때, 두 수 a, b는 소수이지만
    $a \times b = 6$은 소수가 아니다.
따라서 옳은 것은 ㄱ, ㄴ이다.

04 ③
$330 = 2 \times 3 \times 5 \times 11$이므로 330의 소인수는 2, 3, 5,
11의 4개이다.

05 ⑤
$432 = 2^4 \times 3^3$이므로 432의 약수 중에서 어떤 자연수
의 제곱이 되는 수는 1, 2^2, 2^4, 3^2, $2^2 \times 3^2$, $2^4 \times 3^2$의
6개이다.

06 ③

$360 = 2^3 \times 3^2 \times 5$이므로 약수의 개수는

$(3+1) \times (2+1) \times (1+1) = 24$(개)

$24 = 2^3 \times 3$이므로 약수의 개수는

$(3+1) \times (1+1) = 8$(개)

$\therefore N(N(360)) = N(24) = 8$

07 ③

약수의 개수가 5개인 수는 어떤 소수의 네제곱이어야 한다.

따라서 구하는 수는 $2^4 = 16$, $3^4 = 81$, $5^4 = 625$의 3개이다.

08 ③

두 자연수의 공약수는 두 수의 최대공약수의 약수이다.

즉, 24의 약수는 1, 2, 3, 4, 6, 8, 12, 24이므로 a, b의 공약수가 아닌 것은 ③이다.

09 ②

연속하는 세 자연수를 $x-1$, x, $x+1$ ($2 \le x \le 199$)이라 하면 세 수의 합은 $3x$이고, $3x$가 33의 배수가 되려면 x는 11의 배수이어야 한다.

따라서 2에서 199까지의 자연수 중 11의 배수는 18개이므로 세 수의 합이 33의 배수가 되는 것은 18묶음이다.

10 ⑤

세 자연수를 각각

$8 \times x$, $6 \times x$, $3 \times x$ (x는 자연수)

라 하면 세 자연수의 최소공배수는 480이므로

$$
\begin{array}{r|ccc}
x & 8 \times x & 6 \times x & 3 \times x \\
\hline
2 & 8 & 6 & 3 \\
\hline
3 & 4 & 3 & 3 \\
\hline
 & 4 & 1 & 1
\end{array}
$$

$x \times 2 \times 3 \times 4 = 480$ $\therefore x = 20$

따라서 세 자연수는 160, 120, 60이므로 가장 큰 수는 160이다.

11 ③

두 자연수 A, B를 각각 $13a$, $13b$ (a, b는 서로소)라 하면

$13a \times 13b = 1690$ $\therefore ab = 10$

따라서 $A = 13 \times 1$, $B = 13 \times 10$

또는 $A = 13 \times 2$, $B = 13 \times 5$ ($\because A < B$)

$\therefore$ (구하는 합) $= 13 \times 1 + 13 \times 2 = 39$

12 ④

8, 10, 12의 최소공배수는

$2^3 \times 3 \times 5 = 120$이므로 세 버스는 120분마다 동시에 출발한다.

$$
\begin{array}{r|ccc}
2 & 8 & 10 & 12 \\
\hline
2 & 4 & 5 & 6 \\
\hline
 & 2 & 5 & 3
\end{array}
$$

따라서 세 버스가 6시 30분에 출발한 후 처음으로 다시 동시에 출발하는 시각은 120분 후, 즉 2시간 후인 오전 8시 30분이다.

13 ③

가능한 한 큰 정육면체 모양의 주사위를 만들어야 하므로 주사위의 한 모서리의 길이는 90, 45, 60의 최대공약수이다.

$$
\begin{array}{r|ccc}
3 & 90 & 45 & 60 \\
\hline
5 & 30 & 15 & 20 \\
\hline
 & 6 & 3 & 4
\end{array}
$$

$\therefore 3 \times 5 = 15$(cm)

따라서 한 모서리의 길이가 15 cm인 정육면체 모양의 주사위를 만들어야 하므로

가로: $90 \div 15 = 6$(개), 세로: $45 \div 15 = 3$(개)

높이: $60 \div 15 = 4$(개)

$\therefore$ (만들어지는 주사위의 수) $= 6 \times 3 \times 4 = 72$(개)

14 ②

36과 48의 최소공배수는

$2^2 \times 3^2 \times 4 = 144$

$$
\begin{array}{r|cc}
2 & 36 & 48 \\
\hline
2 & 18 & 24 \\
\hline
3 & 9 & 12 \\
\hline
 & 3 & 4
\end{array}
$$

따라서 두 톱니바퀴가 같은 톱니에서 처음으로 다시 맞물리려면 톱니바퀴 A는 최소한

$144 \div 36 = 4$(바퀴)

회전해야 한다.

15 ②

$\dfrac{x}{y} = \dfrac{(49,\ 56\text{의 최소공배수})}{(75,\ 45\text{의 최대공약수})} = \dfrac{392}{15}$ 이므로

$x = 392,\ y = 15$

$\therefore x - y = 377$

16 ④

$A = 18 \times a$라 하면 세 수의
최소공배수가

$$18\ )\ \underline{\begin{array}{ccc} 54 & 90 & A \\ 3 & 5 & a \end{array}}$$

$540 = 18 \times 2 \times 3 \times 5$이므로 가능한 a의 값은
$2,\ 2 \times 3,\ 2 \times 5,\ 2 \times 3 \times 5$이다.
따라서 $a = 2 \times 5$, 즉 $A = 18 \times 2 \times 5 = 180$일 때가 두
번째로 큰 수이다.

17 풀이 참조

⑴ $540 = 2^2 \times 3^3 \times 5,\ 648 = 2^3 \times 3^4$이므로 540과 648
의 최대공약수는 $2^2 \times 3^3$이다. … [2점]

⑵ 540과 648의 공약수는 최대공약수 $2^2 \times 3^3$의 약수
이므로 $1,\ 2,\ 2^2,\ 3,\ 3^2,\ 3^3,\ 2 \times 3,\ 2 \times 3^2,\ 2 \times 3^3,$
$2^2 \times 3,\ 2^2 \times 3^2,\ 2^2 \times 3^3$이다. … [2점]

⑶ 어떤 자연수의 제곱이 되는 수는 $1,\ 2^2,\ 3^2,\ 2^2 \times 3^2$
의 4개이다. … [2점]

18 48개

N의 모든 약수의 개수는

$(4+1) \times (2+1) \times (3+1)$

$= 5 \times 3 \times 4 = 60$(개) … [3점]

이때, N의 약수 중 홀수의 개수는 $5^2 \times 7^3$의 약수의
개수와 같으므로

$(2+1) \times (3+1) = 3 \times 4 = 12$(개) … [4점]

따라서 N의 약수 중 짝수의 개수는

$60 - 12 = 48$(개) … [3점]

19 300회

세 점 A, B, C가 원을 1바퀴 도는 데 각각 4초, 6초,
3초가 걸리므로 4, 6, 3의 최소공배수인 12초마다 점

P를 동시에 통과한다. … [5점]
이때, 1시간은 3600초이므로
(구하는 횟수)$= 3600 \div 12 = 300$(회) … [5점]

20 7개

8번 사물함의 경우 8의 약수는 1, 2, 4, 8이므로 1번
학생이 8번 사물함의 문을 열고, 2번 학생은 문을 닫
고, 4번 학생은 다시 문을 열고, 8번 학생은 다시 닫는
다. 또, 8번 이후의 학생은 8번 사물함에 손을 대지 않
으므로 모든 시행이 끝날 때까지 닫혀 있게 된다.
… [2점]

그러나 9번 사물함의 경우 9의 약수는 1, 3, 9이므로
1번 학생이 9번 사물함의 문을 열고, 3번 학생은 문을
닫고, 9번 학생이 다시 문을 연다. 이때, 9번 사물함은
모든 시행이 끝날 때까지 열려 있게 된다. … [2점]
즉, 모든 시행이 끝난 후 사물함이 열려 있기 위해서
는 사물함의 번호의 약수의 개수가 홀수 개이어야 하
고, 약수의 개수가 홀수 개이려면 자연수의 제곱인 수
이어야 한다. … [4점]
따라서 1부터 50까지의 자연수 중에서 제곱인 수는
1, 4, 9, 16, 25, 36, 49이므로 열려 있는 사물함의 개
수는 7개이다. … [2점]

II 정수와 유리수

01 정수와 유리수의 뜻

p. 47 ~ p. 51

유형 01 ⑤	學 01 ④
유형 02 $-1, \dfrac{4}{2}$	學 02 ②
유형 03 ①, ⑤ 學 03 ④	유형 04 ③ 學 04 ㄱ, ㄴ
짬 01 $a=-\dfrac{1}{2}, b=+\dfrac{1}{5}$	짬 02 4
짬 03 ④	짬 04 ①, ⑤
생각 2	생각 ④
생각 풀이 참조	

유형 01 ⑤

ㄱ. -5점

ㄴ. $+2000\,\text{m}$

ㄷ. -2분

따라서 $-$ 부호가 사용된 것은 ㄱ, ㄷ이다.

學 01 ④

① $+5$만 원   ② $+4\,\text{cm}$

③ $+7$층   ④ -10명

⑤ $+100$원

따라서 부호가 다른 하나는 ④이다.

유형 02 $-1, \dfrac{4}{2}$

$\dfrac{4}{2}=2$이므로 정수는 $-1, \dfrac{4}{2}$이다.

學 02 ②

$-\dfrac{6}{2}=-3$

따라서 음의 정수는 $-2.0, -\dfrac{6}{2}$의 2개이다.

유형 03 ①, ⑤

③ $\dfrac{6}{3}=2$

B 상자에 담긴 공에 적힌 수는 정수가 아닌 유리수이므로 ①, ⑤이다.

學 03 ④

① 음의 정수는 -3의 1개이다.

② 음의 유리수는 $-0.7, -3, -2\dfrac{2}{3}$의 3개이다.

③ 양의 유리수는 $+\dfrac{7}{5}, +\dfrac{4}{2}$, 4의 3개이다.

④ 정수가 아닌 유리수는 $-0.7, +\dfrac{7}{5}, -2\dfrac{2}{3}$의 3개이다.

⑤ 음수도 양수도 아닌 수는 0의 1개이다.

유형 04 ③

① 0은 유리수이므로 분수 꼴로 나타낼 수 있다.

② 모든 정수는 유리수이다.

④ 0은 음의 정수도 양의 정수도 아니다.

⑤ 음수가 0보다 작다.

學 04 ㄱ, ㄴ

ㄷ. 유리수는 양의 유리수, 0, 음의 유리수로 이루어져 있다.

ㄹ. $\dfrac{12}{3}, -\dfrac{4}{2}$와 같이 모든 정수는 분수 꼴로 나타낼 수 있다.

따라서 옳은 것은 ㄱ, ㄴ이다.

짬 01 $a=-\dfrac{1}{2}, b=+\dfrac{1}{5}$

0보다 $\dfrac{1}{2}$만큼 작은 수는 $a=-\dfrac{1}{2}$

0보다 $\dfrac{1}{5}$만큼 큰 수는 $b=+\dfrac{1}{5}$

껌 02 4

양의 정수는 8, 3의 2개이므로 $x=2$

음의 정수는 -13, $-\dfrac{4}{2}=-2$의 2개이므로 $y=2$

$\therefore x+y=4$

껌 03 ④

① 0, 1, 2는 모두 정수이다.

② -3, 5는 정수이다.

③ -1, -2, 3은 모두 정수이다.

⑤ 0은 정수이다.

껌 04 ①, ⑤

② -1은 음의 정수, 2는 양의 정수이다.

③ 정수는 양의 정수, 0, 음의 정수로 이루어져 있다.

④ 모든 자연수는 유리수이다.

생각 o 2

-1.4, $\dfrac{5}{3}$는 정수가 아닌 유리수이므로

$N(-1.4)=0$, $N\left(\dfrac{5}{3}\right)=0$

2, $-\dfrac{6}{2}=-3$은 정수이므로

$N(2)=1$, $N\left(-\dfrac{6}{2}\right)=1$

$\therefore N(-1.4)+N(2)+N\left(\dfrac{5}{3}\right)+N\left(-\dfrac{6}{2}\right)$

$\qquad =0+1+0+1=2$

생각 oo ④

④ 유리수는 양의 유리수, 0, 음의 유리수로 이루어져 있다.

생각 ooo 풀이 참조

2	7	9
6	4	1
5	3	8

〈15점〉

4	9	6
3	2	5
1	7	8

〈15점〉

02 수의 대소 관계

p. 53 ~ p. 57

유형 05 ④	學 05 ①	유형 06 ①, ⑤	學 06 -6
유형 07 ④	學 07 ④	유형 08 ②	學 08 ①
껌 05 ④		껌 06 $a=0, b=-3$	
껌 07 ①, ③		껌 08 ⑤	

생각 (1) 동일 (2) 민경 (3) 다운 (4) 5

생각 oo ②　　　　　**생각 ooo** G

유형 05 ④

④ 점 D에 대응하는 수는 $2\dfrac{1}{3}=\dfrac{7}{3}$이다.

學 05 ①

A: -8과 B: 4에 대응하는 두 점 사이의 거리가 12이므로 다음 그림과 같이 점 M에 대응하는 수는 -2이다.

```
      A               M               B
 ·─┬─●┬─┬─┬─┬─┬─┬─●┬─┬─┬─┬─┬─●┬─┬─·
  -9-8-7-6-5-4-3-2-1 0 1 2 3 4 5
      |←── 거리: 6 ──→|←── 거리: 6 ──→|
```

유형 06 ①, ⑤

② 절댓값이 0인 수는 0 한 개뿐이다.

③ 절댓값이 1인 양수는 1 한 개뿐이다.

④ $|-3|=|3|=3$

學 06 -6

-3, 5의 절댓값이 각각

$|-3|=3$, $|5|=5$

이므로

$M(-3, 5)=5$

-6의 절댓값은

$|-6|=6$

이므로

$M(M(-3, 5), -6)=M(5, -6)=-6$

유형 07 ④

① $\dfrac{4}{3}=1\dfrac{1}{3}$이므로 $\dfrac{3}{4}<\dfrac{4}{3}$

② $-\dfrac{1}{5}=-\dfrac{4}{20}$, $-\dfrac{1}{4}=-\dfrac{5}{20}$이므로

$-\dfrac{1}{5}>-\dfrac{1}{4}$

③ $\left|-\dfrac{5}{6}\right|=\dfrac{5}{6}=\dfrac{10}{12}$, $\dfrac{3}{4}=\dfrac{9}{12}$이므로

$\left|-\dfrac{5}{6}\right|>\dfrac{3}{4}$

④ $\left|-\dfrac{3}{5}\right|=\dfrac{3}{5}=\dfrac{21}{35}$, $\left|-\dfrac{5}{7}\right|=\dfrac{5}{7}=\dfrac{25}{35}$이므로

$\left|-\dfrac{3}{5}\right|<\left|-\dfrac{5}{7}\right|$

⑤ $-0.7=-\dfrac{7}{10}$, $-\dfrac{4}{5}=-\dfrac{8}{10}$이므로

$-0.7>-\dfrac{4}{5}$

실전 07 ④

④ 음의 정수 중 가장 큰 수가 -1이다.

유형 08 ②

실전 08 ①

$\left|-\dfrac{8}{3}\right|=\dfrac{8}{3}=2.666\cdots$이므로 $-3\le x<\left|-\dfrac{8}{3}\right|$을

만족하는 정수는 -3, -2, -1, 0, 1, 2
따라서 구하는 정수 x의 값의 합은
$(-3)+(-2)+(-1)+0+1+2=-3$

실전 05 ④

$-\dfrac{2}{3}$와 $+\dfrac{9}{5}=1\dfrac{4}{5}$에 대응하는 점을 수직선 위에 나
타내면 다음과 같다.

$$-\dfrac{2}{3} \qquad\qquad +\dfrac{9}{5}$$

```
 ———●———————————————●———
  -2   -1    0    1    2
```

따라서 $p=-1$, $q=2$이므로 $p+q=1$

실전 06 $a=0$, $b=-3$

절댓값이 가장 작은 수는 0이므로 $a=0$
절댓값이 3인 수는 -3 또는 3이므로 $b=-3$

실전 07 ①, ③

$-\dfrac{4}{5}=-0.8$, $+1\dfrac{2}{3}=+1.666\cdots$,

$-\dfrac{4}{3}=-1.333\cdots$

이므로 주어진 수를 크기순으로 나열하면

$-\dfrac{4}{3}$, -1.2, $-\dfrac{4}{5}$, 0.3, $+1\dfrac{2}{3}$, 5

② 가장 작은 수는 $-\dfrac{4}{3}$이다.

④ 0.3보다 작은 수는 $-\dfrac{4}{3}$, -1.2, $-\dfrac{4}{5}$의 3개이다.

⑤ 절댓값이 가장 큰 수는 5이다.

실전 08 ⑤

⑤ $-3\le x<2$

생각 ○ (1) 동일 (2) 민경 (3) 다운 (4) 5

생각 ○○ ②

음수의 절댓값은 부호가 바뀐다.
$|-1.5|=-(-1.5)=1.5$

생각 ○○○ G

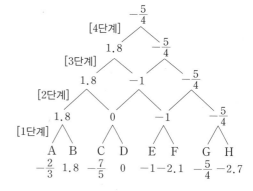

따라서 주형이가 상품을 받으려면 G에서 출발해야
한다.

p. 59 ~ p. 63

03 정수와 유리수의 덧셈과 뺄셈

유형 **09** ③	學 **09** ③	유형 **10** 대구	學 **10** ⑤

유형 **11** ㉠ 덧셈의 교환법칙 ㉡ 덧셈의 결합법칙	學 **11** 덧셈의 교환법칙

유형 **12** $\dfrac{61}{30}$	學 **12** ⑤

껄 **09** $\dfrac{25}{6}$	껄 **10** ④

껄 **11** ㉮ 덧셈의 교환법칙 ㉯ 덧셈의 결합법칙	껄 **12** ⑤

생각 ④	생각 풀이 참조

생각 $+4$	

유형 09 ③

원점에서 왼쪽으로 5만큼 이동하였고, 다시 오른쪽으로 3만큼 이동한 것이 -2와 같음을 보여 주는 그림이므로 덧셈식은

$(-5)+(+3)=-2$

學 09 ③

① $(-3.7)+(-4.3)=-(3.7+4.3)=-8$

② $(+4.3)+(-7.7)=-(7.7-4.3)=-3.4$

③ $(-2.3)+(+3.5)=+(3.5-2.3)=+1.2$

④ $\left(-\dfrac{2}{5}\right)+\left(-\dfrac{3}{10}\right)=\left(-\dfrac{4}{10}\right)+\left(-\dfrac{3}{10}\right)$
$=-\left(\dfrac{4}{10}+\dfrac{3}{10}\right)=-\dfrac{7}{10}$

⑤ $(+3)+\left(-\dfrac{4}{5}\right)=\left(+\dfrac{15}{5}\right)+\left(-\dfrac{4}{5}\right)$
$=+\left(\dfrac{15}{5}-\dfrac{4}{5}\right)=+\dfrac{11}{5}$

유형 10 대구

각 도시의 일교차는 다음과 같다.

서울: $(-1)-(-9)=(-1)+(+9)$
$=+(9-1)=+8(℃)$

대전: $4-(-5)=4+(+5)=9(℃)$

대구: $2-(-10)=2+(+10)=12(℃)$

광주: $6-(-3)=6+(+3)=9(℃)$

부산: $8-0=8(℃)$

제주: $12-2=10(℃)$

따라서 일교차가 가장 큰 도시는 대구이다.

學 10 ⑤

① $(-3.2)-(+5.2)=(-3.2)+(-5.2)$
$=-(3.2+5.2)$
$=-8.4$

② $(+8.3)-(-3.1)=(+8.3)+(+3.1)$
$=+(8.3+3.1)$
$=+11.4$

③ $\left(-\dfrac{2}{5}\right)-\left(+\dfrac{1}{3}\right)=\left(-\dfrac{6}{15}\right)+\left(-\dfrac{5}{15}\right)$
$=-\left(\dfrac{6}{15}+\dfrac{5}{15}\right)$
$=-\dfrac{11}{15}$

④ $\left(+\dfrac{1}{7}\right)-\left(+\dfrac{3}{14}\right)=\left(+\dfrac{2}{14}\right)+\left(-\dfrac{3}{14}\right)$
$=-\left(\dfrac{3}{14}-\dfrac{2}{14}\right)$
$=-\dfrac{1}{14}$

⑤ $\left(-\dfrac{5}{12}\right)-\left(-\dfrac{2}{3}\right)=\left(-\dfrac{5}{12}\right)+\left(+\dfrac{2}{3}\right)$
$=+\left(\dfrac{8}{12}-\dfrac{5}{12}\right)$
$=+\dfrac{3}{12}=+\dfrac{1}{4}$

유형 11 ㉠ 덧셈의 교환법칙   ㉡ 덧셈의 결합법칙

學 11 덧셈의 교환법칙

도토리를 아침에 3개, 저녁에 4개 주는 것에서 아침에 4개, 저녁에 3개 주는 것으로 바뀌었으므로 이것을 식으로 나타내면

$3+4=4+3$

즉, 덧셈의 교환법칙이 이용되었다.

유형 12 $\dfrac{61}{30}$

$$\left(-\dfrac{2}{5}\right)-\left(+\dfrac{7}{10}\right)-\left(-\dfrac{2}{15}\right)+(+3)$$
$$=\left(-\dfrac{12}{30}\right)+\left(-\dfrac{21}{30}\right)+\left(+\dfrac{4}{30}\right)+\left(+\dfrac{90}{30}\right)$$
$$=\left\{\left(-\dfrac{12}{30}\right)+\left(-\dfrac{21}{30}\right)\right\}+\left\{\left(+\dfrac{4}{30}\right)+\left(+\dfrac{90}{30}\right)\right\}$$
$$=\left(-\dfrac{33}{30}\right)+\left(+\dfrac{94}{30}\right)$$
$$=\dfrac{61}{30}$$

學 12 ⑤

① $31-22-9=31+(-22-9)=31-31=0$
② $-17+8+10=-17+(8+10)$
$\qquad\qquad\qquad=-17+18$
$\qquad\qquad\qquad=+1$
③ $-19+21-3=(-19-3)+21$
$\qquad\qquad\qquad=-22+21$
$\qquad\qquad\qquad=-1$
④ $-27+36-11+4=(-27-11)+36+4$
$\qquad\qquad\qquad\qquad=-38+40$
$\qquad\qquad\qquad\qquad=+2$
⑤ $10-16-12+15=10+15+(-16-12)$
$\qquad\qquad\qquad\qquad=25-28$
$\qquad\qquad\qquad\qquad=-3$
따라서 계산 결과가 가장 작은 것은 ⑤이다.

習 09 $\dfrac{25}{6}$

$\left|-1\dfrac{2}{5}\right|=1\dfrac{2}{5}=1.4$, $\left|-\dfrac{1}{6}\right|=\dfrac{1}{6}=0.1666\cdots$,

$|-2|=2$, $|+3.9|=3.9$, $\left|+\dfrac{13}{3}\right|=\dfrac{13}{3}=4.333\cdots$

따라서 절댓값이 가장 큰 수는 $+\dfrac{13}{3}$, 절댓값이 가장

작은 수는 $-\dfrac{1}{6}$이므로

$$\left(+\dfrac{13}{3}\right)+\left(-\dfrac{1}{6}\right)=\left(+\dfrac{26}{6}\right)+\left(-\dfrac{1}{6}\right)$$
$$=\dfrac{25}{6}$$

習 10 ④

$a=(-5)+3=-2$, $b=2-(-2)=2+(+2)=4$
$\therefore a+b=(-2)+4=2$

習 11 ㈎ 덧셈의 교환법칙 ㈏ 덧셈의 결합법칙

習 12 ⑤

① $0.7-\dfrac{5}{2}+2=\dfrac{7}{10}-\dfrac{25}{10}+\dfrac{20}{10}$
$\qquad\qquad\quad=\left(\dfrac{7}{10}+\dfrac{20}{10}\right)-\dfrac{25}{10}$
$\qquad\qquad\quad=\dfrac{27}{10}-\dfrac{25}{10}$
$\qquad\qquad\quad=\dfrac{2}{10}=\dfrac{1}{5}$
② $\dfrac{1}{4}-\dfrac{5}{2}+\dfrac{9}{10}=\dfrac{5}{20}-\dfrac{50}{20}+\dfrac{18}{20}$
$\qquad\qquad\qquad=\left(\dfrac{5}{20}+\dfrac{18}{20}\right)-\dfrac{50}{20}$
$\qquad\qquad\qquad=\dfrac{23}{20}-\dfrac{50}{20}$
$\qquad\qquad\qquad=-\dfrac{27}{20}$
③ $-5+3-1=(-5-1)+3$
$\qquad\qquad\quad=-6+3$
$\qquad\qquad\quad=-3$
④ $-1.7+2.5-1=(-1.7-1)+2.5$
$\qquad\qquad\qquad=-2.7+2.5$
$\qquad\qquad\qquad=-0.2$
⑤ $-7-\dfrac{11}{5}+3.6=(-7-2.2)+3.6$
$\qquad\qquad\qquad=-9.2+3.6$
$\qquad\qquad\qquad=-5.6$

생각 ❶ ④

어떤 유리수를 x라 하자.

$x - \dfrac{1}{4} = -\dfrac{1}{3}$ 에서

$x = -\dfrac{1}{3} + \dfrac{1}{4} = -\dfrac{4}{12} + \dfrac{3}{12} = -\dfrac{1}{12}$

따라서 바르게 계산한 값은

$-\dfrac{1}{12} + \dfrac{1}{4} = -\dfrac{1}{12} + \dfrac{3}{12} = \dfrac{2}{12} = \dfrac{1}{6}$

생각 ❷❷ 풀이 참조

(2) ✚=0, $(+31) + (-25) = +6$

(3) ✚ ✚ ✚ ✚ ✚ ━ ━, 3

생각 ❸❸❸ $+4$

$+5$, -4, -9, -5, $+4$, $+9$, a, b, …라 하면

$(+4) + a = +9$에서 $a = +5$,

$+9 + b = +5$에서 $b = -4$,

⋮

이와 같이 $+5$, -4, -9, -5, $+4$, $+9$가 반복된다.

따라서 $101 = 6 \times 16 + 5$에서 101번째 있는 수는 $+4$이다.

---

04 정수와 유리수의 곱셈

p. 65 ~ p. 69

유형 **13** ⑤	확인 **13** ⑤
유형 **14** ㉠ 곱셈의 교환법칙 ㉡ 곱셈의 결합법칙	확인 **14** -4
유형 **15** ③ 확인 **15** ④	유형 **16** -3 확인 **16** -4
참 **13** ④	참 **14** ㉠ 곱셈의 교환법칙 ㉡ 곱셈의 결합법칙
참 **15** $\dfrac{23}{72}$	참 **16** -1
생각 ❶❶ ④	생각 ❷❷ $\dfrac{1}{4}$

생각 ❸❸❸ $a = 3$, $b = 14$, $c = 7$, $d = 4$

유형 13 ⑤

① $(-5) \times (+4) = -(5 \times 4)$
$\qquad\qquad\qquad = -20$

② $(+14) \times \left(-\dfrac{3}{7}\right) = -\left(14 \times \dfrac{3}{7}\right)$
$\qquad\qquad\qquad\quad = -6$

③ $\left(-\dfrac{2}{5}\right) \times \left(-\dfrac{5}{10}\right) = +\left(\dfrac{2}{5} \times \dfrac{5}{10}\right)$
$\qquad\qquad\qquad\qquad = +\dfrac{1}{5}$

⑤ $\left(-\dfrac{3}{14}\right) \times \left(+\dfrac{7}{24}\right) = -\left(\dfrac{3}{14} \times \dfrac{7}{24}\right)$
$\qquad\qquad\qquad\qquad = -\dfrac{1}{16}$

확인 13 ⑤

각 사각형 안의 두 수의 대소 관계는

$-\dfrac{1}{3} < \boxed{+2}$, $\boxed{-3} > -5$, $+\dfrac{2}{3} < \boxed{+\dfrac{3}{2}}$,

$-1 < \boxed{+2.5}$, $-4 < \boxed{-2}$

이므로 구하는 곱은

$(+2) \times (-3) \times \left(+\dfrac{3}{2}\right) \times (+2.5) \times (-2)$

$= +\left(2 \times 3 \times \dfrac{3}{2} \times \dfrac{5}{2} \times 2\right)$

$= 45$

유형 14 ㉠ 곱셈의 교환법칙 ㉡ 곱셈의 결합법칙

학 14 -4

$\{(-4) \times a\} \times \left\{-\dfrac{3}{2} \times b\right\} \times \left\{c \times \dfrac{1}{3}\right\}$

$= \left\{(-4) \times \left(-\dfrac{3}{2}\right) \times \dfrac{1}{3}\right\} \times a \times b \times c$

$= 2 \times a \times b \times c$

즉, $2 \times a \times b \times c = (-2)^3 = -8$이므로

$a \times b \times c = -4$

유형 15 ③

① $(-1)^3 = (-1) \times (-1) \times (-1)$
$\qquad\qquad = -(1 \times 1 \times 1) = -1$

② $-\dfrac{1}{3^2} = -\dfrac{1}{9}$

③ $-\dfrac{2^3}{7} = -\dfrac{8}{7}$

④ $\left(-\dfrac{1}{2}\right)^2 = \dfrac{1}{4}$

⑤ $\left(-\dfrac{2}{3}\right)^3 = -\dfrac{8}{27}$

따라서 계산 결과가 가장 작은 것은 ③이다.

학 15 ④

③ $-(-3)^4 = -3^4 = -81$

④ $\left(-\dfrac{1}{4}\right)^2 = \dfrac{1}{16}$

유형 16 -3

$(-1)^5 \times (-1)^6 + (-1)^3 - (-1)^4$

$= (-1) \times (+1) + (-1) - (+1)$

$= (-1) + (-1) + (-1)$

$= -3$

학 16 -4

n이 2보다 큰 홀수이므로 $n-1$, $n+1$은 짝수, $n+2$는 홀수이다.

$\therefore -1^n - (-1)^{n-1} - (-1)^{n+1} + (-1)^{n+2}$

$\quad = -1 - 1 - 1 - 1 = -4$

깶 13 ④

주어진 네 유리수 중에서 세 수를 뽑아 곱할 때, 그 결과가 가장 크려면 (양수)×(음수)×(음수)의 꼴이어야 하고 양수의 절댓값이 클수록 큰 수가 되므로

$M = \left(-\dfrac{5}{2}\right) \times 2 \times (-3) = 15$

또, 그 결과가 가장 작으려면 (양수)×(양수)×(음수)의 꼴이어야 하고 음수의 절댓값이 클수록 작은 수가 되므로

$m = 2 \times \dfrac{3}{4} \times (-3) = -\dfrac{9}{2}$

$\therefore M + m = 15 + \left(-\dfrac{9}{2}\right) = \dfrac{21}{2}$

깶 14 ㉠ 곱셈의 교환법칙 ㉡ 곱셈의 결합법칙

깶 15 $\dfrac{23}{72}$

$-\dfrac{1}{2^3} = -\dfrac{1}{8}$, $\left(-\dfrac{1}{2}\right)^2 = \dfrac{1}{4}$, $-\dfrac{1}{3^2} = -\dfrac{1}{9}$,

$\left(-\dfrac{1}{3}\right)^2 = \dfrac{1}{9}$, $\left(-\dfrac{2}{3}\right)^2 = \dfrac{4}{9}$이므로 주어진 수 중에

서 가장 큰 수는 $\dfrac{4}{9}$, 가장 작은 수는 $-\dfrac{1}{8}$이다.

$\therefore \dfrac{4}{9} + \left(-\dfrac{1}{8}\right) = \dfrac{32}{72} + \left(-\dfrac{9}{72}\right) = \dfrac{23}{72}$

깶 16 -1

임의의 자연수 k에 대하여

(ⅰ) $n = 2k$, 즉 n이 짝수일 때,

(주어진 식) $= (-1) \times (+1) + (+1) - (+1)$
$\qquad\qquad\qquad = -1$

(ⅱ) $n = 2k+1$, 즉 n이 홀수일 때,

(주어진 식) $= (+1) \times (-1) + (-1) - (-1)$
$\qquad\qquad\qquad = -1$

생각 ○   ④

$a \times b < 0$이므로 a와 b는 서로 다른 부호이다.

그런데 $a < b$이므로 $a < 0$, $b > 0$

$b \times c > 0$이므로 b, c의 부호는 같다.

$\therefore c > 0$

생각 ○○ $\dfrac{1}{4}$

$$36 \xrightarrow{\times\left(-\frac{1}{2}\right)} -18 \xrightarrow{\times\left(-\frac{1}{3}\right)} 6 \xrightarrow{\times\left(-\frac{1}{4}\right)} -\frac{3}{2} \xrightarrow{\times\left(-\frac{1}{5}\right)} a \xrightarrow{\times\left(-\frac{1}{6}\right)} b$$

즉, $a = \left(-\dfrac{3}{2}\right) \times \left(-\dfrac{1}{5}\right) = \dfrac{3}{10}$,

$b = \dfrac{3}{10} \times \left(-\dfrac{1}{6}\right) = -\dfrac{1}{20}$이므로

$a + b = \dfrac{3}{10} + \left(-\dfrac{1}{20}\right) = \dfrac{6}{20} + \left(-\dfrac{1}{20}\right)$

$\qquad = \dfrac{5}{20} = \dfrac{1}{4}$

생각 ○○○ $a = 3$, $b = 14$, $c = 7$, $d = 4$

2, 4, 7의 최소공배수는 28이므로

노파에게 낙타 $a = 3$(마리)를 빌려

$$\begin{array}{r|rrr} 2 & 2 & 4 & 7 \\ \hline & 1 & 2 & 7 \end{array}$$

낙타 28마리를 나누어 가지면 된다.

$b = 28 \times \dfrac{1}{2} = 14$(마리),

$c = 28 \times \dfrac{1}{4} = 7$(마리),

$d = 28 \times \dfrac{1}{7} = 4$(마리)

이므로 낙타를 나누고 노파에게 빌렸던 3마리를 돌려
줄 수 있다.

---

05 정수와 유리수의 나눗셈
p. 71 ~ p. 75

유형 **17** ②	學 **17** 5
유형 **18** ⑤	學 **18** ⑤
유형 **19** ①	學 **19** -7
유형 **20** ㉣-㉢-㉡-㉠, $\dfrac{47}{10}$	學 **20** ③

참 **17** ㄴ, ㅁ	참 **18** $\dfrac{15}{2}$	참 **19** ②	참 **20** ①

생각 ○ ①	생각 ○○ ②

생각 ○○○ $-\dfrac{5}{2}$	

유형 17   ②

$3.5 = \dfrac{35}{10} = \dfrac{7}{2}$이므로

$a = \dfrac{2}{7}$, $b = -\dfrac{4}{7}$

$\therefore a \div b = \dfrac{2}{7} \div \left(-\dfrac{4}{7}\right)$

$\qquad = \dfrac{2}{7} \times \left(-\dfrac{7}{4}\right) = -\dfrac{1}{2}$

學 17   5

마주 보는 면에 적힌 두 수의 곱이 1이므로 두 수는 서
로 역수이다.

(i) 0.25와 마주 보는 면에 적힌 수는

$\qquad 0.25 = \dfrac{25}{100} = \dfrac{1}{4}$의 역수이므로 4

(ii) -1과 마주 보는 면에 적힌 수는 -1의 역수이므
로 -1

(iii) $-\dfrac{4}{5}$와 마주 보는 면에 적힌 수는 $-\dfrac{4}{5}$의 역수이

$\qquad$ 므로 $-\dfrac{5}{4}$

$\therefore$ (구하는 곱) $= 4 \times (-1) \times \left(-\dfrac{5}{4}\right)$

$\qquad\qquad = +\left(4 \times 1 \times \dfrac{5}{4}\right) = 5$

유형 18 ⑤

① $\left(+\dfrac{2}{5}\right)\div\left(-\dfrac{4}{15}\right)=\left(+\dfrac{2}{5}\right)\times\left(-\dfrac{15}{4}\right)=-\dfrac{3}{2}$

② $\left(-\dfrac{7}{10}\right)\div\left(+\dfrac{7}{15}\right)=\left(-\dfrac{7}{10}\right)\times\left(+\dfrac{15}{7}\right)$
$\qquad\qquad\qquad\qquad\qquad=-\dfrac{3}{2}$

③ $\left(+\dfrac{3}{8}\right)\div\left(-\dfrac{1}{4}\right)=\left(+\dfrac{3}{8}\right)\times(-4)=-\dfrac{3}{2}$

④ $(+10)\div(-2)\div\left(+\dfrac{10}{3}\right)$
$\qquad=(+10)\times\left(-\dfrac{1}{2}\right)\times\left(+\dfrac{3}{10}\right)=-\dfrac{3}{2}$

⑤ $\left(-\dfrac{2}{5}\right)\div\left(-\dfrac{12}{25}\right)\div\left(-\dfrac{5}{4}\right)$
$\qquad=\left(-\dfrac{2}{5}\right)\times\left(-\dfrac{25}{12}\right)\times\left(-\dfrac{4}{5}\right)=-\dfrac{2}{3}$

學 18 ⑤

① (주어진 식)$=\dfrac{1}{2}\times(-4)\times\left(-\dfrac{4}{5}\right)=\dfrac{8}{5}$

② (주어진 식)$=\left(-\dfrac{1}{4}\right)\times\dfrac{1}{4}\times 36=-\dfrac{9}{4}$

③ (주어진 식)$=(-2)\times\left(-\dfrac{1}{8}\right)\times\left(-\dfrac{20}{3}\right)=-\dfrac{5}{3}$

④ (주어진 식)$=2\times\dfrac{9}{4}\times\dfrac{5}{18}=\dfrac{5}{4}$

⑤ (주어진 식)$=9\times\left(-\dfrac{2}{9}\right)\times\dfrac{9}{4}=-\dfrac{9}{2}$

유형 19 ①

學 19 -7

$a\times(b+c)=-4$에서
$a\times b+a\times c=-4$
$a\times b=3$이므로 $3+a\times c=-4$
$\therefore a\times c=-7$

유형 20 ㉣-㉤-㉢-㉡-㉠, $\dfrac{47}{10}$

(주어진 식)

$=4+\left[\dfrac{3}{2}-(-12)\div\{(-12)+(-3)\}\right]\ \leftarrow\ ㉣$

$=4+\left\{\dfrac{3}{2}-(-12)\div(-15)\right\}\ \leftarrow\ ㉤$

$=4+\left\{\dfrac{3}{2}-(-12)\times\left(-\dfrac{1}{15}\right)\right\}$

$=4+\left(\dfrac{3}{2}-\dfrac{4}{5}\right)\ \leftarrow\ ㉢$

$=4+\left(\dfrac{15}{10}-\dfrac{8}{10}\right)=4+\dfrac{7}{10}\ \leftarrow\ ㉡$

$=\dfrac{47}{10}\ \leftarrow\ ㉠$

學 20 ③

$a=-\dfrac{1}{2^{2}}+2=-\dfrac{1}{4}+2=\dfrac{7}{4}$,

$b=a\times(-2)=\dfrac{7}{4}\times(-2)=-\dfrac{7}{2}$,

$c=b+2=-\dfrac{7}{2}+2=-\dfrac{3}{2}$

$\therefore a+b-c=\dfrac{7}{4}+\left(-\dfrac{7}{2}\right)-\left(-\dfrac{3}{2}\right)=-\dfrac{1}{4}$

習 17 ㄴ, ㅁ

ㄱ. $7\times\left(-\dfrac{1}{7}\right)=-1$

ㄴ. $\dfrac{5}{8}\times 1.6=\dfrac{5}{8}\times\dfrac{16}{10}=1$

ㄷ. $\left(-\dfrac{4}{3}\right)\times\dfrac{4}{3}=-\dfrac{16}{9}$

ㄹ. $\dfrac{3}{10}\times 0.3=\dfrac{3}{10}\times\dfrac{3}{10}=\dfrac{9}{100}$

ㅁ. $\left(-\dfrac{7}{3}\right)\times\left(-\dfrac{3}{7}\right)=1$

따라서 두 수가 역수 관계에 있는 것은 ㄴ, ㅁ이다.

習 18 $\dfrac{15}{2}$

(주어진 식)

$$=\left(-\frac{15}{2}\right)\times\left(+\frac{8}{3}\right)\times\left(-\frac{5}{12}\right)\times\left(+\frac{9}{10}\right)=\frac{15}{2}$$

깊 19 ②

$a\times(b+c+d)$ ⟩분배법칙
$=a\times b+a\times c+a\times d$
$=3+(-7)+(-2)=-6$

깊 20 ①

$$(\text{주어진 식})=(-4)\times\left[\frac{1}{2}+\left\{4+\left(-\frac{1}{3}\right)\times\frac{3}{2}\right\}\right]$$
$$=(-4)\times\left\{\frac{1}{2}+\left(4-\frac{1}{2}\right)\right\}$$
$$=(-4)\times\left(\frac{1}{2}+\frac{7}{2}\right)$$
$$=(-4)\times4=-16$$

생각 ○ ①

$\left(-\frac{5}{3}\right)\div(-10)\times\square=-\frac{2}{3}$에서

$\left(-\frac{5}{3}\right)\times\left(-\frac{1}{10}\right)\times\square=-\frac{2}{3}$, $\frac{1}{6}\times\square=-\frac{2}{3}$

$\therefore \square=\left(-\frac{2}{3}\right)\div\frac{1}{6}=\left(-\frac{2}{3}\right)\times6=-4$

생각 ○○ ②

$a\times b<0$이므로 $\frac{a}{b}<0$

$\therefore \frac{a}{b}=a\div b=-\left(\frac{1}{3}\div\frac{5}{12}\right)=-\left(\frac{1}{3}\times\frac{12}{5}\right)$
$=-\frac{4}{5}$

생각 ○○○ $-\frac{5}{2}$

$[-2.1]\div\left[\frac{9}{4}\right]+\left[-\frac{1}{3}\right]\times[1.95]$

$=(-3)\div2+(-1)\times1=-\frac{3}{2}-1=-\frac{5}{2}$

단원 종합 문제 p.76~p.81

01 ③	02 ④	03 ④	04 ②
05 ③	06 ④	07 ⑤	08 ⑤
09 ②	10 ④	11 ③	12 ③
13 ③	14 ②	15 ④	16 ③

17 (1) 0 (2) 1 (3) 2

18 풀이 참조

19 D	20 $\frac{3}{8}$

01 ③

③ +3명

02 ④

ㄹ. 유리수는 양의 유리수, 0, 음의 유리수로 이루어져
있다.
따라서 옳은 것은 ㄱ, ㄴ, ㄷ이다.

03 ④

④ 절댓값이 $\frac{2}{3}$보다 작은 수를 x라 하면

$-\frac{2}{3}<x<\frac{2}{3}$

$\frac{1}{2}=+\frac{6}{12}$, $-\frac{3}{4}=-\frac{9}{12}$이므로

$-\frac{2}{3}<x<\frac{2}{3}$, 즉 $-\frac{8}{12}<x<\frac{8}{12}$에 속하는

x는 $+\frac{1}{2}$의 1개이다.

⑤ 제일 작은 수부터 크기순으로 나열하면

$-5, -\frac{3}{4}, +\frac{1}{2}, 1, 4$

이므로 세 번째에 오는 수는 $+\frac{1}{2}$이다.

04 ②

$\left| +\dfrac{5}{6} \right| = \dfrac{5}{6}$, $\left| -\dfrac{2}{3} \right| = \dfrac{2}{3} = \dfrac{4}{6}$ 이므로

$\left(+\dfrac{5}{6} \right) \diamond \left(-\dfrac{2}{3} \right) = +\dfrac{5}{6}$

또한, 음수는 양수보다 작으므로

$\left(-\dfrac{4}{5} \right) \circ \left\{ \left(+\dfrac{5}{6} \right) \diamond \left(-\dfrac{2}{3} \right) \right\}$

$= \left(-\dfrac{4}{5} \right) \circ \left(+\dfrac{5}{6} \right) = -\dfrac{4}{5}$

05 ③

㈎에서 $b > -3$, $c > -3$

㈏에서 $a > 3$

㈐에서 $|b| = |-3| = 3$이므로 $b = 3$

㈑에서 $-3 < a < c$

$\therefore b < a < c$

06 ④

$-\dfrac{15}{13} < -\dfrac{8}{7} < -\dfrac{14}{13}$, $\dfrac{2}{13} < \dfrac{1}{6} < \dfrac{3}{13}$ 이므로

$-\dfrac{14}{13}$, $-\dfrac{12}{13}$, $-\dfrac{11}{13}$, $-\dfrac{10}{13}$, $-\dfrac{9}{13}$, $-\dfrac{8}{13}$,

$-\dfrac{7}{13}$, $-\dfrac{6}{13}$, $-\dfrac{5}{13}$, $-\dfrac{4}{13}$, $-\dfrac{3}{13}$, $-\dfrac{2}{13}$,

$-\dfrac{1}{13}$, $\dfrac{1}{13}$, $\dfrac{2}{13}$

따라서 그 개수는 15개이다.

07 ⑤

어떤 정수를 x라 하면 $x + (-8) = 8$에서

$x = 8 - (-8) = 16$

따라서 바르게 계산한 값은 $16 - (-8) = 24$

08 ⑤

$x + 5 > 0$, $x + 3 < 0$이므로 $x = -4$

$\therefore (-x)^3 = \{-(-4)\}^3 = 4^3 = 64$

09 ②

② $\left(+\dfrac{1}{7} \right) - \left(+\dfrac{3}{14} \right) = \left(+\dfrac{2}{14} \right) + \left(-\dfrac{3}{14} \right)$

$= -\dfrac{1}{14}$

10 ④

㈐에서 C 공책의 가격은 500원이다.

㈏에서

(B 공책) = (C 공책) $+ 200 = 500 + 200 = 700$(원)

㈎에서

(A 공책) = (B 공책) $+ 500 = 700 + 500 = 1200$(원)

㈑에서

(D 공책) = (A 공책) $- 600 = 1200 - 600 = 600$(원)

따라서 가장 비싼 공책은 A 공책이고 가장 싼 공책은 C 공책이므로

(A 공책) $-$ (C 공책) $= 1200 - 500 = 700$(원)

11 ③

$(-2) \times \dfrac{2}{3} \times \left(-\dfrac{1}{4} \right) = \dfrac{1}{3}$이므로

$(-2) \times A \times \dfrac{2}{5} = \dfrac{1}{3}$에서

$A = \dfrac{1}{3} \div (-2) \div \dfrac{2}{5} = -\dfrac{5}{12}$

$\left(-\dfrac{1}{4} \right) \times B \times \dfrac{2}{5} = \dfrac{1}{3}$에서

$B = \dfrac{1}{3} \div \left(-\dfrac{1}{4} \right) \div \dfrac{2}{5} = -\dfrac{10}{3}$

$\therefore A \div B = \left(-\dfrac{5}{12} \right) \div \left(-\dfrac{10}{3} \right)$

$= \dfrac{5}{12} \times \dfrac{3}{10} = \dfrac{1}{8}$

12 ③

① (주어진 식) $= \left(-\dfrac{1}{4} \right) \times \left(+\dfrac{1}{4} \right) \times 36$

$= -\left(\dfrac{1}{4} \times \dfrac{1}{4} \times 36 \right) = -\dfrac{9}{4}$

② (주어진 식)) $=(-2) \times \left(-\dfrac{1}{8}\right) \times \left(-\dfrac{20}{3}\right)$

$\qquad\qquad = -\left(2 \times \dfrac{1}{8} \times \dfrac{20}{3}\right) = -\dfrac{5}{3}$

③ (주어진 식)) $=\left(-\dfrac{1}{2}\right) \times \left(-\dfrac{1}{4}\right) \times \left(+\dfrac{4}{5}\right)$

$\qquad\qquad = +\left(\dfrac{1}{2} \times \dfrac{1}{4} \times \dfrac{4}{5}\right) = \dfrac{1}{10}$

④ (주어진 식)) $=2 \times \dfrac{9}{4} \times \dfrac{5}{18} = \dfrac{5}{4}$

⑤ (주어진 식)) $=(+9) \times \left(-\dfrac{2}{9}\right) \times \left(+\dfrac{9}{4}\right)$

$\qquad\qquad = -\left(9 \times \dfrac{2}{9} \times \dfrac{9}{4}\right) = -\dfrac{9}{2}$

13 ③

(i) $a=2$인 경우, $|a+b|=1$ $(\because |a+b| \geq 0)$

$\quad a+b=1$이면 $b=-1$이고,

$\quad a+b=-1$이면 $b=-3$

$\quad \therefore a-b=3$ 또는 $a-b=5$

(ii) $a=1$인 경우, $|a+b|=2$ $(\because |a+b| \geq 0)$

$\quad a+b=2$이면 $b=1$이고

$\quad a+b=-2$이면 $b=-3$

$\quad \therefore a-b=0$ 또는 $a-b=4$

(i), (ii)에서 $a-b$의 최댓값은 5이다.

14 ②

$+3$이 적힌 면과 마주 보는 면에 적힌 숫자는 -4이므로 두 수의 곱은

$(+3) \times (-4) = -12$

A가 적힌 면과 마주 보는 면에 적힌 숫자는 $+2$이므로

$A \times (+2) = -12$

$\therefore A = (-12) \div (+2) = -6$

B가 적힌 면과 마주 보는 면에 적힌 숫자는 -6이므로

$B \times (-6) = -12$

$\therefore B = (-12) \div (-6) = +2$

$\therefore A \div B = (-6) \div 2 = -3$

15 ④

$\left(-\dfrac{4}{5}\right) \div \square \times \left(-\dfrac{7}{4}\right) = \dfrac{4}{15}$ 에서

$\left(-\dfrac{4}{5}\right) \times \dfrac{1}{\square} \times \left(-\dfrac{7}{4}\right) = \dfrac{4}{15}$

$\therefore \dfrac{1}{\square} = \dfrac{4}{15} \times \left(-\dfrac{5}{4}\right) \times \left(-\dfrac{4}{7}\right) = \dfrac{4}{21}$

$\therefore \square = \dfrac{21}{4}$

16 ③

$4^2 - [(-3)^2 \times \{2 + (-1)^{11}\} - (+5)]$

$= 16 - \{9 \times 1 - (+5)\}$

$= 16 - (9-5) = 12$

17 (1) 0 (2) 1 (3) 2

(1) $a = \dfrac{1}{2} \times \left(-\dfrac{1}{3}+1\right) - \dfrac{2}{3}$

$\quad = \dfrac{1}{2} \times \dfrac{2}{3} - \dfrac{2}{3} = -\dfrac{1}{3}$

즉, $<a> = <-\dfrac{1}{3}> = 0$이므로

$\dfrac{1}{2} \times <a> = 0$ $\qquad\qquad$ ... [2점]

(2) $b = \left(-\dfrac{1}{2}\right)^3 \div \left(\dfrac{3}{4}-2\right) + \dfrac{5}{2}$

$\quad = \left(-\dfrac{1}{8}\right) \div \left(-\dfrac{5}{4}\right) + \dfrac{5}{2}$

$\quad = \left(-\dfrac{1}{8}\right) \times \left(-\dfrac{4}{5}\right) + \dfrac{5}{2}$

$\quad = \dfrac{1}{10} + \dfrac{5}{2} = \dfrac{26}{10} = \dfrac{13}{5}$

즉, $<b> = 3$이므로

$\dfrac{1}{3} \times <b> = \dfrac{1}{3} \times 3 = 1$ $\qquad\qquad$ ... [2점]

(3) $k = \dfrac{1}{2} \times <a> - \dfrac{1}{3} \times <b>$

$\quad = 0 - 1 = -1$

이므로

$-2 \times k = (-2) \times (-1) = 2$ $\qquad\qquad$ ... [2점]

18 풀이 참조

우유 500 mL 한 팩의 가격이 1400원이므로
100 mL의 가격은

$1400 \div 5 = 1400 \times \dfrac{1}{5} = 280$(원) ··· [4점]

우유 300 mL 두 팩의 가격이 1500원이므로
100 mL의 가격은

$1500 \div 6 = 1500 \times \dfrac{1}{6} = 250$(원) ··· [4점]

우유 100 mL의 가격을 비교했을 때, B마트에서 우유를 사는 것이 더 경제적이다. ··· [2점]

19 D

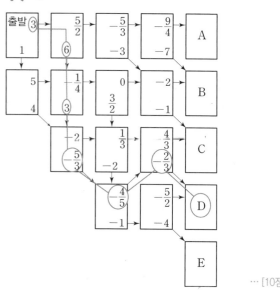

··· [10점]

20 $\dfrac{3}{8}$

$\dfrac{1}{6} + \dfrac{1}{12} + \dfrac{1}{20} + \dfrac{1}{30} + \dfrac{1}{42} + \dfrac{1}{56}$

$= \dfrac{1}{2 \times 3} + \dfrac{1}{3 \times 4} + \dfrac{1}{4 \times 5} + \dfrac{1}{5 \times 6} + \dfrac{1}{6 \times 7} + \dfrac{1}{7 \times 8}$ ··· [3점]

$= \left(\dfrac{1}{2} - \dfrac{1}{3} \right) + \left(\dfrac{1}{3} - \dfrac{1}{4} \right) + \left(\dfrac{1}{4} - \dfrac{1}{5} \right)$

$\quad + \left(\dfrac{1}{5} - \dfrac{1}{6} \right) + \left(\dfrac{1}{6} - \dfrac{1}{7} \right) + \left(\dfrac{1}{7} - \dfrac{1}{8} \right)$ ··· [5점]

$= \dfrac{1}{2} - \dfrac{1}{8} = \dfrac{4}{8} - \dfrac{1}{8} = \dfrac{3}{8}$ ··· [2점]

Ⅲ 문자의 사용과 식의 계산

01 문자의 사용

p. 87 ~ p. 91

유형 01 ③	학 01 ④	유형 02 ②, ⑤	학 02 ②
유형 03 3	학 03 −7	유형 04 60 m	학 04 ⑤
참 01 ③	참 02 ㄱ, ㄹ	참 03 ③	참 04 ②

생각+ $\left(-\dfrac{1}{a} \right)^2, \ -\dfrac{1}{a}, \ (-a)^2, \ -a^2$

생각++ $S = \dfrac{(a+b)h}{2}$, 30   생각+++ 1

유형 01 ③

$(-5) \times x \times y \times y \times (-3) \times y \times x$
$= (-5) \times (-3) \times x \times x \times y \times y \times y$
$= 15x^2 y^3$

학 01 ④

① $a \times (-3) \times b = (-3) \times a \times b = -3ab$
④ $0.01 \times a \times b \times b \times b = 0.01ab^3$
⑤ $5 \times x \times (-1) \times x \times y = 5 \times (-1) \times x \times x \times y$
$\qquad\qquad\qquad\qquad\qquad = -5x^2 y$

유형 02 ②, ⑤

① $a \div b \div c = a \times \dfrac{1}{b} \times \dfrac{1}{c} = \dfrac{a}{bc}$

② $a \div b \times c = a \times \dfrac{1}{b} \times c = \dfrac{ac}{b}$

③ $a \times b \div c = a \times b \times \dfrac{1}{c} = \dfrac{ab}{c}$

④ $a \div (b \times c) = a \times \dfrac{1}{b \times c} = \dfrac{a}{bc}$

⑤ $a \div (b \div c) = a \div \left(b \times \dfrac{1}{c} \right) = a \times \dfrac{c}{b} = \dfrac{ac}{b}$

학 02 ②

$$\frac{5a^2}{x-2y}=5a^2\times\frac{1}{x-2y}=5a^2\div(x-2y)$$
$$=5\times a\times a\div(x-2\times y)$$

유형 03 3

$$a^2-b^2+\frac{1}{3}ab=(-3)^2-2^2+\frac{1}{3}\times(-3)\times2$$
$$=9-4-2=3$$

학 03 -7

$a=-\dfrac{1}{4}$, $b=\dfrac{1}{3}$, $c=\dfrac{1}{5}$에서

$\dfrac{1}{a}=-4$, $\dfrac{1}{b}=3$, $\dfrac{1}{c}=5$

이므로

$$\frac{3}{a}-\frac{5}{b}+\frac{4}{c}=3\times(-4)-5\times3+4\times5=-7$$

유형 04 60 m

$40t-5t^2$에 $t=2$를 대입하면

$$40\times2-5\times2^2=80-20=60\,(\text{m})$$

학 04 ⑤

$0.6x+331$에 $x=30$을 대입하면

$$0.6\times30+331=349$$

즉, 기온이 $30\,\text{℃}$일 때, 소리의 속력은 초속 $349\,\text{m}$이다.

∴ (구하는 거리)$=349\times3=1047\,(\text{m})$

끔 01 ③

① $0.1\times x=0.1x$

② $2\times a\times(-4)=-8a$

④ $a\times2\times b\times b\times b\times(-1)=-2ab^3$

⑤ $(-3)\times x\times y-y\times2\times y=-3xy-2y^2$

끔 02 ㄱ, ㄹ

ㄱ. $a\div b\div c=a\times\dfrac{1}{b}\times\dfrac{1}{c}=\dfrac{a}{bc}$

ㄴ. $a\div b\times c=a\times\dfrac{1}{b}\times c=\dfrac{ac}{b}$

ㄷ. $a\div(b\div c)=a\div\dfrac{b}{c}=a\times\dfrac{c}{b}=\dfrac{ac}{b}$

ㄹ. $a\div(b\times c)=a\times\dfrac{1}{b\times c}=\dfrac{a}{bc}$

따라서 $\dfrac{a}{bc}$와 같은 것은 ㄱ, ㄹ이다.

끔 03 ③

① $2x+3y=2\times\dfrac{1}{2}+3\times2=7$

② $-x^2y^2=-\left(\dfrac{1}{2}\right)^2\times2^2=-\dfrac{1}{4}\times4=-1$

③ $xy-\dfrac{1}{4}y=\dfrac{1}{2}\times2-\dfrac{1}{4}\times2=1-\dfrac{1}{2}=\dfrac{1}{2}$

④ $2x^2+3y=2\times\left(\dfrac{1}{2}\right)^2+3\times2=\dfrac{1}{2}+6=\dfrac{13}{2}$

⑤ $2x+y^2-y=2\times\dfrac{1}{2}+2^2-2=1+4-2=3$

끔 04 ②

$7-0.03x$에 $x=30$을 대입하면

$$7-0.03\times30=7-0.9=6.1\,(\text{m})$$

생각ㅇ $\left(-\dfrac{1}{a}\right)^2,\ -\dfrac{1}{a},\ (-a)^2,\ -a^2$

$-\dfrac{1}{a}=-(-2)=2$, $(-a)^2=\left(\dfrac{1}{2}\right)^2=\dfrac{1}{4}$,

$-a^2=-\left(-\dfrac{1}{2}\right)^2=-\dfrac{1}{4}$, $\left(-\dfrac{1}{a}\right)^2=2^2=4$

따라서 $4>2>\dfrac{1}{4}>-\dfrac{1}{4}$이므로 그 값이 가장 큰 것부터 크기순으로 나열하면

$$\left(-\dfrac{1}{a}\right)^2,\ -\dfrac{1}{a},\ (-a)^2,\ -a^2$$

생각 ○○ $S=\dfrac{(a+b)h}{2}$, 30

$S=\dfrac{1}{2}\times(a+b)\times h=\dfrac{(a+b)h}{2}$

$\dfrac{(a+b)h}{2}$에 $a=8$, $b=4$, $h=5$를 대입하면

$\dfrac{(8+4)\times5}{2}=30$

생각 ○○○ 1

$x=8+0+0+1+4+6=19$

$y=(8+1+5+9+1+6)\times3=90$

즉, $19+90+$(체크 숫자)$=$(10의 배수)이려면

(체크 숫자)$=1, 11, 21, 31, \cdots$

이때, 체크 숫자는 한 자리의 수이므로

(체크 숫자)$=1$

02 다항식

p. 93~p. 97

유형 **05** 7	學 **05** ⑤
유형 **06** 3개	學 **06** ①
유형 **07** ⑤	學 **07** ②, ⑤
유형 **08** ②	學 **08** ②
잡 **05** ⑤	잡 **06** ㄱ, ㄷ, ㄹ
잡 **07** ④	잡 **08** ①
생각+ ④	생각++ $(x-4y)$ km
생각+++ $\dfrac{2a+5b}{7}$ %	

유형 **05** 7

차수가 가장 높은 항이 $-3x^3$이므로

$a=3$

일차항은 $4x$이므로

$b=4$

$\therefore a+b=3+4=7$

學 **05** ⑤

⑤ 항은 $2x^2$, $-\dfrac{x}{3}$, -7이다.

유형 **06** 3개

ㄴ. 차수가 가장 높은 항이 $-x^2$이므로 다항식의 차수는 2이다.

ㄷ. $x^2-x(x+3)=x^2-x^2-3x=-3x$이므로 x에 대한 일차식이다.

ㅁ. x가 분모에 있으므로 다항식이 아니다.

따라서 일차식은 ㄱ, ㄷ, ㅂ의 3개이다.

學 **06** ①

x의 계수가 2이므로 일차식을 $2x+k$ (k는 상수)라 하면

$a = 2 \times (-1) + k = -2 + k$

$b = 2 \times 3 + k = 6 + k$

$\therefore a - b = (-2 + k) - (6 + k) = -8$

유형 07 ⑤

① $2 \times 5x = 10x$

② $\dfrac{1}{2}(4x - 8) = \dfrac{1}{2} \times 4x + \dfrac{1}{2} \times (-8)$
$\qquad = 2x - 4$

③ $-3(x - 2) = -3 \times x - 3 \times (-2)$
$\qquad = -3x + 6$

④ $\dfrac{9x - 12}{3} = \dfrac{9}{3}x - \dfrac{12}{3} = 3x - 4$

⑤ $\left(-\dfrac{2}{5}x - \dfrac{3}{10}\right) \times (-10)$
$= \left(-\dfrac{2}{5}x\right) \times (-10) + \left(-\dfrac{3}{10}\right) \times (-10)$
$= 4x + 3$

學 07 ②, ⑤

$-4\left(x - \dfrac{3}{2}\right) = -4x + 6$

① $4 - 6x$ 　　 ② $-4x + 6$

③ $\dfrac{1}{3}x - \dfrac{1}{6}$ 　　④ $4x - 6$

⑤ $-4x + 6$

유형 08 ②

$\left(\dfrac{1}{3}x - 2\right) \div \left(-\dfrac{1}{3}\right) = \left(\dfrac{1}{3}x - 2\right) \times (-3)$
$\qquad\qquad = -x + 6$

따라서 $A = -1$, $B = 6$이므로

$AB = (-1) \times 6 = -6$

學 08 ②

① $5(0.2x - 3) = x - 15$에서
$\qquad 1 + (-15) = -14$

② $(12x - 8) \times \dfrac{3}{4} = 9x - 6$에서
$\qquad 9 + (-6) = 3$

③ $-2(6 - 5x) = -12 + 10x$에서
$\qquad 10 + (-12) = -2$

④ $(3 - 5x) \div 2 = (3 - 5x) \times \dfrac{1}{2} = \dfrac{3}{2} - \dfrac{5}{2}x$에서
$\qquad \left(-\dfrac{5}{2}\right) + \dfrac{3}{2} = -1$

⑤ $(2x - 1) \div \left(-\dfrac{1}{4}\right) = (2x - 1) \times (-4)$
$\qquad\qquad = -8x + 4$

따라서 $(-8) + 4 = -4$

習 05 ⑤

다항식 $2x + 5y - 3$에서

x의 계수는 2이므로

$a = 2$

y의 계수는 5이므로

$b - 5$

상수항은 -3이므로

$c = -3$

$\therefore a + b - c = 2 + 5 - (-3) = 10$

習 06 ㄱ, ㄷ, ㄹ

ㄴ. 상수항만 있으므로 일차식이 아니다.

ㅁ. x가 분모에 있으므로 다항식이 아니다.

ㅂ. 차수가 가장 높은 항은 x^2이므로 일차식이 아니다.

따라서 x에 대한 일차식은 ㄱ, ㄷ, ㄹ이다.

習 07 ④

④ $-4(x - 1) = (-4) \times x + (-4) \times (-1)$
$\qquad\qquad = -4x + 4$

習 08 ①

$(0.5 - 3x) \times 4 = 2 - 12x$이므로

x의 계수는 -12, 상수항은 2이다.

$\therefore (-12) \times 2 = -24$

생각 ○ ④

④ $10 \times x = 10x$(개)

생각 ○○ $(x-4y)$ km

상윤이가 걸어간 거리는 $4y$ km이므로 남은 거리는
$(x-4y)$ km이다.

생각 ○○○ $\dfrac{2a+5b}{7}\%$

(소금의 양)$= \dfrac{a}{100} \times 200 + \dfrac{b}{100} \times 500$

$\qquad\qquad = 2a+5b\,(\mathrm{g})$

(소금물의 양)$= 200+500 = 700\,(\mathrm{g})$

$\therefore$ (소금물의 농도)$= \dfrac{2a+5b}{700} \times 100$

$\qquad\qquad\qquad = \dfrac{2a+5b}{7}\,(\%)$

03 일차식과 그 계산

p. 99 ~ p. 103

유형 **09** ③	학 **09** ㄱ, ㄷ
유형 **10** ⑤	학 **10** ②
유형 **11** ④	학 **11** ⑤
유형 **12** ⑤	학 **12** ②
깹 **09** ㄱ, ㄹ	깹 **10** $6x+\dfrac{7}{2}$
깹 **11** ⑤	깹 **12** $-9a+12b$
생각 ○ ②	생각 ○○ $4x-3$
생각 ○○○ (1) 종구 (2) 50원	

유형 **09** ③

$3x$와 동류항인 것은 x, $-\dfrac{1}{5}x$, $-0.1x$의 3개이다.

학 **09** ㄱ, ㄷ

ㄱ. 상수항끼리는 동류항이다.

ㄴ. $\dfrac{3}{x}$은 분모에 문자 x가 있으므로 다항식이 아니다.

ㄹ. 문자는 같지만 차수가 다르므로 동류항이 아니다.

ㅁ. 차수는 같지만 문자가 다르므로 동류항이 아니다.

ㅂ. 같은 문자끼리 차수가 다르므로 동류항이 아니다.

따라서 동류항끼리 짝지어진 것은 ㄱ, ㄷ이다.

유형 **10** ⑤

$4\left(\dfrac{1}{2}x - \dfrac{3}{4}\right) - (6x-9) \div (-3)$

$= 4 \times \left(\dfrac{1}{2}x - \dfrac{3}{4}\right) - (6x-9) \times \left(-\dfrac{1}{3}\right)$

$= 4 \times \dfrac{1}{2}x + 4 \times \left(-\dfrac{3}{4}\right) - 6x \times \left(-\dfrac{1}{3}\right)$

$\qquad - (-9) \times \left(-\dfrac{1}{3}\right)$

$= 2x - 3 + 2x - 3$

$= 4x - 6$

따라서 $a=4$, $b=-6$이므로
$a-b=4-(-6)=10$

學 10 ②
(주어진 식)$=-3x-\{4y-(7x-2x-9y-3y)\}$
$\qquad = -3x-(4y-5x+12y)$
$\qquad = -3x+5x-16y$
$\qquad = 2x-16y$

유형 11 ④
$A-3B=(2x+7y)-3(x-5y)$
$\qquad = 2x+7y-3x+15y$
$\qquad = -x+22y$

學 11 ⑤
먼저 주어진 식을 간단히 하면
(주어진 식)$=-4A-12B+6A-3B$
$\qquad = 2A-15B$ $\qquad \cdots\cdots$ ㉠
㉠에 $A=3a-5b$, $B=-2a+b$를 대입하면
$2A-15B=2(3a-5b)-15(-2a+b)$
$\qquad = 6a-10b+30a-15b$
$\qquad = 36a-25b$

유형 12 ⑤
$\boxed{}=-6x+7+2(4x+3)$
$\qquad = -6x+7+8x+6$
$\qquad = 2x+13$

學 12 ②
어떤 다항식을 $\boxed{}$라 하면
$(5x-7)+\boxed{}=11x-3$
$\therefore \boxed{}=(11x-3)-(5x-7)=6x+4$
따라서 바르게 계산한 식은
$(5x-7)-(6x+4)=-x-11$

꿀 09 ㄱ, ㄹ
ㄱ. 상수항끼리는 동류항이다.

ㄴ. $\dfrac{7}{x}$은 분모에 문자 x가 있으므로 다항식이 아니다.
ㄷ. 차수는 같지만 문자가 다르므로 동류항이 아니다.
ㄹ. 문자와 차수가 각각 같으므로 동류항이다.
ㅁ. 같은 문자끼리 차수가 다르므로 동류항이 아니다.
따라서 동류항끼리 짝지어진 것은 ㄱ, ㄹ이다.

꿀 10 $6x+\dfrac{7}{2}$

(주어진 식)$=(11x+4)-\left(2+5x-\dfrac{3}{2}\right)$
$\qquad = 11x+4-5x-\dfrac{1}{2}$
$\qquad = 6x+\dfrac{7}{2}$

꿀 11 ⑤
$2A-\dfrac{B}{2}=2\left(3x-\dfrac{1}{4}\right)-\dfrac{1}{2}\left(\dfrac{1}{3}x+4\right)$
$\qquad = 6x-\dfrac{1}{2}-\dfrac{1}{6}x-2=\dfrac{35}{6}x-\dfrac{5}{2}$
따라서 $a=\dfrac{35}{6}$, $b=-\dfrac{5}{2}$이므로
$a-b=\dfrac{35}{6}-\left(-\dfrac{5}{2}\right)=\dfrac{35}{6}+\dfrac{15}{6}=\dfrac{50}{6}=\dfrac{25}{3}$

꿀 12 $-9a+12b$
어떤 다항식을 $\boxed{}$라 하면
$\boxed{}+(11a-9b)=5a+b$
$\therefore \boxed{}=(5a+b)-(11a-9b)$
$\qquad = -6a+10b$
따라서 구하는 식은
$(-6a+10b)-(3a-2b)=-6a+10b-3a+2b$
$\qquad = -9a+12b$

생각 ○ ②
$-\dfrac{1}{5}x^2+x-11-ax^2-bx+2$
$=\left(-\dfrac{1}{5}-a\right)x^2+(1-b)x-9$

이 식이 x에 대한 일차식이 되려면

$-\dfrac{1}{5}-a=0,\ 1-b\neq0$

$\therefore a=-\dfrac{1}{5},\ b\neq1$

생각 ○○ $4x-3$

$A+(-3x+7)=-4x+6$이므로

$A=(-4x+6)-(-3x+7)=-x-1$

$(-4x+6)+B=x+4$이므로

$B=(x+4)-(-4x+6)=5x-2$

$\therefore A+B=(-x-1)+(5x-2)=4x-3$

생각 ○○○ (1) **종구** (2) **50원**

(1) 아람이가 만기 후 받는 금액은

$a\left(1+\dfrac{6}{100}\right)-a\times\dfrac{6}{100}\times\dfrac{25}{100}$

$=\dfrac{106}{100}a-\dfrac{150}{10000}a=1.045a$(원)

종구가 만기 후 받는 금액은

$a\left(1+\dfrac{5}{100}\right)-a\times\dfrac{5}{100}\times\dfrac{5}{100}$

$=\dfrac{105}{100}a-\dfrac{25}{10000}a=1.0475a$(원)

따라서 만기 후 받는 금액이 더 많은 사람은 종구
이다.

(2) (금액의 차)$=1.0475a-1.045a=0.0025a$(원)

이때, $a=20000$(원)이면 두 사람이 받는 금액의
차는

$0.0025\times20000=50$(원)

단원 종합 문제   p.104~p.109

01 ③	02 ④	03 ③	04 ③
05 ③, ⑤	06 ③	07 ④	08 ④
09 ⑤	10 ①	11 ⑤	12 ②
13 ③	14 ④	15 ①	16 ②
17 (1) $a=4,\ b=1$ (2) 7		18 $2x+8$	
19 -5		20 102	

01 ③

①, ②, ④, ⑤ $\dfrac{ab}{c}$ ③ $\dfrac{ac}{b}$

따라서 계산 결과가 다른 것은 ③이다.

02 ④

① $-2x=-2\times(-2)=4$

② $(-x)^2=\{-(-2)\}^2=4$

③ $2x+7=2\times(-2)+7=-4+7=3$

④ $x^2+3=(-2)^2+3=4+3=7$

⑤ $3-\dfrac{2}{x}=3-\dfrac{2}{-2}=3+1=4$

03 ③

$a=3x,\ b=4x,\ c=5x\ (x\neq0)$로 놓으면

$\dfrac{a^2-b^2+c^2}{ab+bc-2ca}=\dfrac{9x^2-16x^2+25x^2}{12x^2+20x^2-30x^2}=\dfrac{18x^2}{2x^2}=9$

04 ③

$A-5B-3(A-2B)=A-5B-3A+6B$

$\qquad\qquad\qquad\qquad=-2A+B$

이 식에 $A=2a-b,\ B=-4a+b$를 대입하면

$-2(2a-b)+(-4a+b)=-4a+2b-4a+b$

$\qquad\qquad\qquad\qquad\quad=-8a+3b$

05 ③, ⑤

① $x+y$의 항은 x, y의 2개이다.

② $-4x^2+3x-1$의 차수가 가장 높은 항은 $-4x^2$이
므로 이 다항식의 차수는 2이다.

④ x^2-2x+3의 항은 x^2, $-2x$, 3이다.

⑤ $2x^2+x-5$에서 x의 계수는 1, 상수항은 -5이므
로 곱은 -5이다.

06 ③

(주어진 식)

$$= \frac{4(5x-4)}{12} + \frac{2(7x-1)}{12} - \frac{3(9x-5)}{12}$$

$$= \frac{20x-16+14x-2-27x+15}{12}$$

$$= \frac{7}{12}x - \frac{1}{4}$$

따라서 $a=\dfrac{7}{12}$, $b=-\dfrac{1}{4}$이므로

$$ab - \frac{7}{12} \times \left(-\frac{1}{4}\right) = -\frac{7}{48}$$

07 ④

$(3x*2y)-2(2x\textcircled{\scriptsize $\circ$}3y)$

$= (3 \times 3x - 2 \times 2y) - 2(5 \times 2x + 3 \times 3y)$

$= (9x-4y) - (20x+18y)$

$= -11x-22y$

따라서 $m=-11$, $n=-22$이므로

$m-n=11$

08 ④

$$\boxed{} = -\frac{-2x+3}{6} + \frac{x-5}{2}$$

$$\boxed{} = \frac{-(-2x+3)+3(x-5)}{6}$$

$$\boxed{} = \frac{2x-3+3x-15}{6} = \frac{5x-18}{6}$$

$$\therefore \boxed{} = \frac{5}{6}x - 3$$

09 ⑤

$ax^2-3x+1-5x^2+x+9=(a-5)x^2-2x+10$이
x에 대한 일차식이 되려면 이차항 x^2의 계수가 0이 되
어야 한다.

즉, $a-5=0$이어야 하므로

$a=5$

10 ①

조건식을 이용하여 주어진 식을 간단히 하면

(주어진 식)

$$= \left(\frac{1}{n} - \frac{1}{n+1}\right) + \left(\frac{1}{n+1} - \frac{1}{n+2}\right) + \cdots$$

$$+ \left(\frac{1}{n+9} - \frac{1}{n+10}\right)$$

$$= \frac{1}{n} - \frac{1}{n+10}$$

따라서 이 식에 $n=20$을 대입하면

$$\frac{1}{20} - \frac{1}{30} = \frac{1}{60}$$

11 ⑤

① 1할은 $\dfrac{1}{10}$이므로 a원의 3할은

$$a \times \frac{3}{10} = \frac{3}{10}a(원)$$

② $x\%$는 $\dfrac{x}{100}$이므로 2000원의 $x\%$는

$$2000 \times \frac{x}{100} = 20x(원)$$

③ 1분은 60초이므로 x분 15초는

$$60 \times x + 15 = 60x + 15(초)$$

④ 1 m는 100 cm이므로 x m y cm는

$$x \times 100 + y = 100x + y(cm)$$

⑤ $0.1a + 0.01b$

12 ②

(삼각형 DEF의 넓이)

$$= 8a \times 7b - \left(\frac{1}{2} \times 8a \times 4b \right) - \left(\frac{1}{2} \times 4a \times 3b \right)$$

$$\quad - \left(\frac{1}{2} \times 4a \times 7b \right)$$

$$= 56ab - 16ab - 6ab - 14ab$$

$$= 20ab$$

13 ③

필요한 성냥개비의 개수는 다음과 같다.

[1단계]   [2단계]   [3단계]   …

3개 ⟶ (3+4)개 ⟶ (3+4×2)개 ⟶ …

따라서 [n단계]에서 필요한 성냥개비의 개수는

$$3 + 4(n-1) = 4n - 1 (개)$$

14 ④

배의 바닥에 있는 사람이 움직인 거리는 반지름의 길이가 r인 원의 둘레의 길이와 같으므로

$$2 \times 3.14 \times r = 6.28r$$

갑판에 있는 사람이 움직인 거리는 반지름의 길이가 $(r+a)$인 원의 둘레의 길이와 같으므로

$$2 \times 3.14 \times (r+a) = 6.28r + 6.28a$$

따라서 두 사람이 움직인 거리의 차는

$$(6.28r + 6.28a) - 6.28r = 6.28a$$

15 ①

등교할 때와 하교할 때 걸린 시간은 각각 $\frac{x}{12}$시간,

$\frac{x}{4}$시간이므로

$$(걸린\ 시간) = \frac{x}{12} + \frac{x}{4} = \frac{x}{3} (시간)$$

$$\therefore (평균\ 속력) = 2x \div \frac{x}{3} = 2x \times \frac{3}{x} = 6$$

16 ②

A비커의 소금물 100g을 B비커에 넣어 섞으면 B비커의 소금물의 농도는

$$\frac{\dfrac{a}{100} \times 100 + \dfrac{b}{100} \times 400}{500} \times 100 = \frac{a+4b}{5} (\%)$$

A비커의 남은 소금물 200g에 B비커의 소금물 100g을 넣어 섞으면 A비커의 소금물의 농도는

$$\frac{\dfrac{a}{100} \times 200 + \dfrac{\dfrac{a+4b}{5}}{100} \times 100}{300} \times 100$$

$$= \frac{11a + 4b}{15} (\%)$$

17 (1) $a=4$, $b=1$ (2) 7

(1) $A+B = (x^2 - 3x + a) + (-bx^2 + 2x + 1)$

$$\qquad = (1-b)x^2 - x + 1 + a \qquad \cdots\cdots ㉠$$

㉠이 일차식이 되므로 $1-b=0$ $\therefore b=1$

$A+C = (x^2 - 3x + a) + (2x^2 + 5x - 4)$

$$\qquad = 3x^2 + 2x + (a-4) \qquad \cdots\cdots ㉡$$

㉡이 항이 2개인 식이 되므로

$$a - 4 = 0 \qquad \therefore a = 4 \qquad \cdots [3점]$$

(2) $A + B - C$

$$= (x^2 - 3x + 4) + (-x^2 + 2x + 1)$$

$$\quad - (2x^2 + 5x - 4)$$

$$= -2x^2 - 6x + 9$$

따라서 x^2의 계수는 -2, 상수항은 9이므로

구하는 합은 $-2 + 9 = 7$ $\qquad \cdots [3점]$

18 $2x+8$

$A + (-2x+5) = -8x+7$

$\therefore A = (-8x+7) - (-2x+5)$

$$= -6x + 2 \qquad \cdots [4점]$$

$B = A - (-2x+5)$

$$= (-6x+2) - (-2x+5)$$

$$= -4x - 3 \qquad \cdots [4점]$$

$$\therefore A-2B=(-6x+2)-2(-4x-3)$$
$$=-6x+2+8x+6$$
$$=2x+8 \qquad \cdots \text{[2점]}$$

19 -5

$\dfrac{1}{a}-\dfrac{1}{b}=3$에서 $\dfrac{b-a}{ab}=3$

$\therefore a-b=-3ab \qquad \cdots \text{[5점]}$

주어진 식에 대입하면

$$\dfrac{a-7ab-b}{2ab}=\dfrac{(a-b)-7ab}{2ab}=\dfrac{-3ab-7ab}{2ab}$$
$$=\dfrac{-10ab}{2ab}=-5 \qquad \cdots \text{[5점]}$$

20 102

$\langle x\rangle\times\langle y\rangle=16$에서 $\langle x\rangle<\langle y\rangle$이므로

(ⅰ) $\langle x\rangle=1$, $\langle y\rangle=16$인 경우

각 자리의 숫자의 곱이 1인 두 자리의 자연수 x는

11

각 자리의 숫자의 곱이 16인 두 자리의 자연수 y는

28, 44, 82

즉, $x+y$의 최댓값은 $11+82=93 \qquad \cdots \text{[4점]}$

(ⅱ) $\langle x\rangle=2$, $\langle y\rangle=8$인 경우

각 자리의 숫자의 곱이 2인 두 자리의 자연수 x는

12, 21

각 자리의 숫자의 곱이 8인 두 자리의 자연수 y는

18, 24, 42, 81

즉, $x+y$의 최댓값은 $21+81=102 \qquad \cdots \text{[4점]}$

(ⅰ), (ⅱ)에서 $x+y$의 최댓값은 102이다. $\qquad \cdots \text{[2점]}$

Ⅳ 일차방정식

01 방정식의 뜻과 해
p. 115~p. 119

유형 **01** ②, ④	學 **01** $x+5=2x+10$
유형 **02** ①, ④	學 **02** ⑤
유형 **03** ④	學 **03** ③
유형 **04** ⑤	學 **04** ⑤
꿈 **01** ⑤	꿈 **02** ④
꿈 **03** ④	꿈 **04** ③
생각 ③	생각 ③
생각 ⑤	

유형 01 ②, ④

등식은 등호(=)를 사용하여 두 수나 두 식이 같음을 나타낸 식이다.

① $2x+3$: 일차식

③ $4x>7$, ⑤ $3\le5$: 부등호를 사용한 식

따라서 등식인 것은 ②, ④이다.

學 01 $x+5=2x+10$

유형 02 ①, ④

x의 값에 따라 참이 되기도 하고 거짓이 되기도 하는 등식이 방정식이다.

② 일차식

③, ⑤ 항등식

學 02 ⑤

①, ②, ③, ④ 방정식

유형 03 ④

(좌변)$=\dfrac{4}{5}x+\dfrac{3}{5}-1=\dfrac{4}{5}x-\dfrac{2}{5}$

$\dfrac{4}{5}x - \dfrac{2}{5} = ax - b$가 x에 대한 항등식이므로

$a = \dfrac{4}{5}$, $b = \dfrac{2}{5}$

$\therefore a - b = \dfrac{4}{5} - \dfrac{2}{5} = \dfrac{2}{5}$

유형 03 ③

$3(x - 4) = \boxed{} + 2x$가 x에 대한 항등식이므로
$3x - 12 = (x - 12) + 2x$에서
$\boxed{} = x - 12$

유형 04 ⑤

각 방정식에 $x = -1$을 대입하면
①, ②, ③, ④ (좌변)=(우변)
⑤ (좌변)$= 2 \times (-1) - 6 = -8$,
　(우변)$= 3 \times (-1) - 7 = -10$
　$\therefore$ (좌변)$\neq$(우변)
　즉, $x = -1$은 $2x - 6 = 3x - 7$의 해가 아니다.

유형 04 ⑤

x는 $-2, -1, 0, 1, 2$이므로 $2x - 7 = -3$에 대입하면
$x = -2$일 때,
$2 \times (-2) - 7 = -11 \neq -3$
$x = -1$일 때,
$2 \times (-1) - 7 = -9 \neq -3$
$x = 0$일 때,
$2 \times 0 - 7 = -7 \neq -3$
$x = 1$일 때,
$2 \times 1 - 7 = -5 \neq -3$
$x = 2$일 때,
$2 \times 2 - 7 = -3$
따라서 주어진 방정식의 해는 $x = 2$이다.

깨 01 ⑤

① 200원짜리 연필 a자루의 가격은 $200a$원이고,

(거스름 돈)=(지불 금액)−(연필 a자루의 가격)
이므로 $3000 - 200a = 600$
② (거리)=(속력)×(시간)이므로 $2x = 60$
③ (정사각형의 넓이)=(한 변의 길이)×(한 변의 길이)
이므로 $x^2 = 4$
④ $x - 5 = 3x$
⑤ $2(a + 5)$는 일차식이다.

깨 02 ④

x의 값에 관계없이 항상 참인 등식은 항등식이다.
①은 일차식, ②, ③, ⑤는 방정식이다.

깨 03 ④

$ax - 12 = -3x + 3b$가 x에 대한 항등식이므로
$a = -3$, $-12 = 3b$
$\therefore a = -3$, $b = -4$
$\therefore a - b = (-3) - (-4) = 1$

깨 04 ③

$x = -1$을 대입하면 $2 - 4 \neq -2 + 4$
$x = 0$을 대입하면 $2 + 0 \neq 0 + 4$
$x = 1$을 대입하면 $2 + 4 = 2 + 4$
$x = 2$를 대입하면 $2 + 8 \neq 4 + 4$
따라서 주어진 방정식의 해는 $x = 1$이다.

생각 O ③

③ 양변: 등식의 좌변과 우변을 통틀어 양변이라 한다.

생각 OO ③

$ax - 3 = 2(-x + b)$에서 $ax - 3 = -2x + 2b$가 x에
대한 항등식이므로

$a = -2$, $b = -\dfrac{3}{2}$

이때, $x = -2$가 $cx + 1 = 2x + 7$의 해이므로 대입하면
$-2c + 1 = -4 + 7$

$\therefore c = -1$

$\therefore abc = (-2) \times \left(-\dfrac{3}{2}\right) \times (-1) = -3$

생각 ●●● ⑤

$\dfrac{34}{21} \times 5 + \dfrac{20}{21} \times 2 = 10$,

$\dfrac{34}{21} \times 2 + \dfrac{20}{21} \times 5 = 8$이므로

소 한 마리의 가격은 $\dfrac{34}{21}$냥, 양 한 마리의 가격은

$\dfrac{20}{21}$냥이다.

02 등식의 성질과 일차방정식

p. 121~p. 125

유형 05 ⑤	**學 05** ㄱ, ㄴ, ㅁ
유형 06 ㄱ, ㄹ	**學 06** ㄷ, ㄴ, ㄹ
유형 07 ②, ⑤	**學 07** $\dfrac{1}{2}$
유형 08 ③	**學 08** ②
꼼 05 ②, ⑤	**꼼 06** (가): $3x$, (나): 4, (다): 2, (라): $\dfrac{5}{2}$
꼼 07 ②	**꼼 08** ⑤
생각 ●●● ③	**생각 ●●●** 풀이 참조
생각 ●●● ⑤	

유형 05 ⑤

⑤ $c=0$일 때는 성립하지 않는다.

예 $a=2$, $b=4$, $c=0$일 때 $ac=bc=0$이지만 $a \neq b$이다.

學 05 ㄱ, ㄴ, ㅁ

ㄱ. $\dfrac{a}{3} = \dfrac{b}{4}$의 양변에 12를 곱하면 $4a = 3b$

ㄴ. $-x = 5$의 양변에 -1을 곱하면 $x = -5$

ㄷ. $2x = -6$의 양변에 -2를 곱하면 $-4x = 12$

ㄹ. $-3m + 2 = 3n + 2$의 양변에서 2를 빼면
$-3m = 3n$
이 식의 양변을 -3으로 나누면 $m = -n$

ㅁ. $-3a = \dfrac{b}{3}$의 양변을 -3으로 나누면 $a = -\dfrac{b}{9}$

따라서 옳은 것은 ㄱ, ㄴ, ㅁ이다.

유형 06 ㄱ, ㄹ

$$2x - 5 = 7$$
$$2x - 5 + 5 = 7 + 5$$ (가) 양변에 5를 더한다.
$$2x = 12$$
$$2x \div 2 = 12 \div 2$$ (나) 양변을 2로 나눈다.
$$\therefore x = 6$$

학 **06** ㄷ, ㄴ, ㄹ

$$\frac{3x+2}{5}=4$$

> 양변에 5를 곱한다.   ∴ ㄷ

$$3x+2=20$$

> 양변에서 2를 뺀다.   ∴ ㄴ

$$3x=18$$

> 양변을 3으로 나눈다.   ∴ ㄹ

$$\therefore x=6$$

유형 **07** ②, ⑤

① $2x-5=8$에서 5를 이항하면 $2x=8+5$

③ $-6x=7+x$에서 x를 이항하면 $-6x-x=7$

④ $5x+2=4x$에서 2, $4x$를 이항하면 $5x-4x=-2$

학 **07** $\dfrac{1}{2}$

$-7x+3=11x-6$에서 3, $11x$를 이항하면

$-7x-11x=-6-3$

$\therefore -18x=-9$

따라서 $a=-18$, $b=-9$이므로

$\dfrac{b}{a}=\dfrac{-9}{18}=\dfrac{1}{2}$

유형 **08** ③

① $x^2-4=x$는 차수가 2인 방정식이므로 일차방정식이 아니다.

② $3x-8$은 일차식이다.

④ $x(x-9)=1$을 정리하면 $x^2-9x-1=0$, 즉 차수가 2인 방정식이므로 일차방정식이 아니다.

⑤ $2(x+1)=2x-5$를 정리하면 $2+5=0$이므로 거짓인 등식이다.

학 **08** ②

$x+2=a(5-x)$에서

$x+2=5a-ax$

$\therefore (1+a)x+2-5a=0$ ······ ㉠

따라서 ㉠이 x에 대한 일차방정식이 되려면

(일차식)$=0$의 꼴이어야 하므로

$a\neq -1$

쩝 **05** ②, ⑤

① $a=5b$의 양변을 5로 나누면 $\dfrac{a}{5}=b$

③ $a=5b$의 양변에 3을 곱하면 $3a=15b$

④ $a=5b$의 양변을 -10으로 나누면 $-\dfrac{a}{10}=-\dfrac{b}{2}$

$-\dfrac{a}{10}=-\dfrac{b}{2}$의 양변에 5를 더하면

$5-\dfrac{a}{10}=5-\dfrac{b}{2}$

⑤ $a=5b$의 양변에 2를 곱하면 $2a=10b$

$2a=10b$의 양변에 2를 더하면 $2a+2=10b+2$

$\therefore 2(a+1)=10b+2$

쩝 **06** (가): $3x$, (나): 4, (다): 2, (라): $\dfrac{5}{2}$

$$5x-4=3x+1$$

> 등식의 양변에서 $3x$를 뺀다.

$$5x-4-\boxed{3x}=3x+1-\boxed{3x}$$

$$2x-4=1$$

> 등식의 양변에 4를 더한다.

$$2x-4+\boxed{4}=1+\boxed{4}$$

$$2x=5$$

> 등식의 양변을 2로 나눈다.

$$\frac{2x}{\boxed{2}}=\frac{5}{\boxed{2}}$$

$$\therefore x=\boxed{\dfrac{5}{2}}$$

쩝 **07** ②

$5x-7=10$에서 좌변의 -7을 이항하면

$5x=10+7$ $\therefore 5x=17$

$5x-7=10$의 양변에 7을 더하면

$5x-7+7=10+7$

$\therefore 5x=17$

쩝 **08** ⑤

각 등식의 모든 항을 좌변으로 이항하고 정리하면

① $x+3=0$ ② $0.1x-1=0$

③ $8x-2=0$ ④ $2x=0$

⑤ $-6-7=0$ ➡ 거짓인 등식

생각 ○ ③

우변을 좌변으로 이항하여 정리하면

$ax^2+(6-b)x+4b=0$ ······㉠

㉠이 일차방정식이 되려면 (일차식)=0의 꼴이어야

하므로

$a=0, 6-b\neq0$, 즉 $a=0, b\neq6$이어야 한다.

생각 ○○ 풀이 참조

해		계	
		상	수	항
	일		등
일	차	방	정	식
식			

생각 ○○○ ⑤

(가) (가)

(나) (나)

㈎의 양쪽에서 치킨 1조각씩을 덜어낸다.

콜라와 삼각김밥의 반만 남겨둔다.

즉, 콜라 1캔과 삼각김밥 2개의 무게가 같다.

㈏의 콜라 1캔을 삼각김밥 2개로 교체한다.

양쪽에서 삼각김밥 2개씩을 덜어낸다.

따라서 햄버거 1개와 같은 무게를 갖는 것은 치킨 1조각, 삼각김밥 1개이다.

---

03 일차방정식의 풀이

p. 127~p. 131

유형 09 ④	**확 09** 3	**유형 10** ①	**확 10** ⑤
유형 11 ③	**확 11** ③	**유형 12** ④	**확 12** ②
쌍 09 ④	**쌍 10** ①	**쌍 11** ③	**쌍 12** 1
생각 ⊕ ②		**생각 ⊕⊕** ④	
생각 ⊕⊕⊕ 풀이 참조			

유형 09 ④

$0.2x-0.3=0.1(x-4)+0.15$의 양변에 100을 곱하면

$20x-30=10x-40+15, 10x=5$

$\therefore x=\dfrac{1}{2}$

확 09 3

$\dfrac{3}{4}x+\dfrac{2}{3}=\dfrac{1}{3}x+\dfrac{3}{4}$의 양변에 12를 곱하면

$9x+8-4x+9, 5x=1$

$\therefore x=\dfrac{1}{5}$ $\therefore a=\dfrac{1}{5}$

$\dfrac{1}{3}(x+1)=\dfrac{x}{2}-\dfrac{4-x}{9}$의 양변에 18을 곱하면

$6(x+1)=9x-2(4-x), 6x+6=9x-8+2x$

$-5x=-14$ $\therefore x=\dfrac{14}{5}$ $\therefore b=\dfrac{14}{5}$

$\therefore a+b=\dfrac{1}{5}+\dfrac{14}{5}=3$

유형 10 ①

$5:4=\dfrac{1}{2}(x-1):\dfrac{1}{5}(3x+7)$에서

$2(x-1)=3x+7, 2x-2=3x+7, -x=9$

$\therefore x=-9$

확 10 ⑤

$\dfrac{2}{7}(x-1):3=(0.6x+2):7$에서

$3(0.6x+2)=2(x-1),\ 1.8x+6=2x-2$

$-0.2x=-8$ $\quad \therefore x=40$ $\quad \therefore a=40$

따라서 $a=40$을 $|a-35|-\left|9-\dfrac{1}{4}a\right|$에 대입하면

$\left|40-35\right|-\left|9-\dfrac{1}{4}\times40\right|=5-1=4$

유형 11 ③

$5(2x-a)-(2x+a)=9$를 정리하면

$10x-5a-2x-a=9$ $\quad \therefore 8x-6a=9$ $\quad\cdots\cdots\ \bigcirc$

$\bigcirc$에 $x=\dfrac{3}{4}$을 대입하면

$8\times\dfrac{3}{4}-6a=9,\ 6-6a=9,\ -6a=3$

$\therefore a=-\dfrac{1}{2}$

學 11 ③

$4x-\dfrac{x-6}{2}=\dfrac{5x+2k}{3}$에 $x=-2$를 대입하면

$-8-(-4)=\dfrac{-10+2k}{3},\ -12=-10+2k$

$2k=-2$ $\quad \therefore k=-1$

$3x+k(x-7)=13$에 $k=-1$을 대입하면

$3x-(x-7)=13,\ 2x+7=13$

$2x=6$ $\quad \therefore x=3$

유형 12 ④

$\dfrac{2x-1}{3}=\dfrac{3x+1}{2}$의 양변에 6을 곱하면

$2(2x-1)=3(3x+1),\ 4x-2=9x+3$

$-5x=5$ $\quad \therefore x=-1$

$0.3(x-1)=a+0.4(x-3)$에 $x=-1$을 대입하면

$0.3\times(-2)=a+0.4\times(-4),\ -0.6=a-1.6$

$\therefore a=1$

學 12 ②

$7x+m=x-5m$에 $x=3$을 대입하면

$21+m=3-5m,\ 6m=-18$

$\therefore m=-3$

$2\left(x+\dfrac{1}{2}\right)-nx=-8$에 $x=3$을 대입하면

$7-3n=-8,\ -3n=-15$

$\therefore n=5$

$\therefore m+n=(-3)+5=2$

習 09 ④

$\dfrac{2(x-1)}{5}-1=0.6(x-3)$의 양변에 10을 곱하면

$4(x-1)-10=6(x-3),\ 4x-14=6x-18$

$-2x=-4$ $\quad \therefore x=2$

習 10 ①

$\dfrac{1}{4}(x-1):5=(0.6x+3):4$에서

$5(0.6x+3)=x-1,\ 3x+15=x-1$

$2x=-16$ $\quad \therefore x=-8$

習 11 ③

$-0.4x+\dfrac{p}{10}=\dfrac{x-3}{2}-0.2(px+3)$에 $x=5$를 대입하면

$-2+\dfrac{p}{10}=1-0.2(5p+3)$ $\quad\cdots\cdots\ \bigcirc$

$\bigcirc$의 양변에 10을 곱하면

$-20+p=10-2(5p+3)$

$-20+p=10-10p-6$

$\therefore 11p=24$

習 12 1

$3x+7=1,\ 3x=-6$

$\therefore x=-2$

따라서 방정식 $\dfrac{3x-4}{2}=a$의 해는 $x=2$이므로

$\dfrac{3\times2-4}{2}=a$ $\quad \therefore a=1$

생각 ㅇ ②

$3 \star x = 3 + 3x + 1 = 4 + 3x$이므로 주어진 식은

$(4+3x) \star 4 = 6$

$4 + 3x + 4(4+3x) + 1 = 6$, $15x = -15$

$\therefore x = -1$

생각 ㅇㅇ ④

주어진 방정식에서

$2ax - 8 = 4x + 28 - 3x$

$(2a-1)x = 36$ $\therefore x = \dfrac{36}{2a-1}$ (단, $2a-1 \neq 0$)

이때, x가 자연수가 되려면 $2a-1$은 36의 약수이어
야 하므로

$2a-1 = 1, 2, 3, 4, 6, 9, 12, 18, 36$

$\therefore a = 1, \dfrac{3}{2}, 2, \dfrac{5}{2}, \dfrac{7}{2}, 5, \dfrac{13}{2}, \dfrac{19}{2}, \dfrac{37}{2}$

따라서 자연수 a는 $1, 2, 5$이므로 구하는 합은 8이다.

생각 ㅇㅇㅇ 풀이 참조

$a \neq 0$이면 $x = \dfrac{b}{a}$

$a = 0$, $b \neq 0$이면 해가 없다.

$a = 0$, $b = 0$이면 해가 무수히 많다.

단원 종합 문제 p. 132~p. 137

01 ①	02 ④	03 ②	04 ③
05 ①, ③	06 ①	07 ⑤	08 ③, ④
09 ①	10 ④	11 ①	12 ②
13 ①	14 ④	15 ②	16 ④

17	(1) $63-x$ (2) 분모: 39, 분자: 24		
18 60		**19** 2개	
20 3			

01 ①

ㄱ. 등호가 있으므로 등식이다.

ㄴ. 일차식

ㄷ. 부등식

따라서 등식인 것은 ㄱ뿐이다.

02 ④

$2x + 3b = ax + 6$에서

$2 = a$, $3b = 6$

$\therefore a = 2$, $b = 2$

$\therefore a + b = 2 + 2 = 4$

03 ②

②에서 $x = 2$를 $4 - 3x = 2x - 6$에 대입하면

$4 - 3 \times 2 = 2 \times 2 - 6$으로 참이다.

04 ③

x의 값이 $-1 \leq x \leq 1$인 정수이므로 $-1, 0, 1$이다.

③ $x = 0$을 $-6x = 0$에 대입하면 $0 = 0$

①, ②, ④, ⑤ $x = -1, 0, 1$을 대입하면

(좌변) $\neq$ (우변)이므로 해가 없다.

05 ①, ③

② $c=0$일 때에는 성립하지 않는다.

④ $\dfrac{a}{4}=\dfrac{b}{5}$의 양변에 20을 곱하면

　$5a=4b$　　　　　　　　　　　　…… ㉠

　㉠의 양변에 5를 더하면 $5a+5=4b+5$

　∴ $5(a+1)=4b+5$

　㉠의 양변에 4를 더하면 $5a+4=4b+4$

　∴ $5a+4=4(b+1)$

⑤ $a=5b$의 양변에서 5를 빼면 $a-5=5b-5$

　∴ $a-5=5(b-1)$

따라서 옳은 것은 ①, ③이다.

06 ①

$\dfrac{1}{2}x+3=\dfrac{3}{4}$ 〉양변에 4를 곱한다.

$2x+12=3$ 〉양변에서 12를 뺀다.

$\quad\quad 2x=-9$ 〉양변을 2로 나눈다.

$\quad\therefore x=-\dfrac{9}{2}$

따라서 주어진 등식의 성질이 이용된 곳은 ㉠이다.

07 ⑤

$6x-5=3x+3$에서 -5, $3x$를 이항하면

$6x-3x=3-(-5)$

∴ $3x=8$

따라서 $a=3$, $b=8$이므로

$a+b=3+8=11$

08 ③, ④

①, ⑤ 차수가 2인 방정식이므로 일차방정식이 아니다.

② 분모에 x가 있으므로 일차방정식이 아니다.

③ $x^2+3x=x^2+x+2$를 정리하면 $2x-2=0$이므로 일차방정식이다.

④ $7x-5=2x$를 정리하면 $5x-5=0$이므로 일차방정식이다.

09 ①

$3(x-2)+4=x$, $2x=2$

∴ $x=1$

10 ④

$\dfrac{1}{3}x+\dfrac{1}{2}=\dfrac{1}{2}x-\dfrac{2}{3}$의 양변에 6을 곱하면

$2x+3=3x-4$, $-x=-7$

∴ $x=7$　　∴ $a=7$

$0.3x+0.2=0.2(x-0.5)$의 양변에 10을 곱하면

$3x+2=2x-1$

∴ $x=-3$　　∴ $b=-3$

∴ $a+b=7+(-3)=4$

11 ①

$\dfrac{2(x-1)}{3}-1=0.6(x-3)$에서

$\dfrac{2x-5}{3}=\dfrac{3x-9}{5}$

이 식의 양변에 15를 곱하면

$5(2x-5)=3(3x-9)$

$10x-25=9x-27$　　　∴ $x=-2$

12 ②

$a(x-3)=8$에 $x=5$를 대입하면

$2a=8$　　∴ $a=4$

$2.4x+a=1.7x-2.3$에 $a=4$를 대입하면

$2.4x+4=1.7x-2.3$, $24x+40=17x-23$

$7x=-63$　　∴ $x=-9$

13 ①

$\dfrac{x}{2}+\dfrac{2-x}{6}=\dfrac{x+1}{2}$의 양변에 6을 곱하면

$3x+2-x=3x+3$, $-x=1$

∴ $x=-1$

$a(x-1)=\dfrac{x}{3}$에 $x=-1$을 대입하면

$a(-1-1)=\dfrac{-1}{3}$　　$\therefore a=\dfrac{1}{6}$

14 ④

(좌변)$=4\times x-6\times 2=4x-12$,

(우변)$=x\times 2-(-1)\times(-1)=2x-1$이므로

$4x-12=2x-1$, $2x=11$

$\therefore x=\dfrac{11}{2}$

15 ②

$(3-a)x=7$의 해가 없으므로

$3-a=0$　　$\therefore a=3$

$2x+3=bx-c$의 해가 무수히 많으므로

$b=2$, $c=-3$

$\therefore a+b+c=3+2+(-3)=2$

16 ④

$\dfrac{1}{x}=A$라 하면

$A+\dfrac{3}{2}A-\dfrac{3}{8}=\dfrac{1}{4}$, $\dfrac{5}{2}A=\dfrac{5}{8}$

$\therefore A=\dfrac{1}{4}$　　$\therefore x=4$

17 (1) $63-x$　(2) 분모: 39, 분자: 24

(1) 분자를 x라 하면 분모는 $63-x$이다.　　… [2점]

(2) $\dfrac{x}{63-x}=\dfrac{8}{13}$이므로

　　$13x=8(63-x)$, $21x=504$　　$\therefore x=24$

　　$63-x$에서 $63-24=39$

　　따라서 분모는 39, 분자는 24이다.　　… [4점]

18 60

$(x-1):3=(3x+2):4$에서

$3(3x+2)=4(x-1)$, $9x+6=4x-4$,

$5x=-10$　　$\therefore x=-2$　　… [4점]

$\dfrac{5x-2}{2}=3-a$에 $x=-2$를 대입하면

$\dfrac{5\times(-2)-2}{2}=3-a$, $-6=3-a$

$\therefore a=9$　　… [4점]

a^2-3a+6에 $a=9$를 대입하면

$9^2-3\times 9+6=81-27+6=60$　　… [2점]

19 2개

$kx=8-2x$에서 $(k+2)x=8$

$\therefore x=\dfrac{8}{k+2}$　　… [3점]

$x=\dfrac{8}{k+2}$이 자연수가 되려면 $k+2$가 8의 약수가 되

어야 하므로

$k+2=1$, 2, 4, 8

$\therefore k=-1$, 0, 2, 6　　… [5점]

따라서 자연수 k는 2, 6의 2개이다.　　… [2점]

20 3

$x\geq\dfrac{3}{2}$일 때,

$2x-3=5$　　$\therefore x=4$　　… [4점]

$x<\dfrac{3}{2}$일 때,

$-2x+3=5$　　$\therefore x=-1$　　… [4점]

따라서 모든 해의 합은 $4+(-1)=3$이다.

… [2점]

V   일차방정식의 활용

01   일차방정식의 활용-수

p. 143 ~ p. 147

유형 01 ①	學 01 22
유형 02 ④	學 02 54, 56, 58
유형 03 ④	學 03 63
유형 04 4자루	學 04 ③
참 01 11	참 02 ②
참 03 86	참 04 3명
생각 ②	생각 32
생각 풀이 참조	

유형 01 ①

어떤 수를 x라 하면

$2(x+5)=\dfrac{1}{3}x$, $6(x+5)=x$

$6x+30=x$, $5x=-30$ ∴ $x=-6$

따라서 어떤 수는 -6이다.

學 01 22

큰 수를 x라 하면 작은 수는 $x-17$이므로

$x=4(x-17)+2$, $x=4x-68+2$

$3x=66$ ∴ $x=22$

따라서 큰 수는 22이다.

유형 02 ④

연속하는 세 자연수를 x, $x+1$, $x+2$라 하면

$\dfrac{1}{3}(x+2)=(x+x+1)-7$, $x+2=3(2x-6)$,

$x+2=6x-18$

$5x=20$ ∴ $x=4$

따라서 가장 작은 수는 4이다.

學 02 54, 56, 58

연속하는 세 짝수를 $x-2$, x, $x+2$라 하면

$(x-2)+x+(x+2)=168$, $3x=168$

∴ $x=56$

따라서 연속하는 세 짝수는 54, 56, 58이다.

유형 03 ④

처음 수의 십의 자리의 숫자를 x라 하면

(처음 수)$=10\times x+4$, (바꾼 수)$=10\times 4+x$이므로

$(10x+4)-27=40+x$, $9x=63$

∴ $x=7$

따라서 처음 두 자리의 자연수는 74이다.

學 03 63

처음 수의 십의 자리의 숫자를 x라 하면 일의 자리의 숫자는 $9-x$이다.

(처음 수)$=10\times x+(9-x)$,

(바꾼 수)$=10\times(9-x)+x$이므로

$10x+(9 \quad x)-27-10(9-x)+x$

$10x+9-x-27=90-10x+x$, $18x=108$

∴ $x=6$

따라서 처음 두 자리의 자연수는 63이다.

유형 04 4자루

연필을 x자루 샀다고 하면 볼펜을 $(10-x)$자루 산 것이므로

$300x+250(10-x)=2700$

$300x+2500-250x=2700$, $50x=200$

∴ $x=4$(자루)

따라서 연필은 4자루를 샀다.

學 04 ③

8점짜리 문제의 수를 x문항으로 놓으면 3점짜리 문제의 수는 $(25-x)$문항이므로

$8x+3(25-x)=100$, $8x+75-3x=100$

$5x=25$ ∴ $x=5$(문항)

따라서 8점짜리 문제는 5문항이 출제되었다.

꼭 01 11

어떤 수를 x라 하면

$(x+5)+19=5x$, $x+24=5x$

$-4x=-24$ $\therefore x=6$

따라서 어떤 수는 6이므로 처음 구하려고 했던 수는

$6+5=11$

꼭 02 ②

연속하는 세 홀수를 $x-4$, $x-2$, $x\,(x>4)$라 하면

$(x-4)+(x-2)+x=597$

$3x-6=597$, $3x=603$

$\therefore x=201$

따라서 가장 큰 수는 201이다.

꼭 03 86

처음 수의 일의 자리의 숫자를 x라 하면 십의 자리의 숫자는 $14-x$이므로

$10x+(14-x)=10(14-x)+x-18$

$9x+14=140-9x-18$, $18x=108$

$\therefore x=6$

따라서 처음 두 자리의 자연수는 86이다.

꼭 04 3명

어린이를 x명이라 하면 어른은 $(8-x)$명이므로

$6500x+8000(8-x)=59500$

$6500x+64000-8000x=59500$

$-1500x=-4500$

$\therefore x=3$(명)

따라서 어린이 수는 3명이다.

생각 ◑ ②

오리의 수를 x마리라 하면 염소의 수는 $(65-x)$마리이므로

(오리의 다리의 수)$=2x$

(염소의 다리의 수)$=4(65-x)=260-4x$

$2x+(260-4x)=210$, $-2x=-50$

$\therefore x=25$(마리)

따라서 오리는 25마리이다.

생각 ◑◑ 32

묶인 8개의 수 중에서 가장 작은 수를 x라 하면 나머지 7개의 수는

$x+1$, $x+6$, $x+7$, $x+12$, $x+13$, $x+18$, $x+19$ 이므로

$x+(x+1)+(x+6)+(x+7)+(x+12)$
$\qquad\qquad +(x+13)+(x+18)+(x+19)=332$

$8x+76=332$, $8x=256$ $\therefore x=32$

따라서 가장 작은 수는 32이다.

생각 ◑◑◑ 풀이 참조

성준이의 생일을 한 줄로 늘어놓아 만든 수를 x라 하고 하영이의 지시대로 하면

$$\dfrac{x\times 4+30-x}{3}=1026$$

하영이는 이 방정식을 풀어서 성준이의 생일을 맞힌 것이다.

방정식을 풀면

$4x+30-x=3078$, $3x=3048$

$\therefore x=1016$

따라서 성준이의 생일은 10월 16일이다.

02 일차방정식의 활용-도형

p. 149~p. 153

유형 **05** ④	學 **05** 148명
유형 **06** ③	學 **06** 39세
유형 **07** ①	學 **07** ③
유형 **08** ⑤	學 **08** 4 cm
꿈 **05** 27명	꿈 **06** ⑤
꿈 **07** 20일 후	꿈 **08** 30 cm
생각 315쪽	생각 15마리
생각 84세	

유형 **05** ④

학생 수를 x명이라 하면

$4x+7=5x-2$, $-x=-9$ ∴ $x=9$

따라서 사과의 개수는

$4x+7=4\times 9+7=43$(개)

學 **05** 148명

긴 의자의 개수를 x개라 하면 학생이 6명씩 앉을 경우
6명이 모두 앉은 의자의 개수는 $(x-4)$개이므로

$5x+8=6(x-4)+4$

$5x+8=6x-20$ ∴ $x=28$(개)

따라서 긴 의자의 개수는 28개이므로 학생 수는

$5\times 28+8=148$(명)

유형 **06** ③

현재 아들의 나이를 x세라 하면 어머니의 나이는
$(53-x)$세이므로 8년 후에 아들은 $(x+8)$세,
어머니는 $(53-x+8)$세이다.

$2(x+8)=53-x+8$에서

$2x+16=61-x$, $3x=45$

∴ $x=15$(세)

따라서 현재 아들의 나이는 15세이다.

學 **06** 39세

현재 아버지의 나이를 x세라 하면 수인이의 나이는
$(x-28)$세이므로 10년 후에 아버지는 $(x+10)$세,
수인이는 $(x-28+10)$세이다.

$x+10=2(x-28+10)$에서

$x+10=2x-36+7$ ∴ $x=39$(세)

따라서 아버지의 현재 나이는 39세이다.

유형 **07** ①

x개월 후에 형의 예금액이 동생의 예금액의 2배가 된
다고 하면

$42000+3000x=2(18000+2000x)$

$42000+3000x=36000+4000x$

$1000x=6000$ ∴ $x=6$(개월 후)

따라서 형의 예금액이 동생의 예금액의 2배가 되는 것
은 6개월 후이다.

學 **07** ③

x개월 후에 선희의 예금액이 재호의 예금액의 2배가
된다고 하면

$2(90000-3500x)=81000-2500x$

$180000-7000x=81000-2500x$

$4500x=99000$ ∴ $x=22$(개월 후)

따라서 선희의 예금액이 재호의 예금액의 2배가 되는
것은 22개월 후이다.

유형 **08** ⑤

(처음 직사각형의 넓이)$=7\times 4=28\,(\text{cm}^2)$

(새로운 직사각형의 넓이)$=(7+3)\times (4+x)$

$=40+10x\,(\text{cm}^2)$

따라서 $5\times 28=40+10x$이므로

$140=40+10x$, $10x=100$

∴ $x=10\,(\text{cm})$

따라서 새로운 직사각형의 세로의 길이는

$4+10=14\,(\text{cm})$

학 08 4 cm

윗변의 길이를 x cm라 하면

(사다리꼴의 넓이)$=\dfrac{1}{2}\times(x+7)\times8=44$

$4(x+7)=44$, $x+7=11$

$\therefore x=4\,(\text{cm})$

따라서 사다리꼴의 윗변의 길이는 4 cm이다.

끔 05 27명

텐트의 개수를 x개라 하면

$5x+2=6(x-1)+3$, $5x+2=6x-3$

$\therefore x=5(\text{개})$

따라서 텐트는 5개이므로 야영에 참가한 학생 수는

$5\times5+2=27(\text{명})$

끔 06 ⑤

x년 후에 아버지의 나이가 딸의 나이의 3배가 된다고

하면

$3(8+x)=38+x$, $24+3x=38+x$

$2x=14$ $\quad\therefore x=7(\text{년 후})$

따라서 아버지의 나이가 딸의 나이의 3배가 되는 것은

7년 후이다.

끔 07 20일 후

x일 후에 수인이와 수정이의 저금통에 들어 있는 금

액이 같아진다고 하면

$7000+300x=3000+500x$

$200x=4000$ $\quad\therefore x=20(\text{일 후})$

따라서 수인이와 수정이의 저금통에 들어 있는 금액이

같아지는 것은 20일 후이다.

끔 08 30 cm

세로의 길이를 x cm라 하면 가로의 길이는

$(42-x)$ cm이므로

$(42-x):x=2:5$, $2x=5(42-x)$

$7x=210$ $\quad\therefore x=30\,(\text{cm})$

따라서 직사각형의 세로의 길이는 30 cm이다.

생각 ○ 315쪽

이 책의 전체 쪽수를 x쪽이라 하면

$\dfrac{1}{3}x+\dfrac{1}{5}x+21=\dfrac{3}{5}x$, $5x+3x+315=9x$

$\therefore x=315(\text{쪽})$

따라서 이 책의 전체 쪽수는 315쪽이다.

생각 ○○ 15마리

벌떼의 수를 x마리라 하면

$\dfrac{1}{3}x+\dfrac{1}{5}x+3\left(\dfrac{1}{3}x-\dfrac{1}{5}x\right)+1=x$

$5x+3x+6x+15=15x$

$x=15(\text{마리})$

따라서 벌떼는 모두 15마리이다.

생각 ○○○ 84세

디오판토스가 사망할 때의 나이를 x세라 하면

$\dfrac{1}{6}x+\dfrac{1}{12}x+\dfrac{1}{7}x+5+\dfrac{1}{2}x+4=x$

$\left(\dfrac{1}{6}+\dfrac{1}{12}+\dfrac{1}{7}+\dfrac{1}{2}\right)x+9=x$

$\dfrac{75}{84}x+9=x$, $\dfrac{9}{84}x=9$

$\therefore x=84(\text{세})$

따라서 디오판토스가 사망할 때의 나이는 84세이다.

03 일차방정식의 활용-속력

p. 155~p. 159

유형 **09** $\dfrac{x}{4}$시간		學 **09** ①	
유형 **10** ④	學 **10** 4시간	유형 **11** ③	學 **11** 5분 후
유형 **12** ③	學 **12** ③		
꼭 **09** ④		꼭 **10** ④	
꼭 **11** 10분 후		꼭 **12** 30분 후	
생각 ②		생각 35 m	
생각 12 km			

유형 09 $\dfrac{x}{4}$시간

(시간)$=\dfrac{(거리)}{(속력)}$이므로 집에서 학교까지 가는 데 걸리

는 시간은 $\dfrac{x}{4}$(시간)

學 09 ①

(a시간 동안 간 거리)$=60 \times a = 60a\,(\text{km})$이므로
(남은 거리)$=$(전체 거리)$-$(a시간 동안 간 거리)
$\qquad\qquad = 150 - 60a\,(\text{km})$

유형 10 ④

A, B 두 지점 사이의 거리를 $x\,\text{km}$라 하면
$\dfrac{x}{4}+\dfrac{x}{12}=3,\ 3x+x=36,\ 4x=36$
$\therefore x=9\,(\text{km})$
따라서 A, B 두 지점 사이의 거리는 $9\,\text{km}$이다.

學 10 4시간

올라갈 때 걸은 등산로의 길이를 $x\,\text{km}$라 하면 내려올 때 걸은 등산로의 길이는 $(x+2)\,\text{km}$이므로
$\dfrac{x}{2}+\dfrac{x+2}{5}=6,\ 5x+2(x+2)=60,\ 7x=56$
$\therefore x=8\,(\text{km})$
따라서 산을 올라갈 때 걸린 시간은 $\dfrac{8}{2}=4$(시간)이다.

유형 11 ③

집에서 학교까지의 거리를 $x\,\text{km}$라 하면
(걸어갈 때 걸리는 시간)$-$(뛰어갈 때 걸리는 시간)
$=$(20분)이므로
$\dfrac{x}{4}-\dfrac{x}{6}=\dfrac{20}{60},\ \dfrac{x}{4}-\dfrac{x}{6}=\dfrac{1}{3},\ 3x-2x=4$
$\therefore x=4\,(\text{km})$
따라서 집에서 학교까지의 거리는 $4\,\text{km}$이다.

學 11 5분 후

동생이 집을 출발한 지 x분 후에 지은이와 만난다고 하면 지은이가 동생과 만날 때까지 걸은 시간은 $(x+20)$분이다.
이때, (지은이가 걸은 거리)$=$(동생이 걸은 거리)이므로
$60(x+20)=300x,\ x+20=5x,\ 4x=20$
$\therefore x=5$(분 후)
따라서 동생은 출발한 지 5분 후에 지은이를 만나게 된다.

유형 12 ③

두 사람이 출발한 지 x분 후에 처음으로 만난다고 하면 희진이가 x분 동안 걸은 거리와 동생이 x분 동안 걸은 거리의 합은 호수의 둘레의 길이와 같으므로
$80x+70x=3000,\ 150x=3000$
$\therefore x=20$(분 후)
따라서 두 사람은 출발한 지 20분 후에 처음으로 만난다.

學 12 ③

두 사람이 출발한 지 x분 후에 처음으로 만난다고 하면 분속 90 m로 걷는 석민이가 분속 70 m로 걷는 윤정이보다 트랙을 한 바퀴 더 돌았으므로
$90x-70x=600,\ 20x=600$
$\therefore x=30$(분 후)
따라서 두 사람은 출발한 지 30분 후에 처음으로 다시 만난다.

09 ④

(걸은 시간)$=\dfrac{6}{x}$(시간),

20(분)$=\dfrac{20}{60}=\dfrac{1}{3}$(시간)이므로

(구하는 시간)$=$(걸은 시간)$+$(휴식 시간)

$\qquad\qquad\quad =\dfrac{6}{x}+\dfrac{1}{3}$(시간)

10 ④

집에서 학교까지의 거리를 $2x\,\text{km}$라 하면

$\dfrac{x}{6}+\dfrac{x}{3}=\dfrac{1}{2},\ x+2x=3\qquad \therefore\ x=1\,(\text{km})$

따라서 집에서 학교까지의 거리는

$2x=2\times1=2\,(\text{km})$이다.

11 10분 후

형이 출발한 지 x분 후에 민석이를 만난다고 하면 민석이는 형보다 20분 더 걸었으므로

$60(x+20)=180x,\ 60x+1200=180x$

$120x=1200$

$\therefore\ x=10$(분 후)

따라서 형이 출발한 지 10분 후에 민석이를 만난다.

12 30분 후

x분 후에 두 사람이 처음으로 만난다고 하면

$60x+80x=4200$

$\therefore\ x=30$(분 후)

따라서 두 사람은 출발한 지 30분 후에 처음으로 만난다.

생각 ○ ②

오전 8시 정각으로부터 x시간 후에 두 버스가 마주친다고 하면 두 버스가 달린 거리의 합은 두 지점 A, B 사이의 거리와 같다.

이때, 시속 $80\,\text{km}$로 달리는 버스는 x시간, 시속 $60\,\text{km}$로 달리는 버스는 $\left(x-\dfrac{10}{60}\right)$시간 동안 움직이므로

$80x+60\left(x-\dfrac{10}{60}\right)=200$

$80x+60x-10=200,\ 140x=210$

$\therefore\ x=\dfrac{210}{140}=\dfrac{3}{2}$(시간 후)

따라서 두 버스가 마주치는 것은 오전 8시 정각으로부터 $\dfrac{3}{2}$시간 후, 즉 1시간 30분 후이므로 오전 9시 30분이다.

생각 ○○ $35\,\text{m}$

기차의 길이를 $x\,\text{m}$라 하면 기차가 다리를 완전히 건너갈 때까지 달린 거리는 $(240+x)\,\text{m}$, 터널을 완전히 통과할 때까지 달린 거리는 $(185+x)\,\text{m}$이다.

이때, 기차의 속력이 일정하므로

$\dfrac{240+x}{30}=\dfrac{185+x}{24},\ 4(240+x)=5(185+x)$

$960+4x=925+5x\qquad \therefore\ x=35\,(\text{m})$

따라서 기차의 길이는 $35\,\text{m}$이다.

생각 ○○○ $12\,\text{km}$

두 지점 A, B 사이의 거리를 $x\,\text{km}$라 하자.

A지점에서 B지점을 향해서 갈 때 보트의 속력은 시속 $(2+6)\,\text{km}$이고,

B지점에서 A지점을 향해서 갈 때 보트의 속력은 시속 $(6-2)\,\text{km}$이므로

$\dfrac{x}{8}+\dfrac{x}{4}=\dfrac{9}{2},\ x+2x=36,\ 3x=36$

$\therefore\ x=12\,(\text{km})$

따라서 두 지점 A, B 사이의 거리는 $12\,\text{km}$이다.

04 일차방정식의 활용-농도

p. 161~p. 165

유형 **13** $2a$ g	學 **13** ②	유형 **14** ④	學 **14** ①
유형 **15** 150명	學 **15** 490명	유형 **16** 6시간	學 **16** 120분
힘 **13** ③	힘 **14** ④	힘 **15** ③	힘 **16** 5일
생각 50 g		생각 187.5 g	
생각 3시 16$\frac{4}{11}$분			

유형 13) $2a$ g

(설탕의 양)$=\dfrac{(설탕물의 농도)}{100}\times$(설탕물의 양)이므로

$\dfrac{a}{100}\times200=2a\,(g)$

學 13) ②

(소금의 양)$=\dfrac{x}{100}\times300+\dfrac{8}{100}\times400$

$\qquad\qquad\quad=3x+32\,(g)$

유형 14) ④

x g의 물을 증발시킨다고 하면 소금의 양은 변하지 않으므로

$\dfrac{5}{100}\times400=\dfrac{8}{100}\times(400-x)$

$2000=3200-8x,\ 8x=1200$

$\therefore x=150\,(g)$

따라서 150 g의 물을 증발시키면 된다.

學 14) ①

처음 소금물의 농도를 $x\%$라 하면 나중의 소금물의 양은 $200-60+10=150\,(g)$이고,
농도는 $2x\%$이므로

$\dfrac{x}{100}\times200+10=\dfrac{2x}{100}\times150$

$200x+1000=300x,\ 100x=1000$

$\therefore x=10\,(\%)$

따라서 처음 소금물의 농도는 10 %이다.

유형 15) 150명

작년에 클럽에 가입한 학생 수를 x명이라 하면

$\left(1+\dfrac{8}{100}\right)x=162,\ 108x=16200$

$\therefore x=150(명)$

따라서 작년에 가입한 학생 수는 150명이다.

學 15) 490명

작년 여학생 수를 x명이라 하면 작년 남학생 수는
$(820-x)$명이므로

$-0.02x+0.05(820-x)=6$

$-2x+5(820-x)=600$

$-2x+4100-5x=600$

$-7x=-3500\qquad\therefore x=500(명)$

따라서 올해 여학생 수는
$500\times(1-0.02)=490(명)$

유형 16) 6시간

전체 일의 양을 1이라 하면 진영이와 현석이가 1시간
동안 하는 일의 양은 각각 $\dfrac{1}{12}$, $\dfrac{1}{9}$이다.

현석이가 혼자 일한 시간을 x시간이라 하면

$\dfrac{1}{12}\times4+\dfrac{1}{9}\times x=1,\ 3+x=9$

$\therefore x=6(시간)$

따라서 현석이가 혼자 일한 시간은 6시간이다.

學 16) 120분

물통을 가득 채울 수 있는 물의 양을 1이라 하면 A,
B호스로 1분 동안 각각 $\dfrac{1}{30}$, $\dfrac{1}{40}$의 물을 채울 수 있
고, C호스로 1분 동안 $\dfrac{1}{20}$의 물을 빼낼 수 있다.

물통을 가득 채우는 데 x분이 걸린다고 하면

$x\left(\dfrac{1}{30}+\dfrac{1}{40}-\dfrac{1}{20}\right)=1,\ \dfrac{1}{120}x=1$

$\therefore x=120$(분)

따라서 물을 가득 채우는 데에는 120분이 걸린다.

개념 13 ③

(농도가 $a\%$인 소금물 500 g의 소금의 양)

$=\dfrac{a}{100}\times500=5a\,(\mathrm{g})$

$\therefore$ (소금물의 농도)$=\dfrac{5a+b}{500+b}\times100$

$\qquad\qquad\qquad\quad=\dfrac{100(5a+b)}{500+b}\,(\%)$

개념 14 ④

더 넣어야 하는 소금의 양을 $x\,\mathrm{g}$이라 하면

$\dfrac{3}{100}\times100+x=\dfrac{10}{100}\times\{(100+200)+x\}$

$300+100x=3000+10x,\ 90x=2700$

$\therefore x=30\,(\mathrm{g})$

따라서 더 넣어야 하는 소금의 양은 30 g이다.

개념 15 ③

작년 남학생 수를 x명이라 하면 작년 여학생 수는
$(900-x)$명이므로

$-0.04x+0.05(900-x)=9$

$-4x+5(900-x)=900$

$-4x+4500-5x=900,\ -9x=-3600$

$\therefore x=400$(명)

따라서 올해의 남학생 수는

$400\times(1-0.04)=400\times0.96=384$(명)

개념 16 5일

전체 일의 양을 1이라 하면 수빈이와 현수가 하루 동안 일한 양은 각각 $\dfrac{1}{16}$, $\dfrac{1}{12}$이다.

둘이 함께 일한 기간을 x일이라 하면

$3\times\dfrac{1}{16}+x\times\left(\dfrac{1}{16}+\dfrac{1}{12}\right)+1\times\dfrac{1}{12}=1$

$\dfrac{3}{16}+\dfrac{7}{48}x+\dfrac{1}{12}=1$

$9+7x+4=48,\ 7x=35\qquad\therefore x=5$(일)

따라서 수빈이와 현수가 함께 일한 기간은 5일이다.

생각 ○ 50 g

6%의 소금물의 양이 350 g이므로 4%의 소금물은 150 g 섞었다. 이때, 처음 퍼낸 소금물의 양을 $x\,\mathrm{g}$이라 하면

$\dfrac{10}{100}\times(200-x)+\dfrac{4}{100}\times150=\dfrac{6}{100}\times350$

$2000-10x+600=2100,\ 10x=500$

$\therefore x=50\,(\mathrm{g})$

따라서 처음 퍼낸 소금물의 양은 50 g이다.

생각 ○○ 187.5 g

각각 $x\,\mathrm{g}$씩 덜어내어 바꾸어 넣는다고 하면

$\dfrac{\dfrac{10}{100}\times(300-x)+\dfrac{14}{100}\times x}{300}\times100$

$=\dfrac{\dfrac{14}{100}\times(500-x)+\dfrac{10}{100}\times x}{500}\times100$

$5(3000+4x)=3(7000-4x)$

$15000+20x=21000-12x$

$32x=6000\qquad\therefore x=187.5\,(\mathrm{g})$

따라서 187.5 g씩 덜어내서 바꾸어 넣었다.

생각 ○○○ 3시 $16\dfrac{4}{11}$분

3시 x분에 시침과 분침이 일치한다고 하면 x분 동안 분침이 이동한 각도는 $6°x$이고, 시침이 이동한 각도는 $0.5°x$이므로

$6x=90+0.5x,\ 5.5x=90$

$\therefore x=\dfrac{900}{55}=16\dfrac{4}{11}$

따라서 시침과 분침이 일치하는 시각은 3시 $16\dfrac{4}{11}$분이다.

단원 종합 문제
p. 166~p. 171

01 ⑤	02 ③	03 ③	04 ④
05 ③	06 ②	07 ⑤	08 ②
09 ⑤	10 ③	11 ⑤	12 ⑤
13 ④	14 ③	15 ④	16 ④

17 (1) $(670-x)$명   (2) 320명   (3) 336명

18 50 g   **19** 14분

20 $\dfrac{5}{4}$, $\dfrac{5}{2}$, $\dfrac{15}{4}$

---

01 ⑤
어떤 수를 x라 하면
$$\frac{1}{4}(x-3)=\frac{1}{2}x+3$$
$$x-3=2x+12$$
$$\therefore x=-15$$

02 ③
연속하는 세 자연수를 $x-1$, x, $x+1$이라 하면
$$3x=(x-1)+(x+1)+20$$
$$3x=2x+20$$
$$\therefore x=20$$
따라서 연속하는 세 자연수는 19, 20, 21이므로 구하는 수의 합은
$$19+21=40$$

03 ③
일의 자리의 숫자를 x라 하면 십의 자리의 숫자는 $x+1$이므로
$$10(x+1)+x=6\{(x+1)+x\}$$
$$\therefore x=4$$
따라서 주어진 자연수는 54이다.

04 ④
배를 x개 샀다고 하면 사과는 $(15-x)$개 샀으므로
$$1200(15-x)+2000x+2000=25600$$
$$18000-1200x+2000x+2000=25600$$
$$800x=5600$$
$$\therefore x=7(개)$$
따라서 배는 7개 샀다.

05 ③
긴 의자의 개수를 x개라 하면
$$5x+13=6(x-6)+4, \ 5x+13=6x-36+4$$
$$\therefore x=45(개)$$
따라서 긴 의자의 개수는 45개이다.

06 ②
올해 아들의 나이를 x세라 하면 올해 아버지의 나이를 $(52-x)$세이므로
$$(52-x)+6=3(x+6)$$
$$\therefore x=10(세)$$
따라서 올해 아들의 나이는 10세이다.

07 ⑤
x개월 후 성희의 예금액이 재원이의 예금액의 2배가 된다고 하면
$$20000+1000x=2(6000+1000x)$$
$$20000+1000x=12000+2000x$$
$$1000x=8000 \qquad \therefore x=8(개월 후)$$
따라서 8개월 후 성희의 예금액이 재원이의 예금액의 2배가 된다.

08 ②
삼각형의 높이를 h cm라 하면
$$\frac{1}{2}\times6\times h=21$$
$$\therefore h=7(cm)$$
따라서 삼각형의 높이는 7 cm이다.

09 ⑤

교실에서 매점 사이의 거리를 x m라 하면

$$\frac{x}{10}+\frac{x}{2}=3\times60$$

$$\therefore x=300\,(\text{m})$$

따라서 교실에서 매점 사이의 거리는 300 m이다.

10 ③

터널의 길이를 x m라 하면

$$(\text{A 열차의 속력})=\frac{210+x}{40}\,(\text{m/초})$$

$$(\text{B 열차의 속력})=\frac{90+x}{30}\,(\text{m/초})$$

$$\frac{210+x}{40}=\frac{90+x}{30}$$

$$\therefore x=270\,(\text{m})$$

따라서 터널의 길이는 270 m이다.

11 ⑤

5 %의 설탕물의 양을 x g이라 하면

$$\frac{12}{100}\times300+\frac{5}{100}\times x=\frac{8}{100}\times(300+x)$$

$$3600+5x=2400+8x,\ 3x=1200$$

$$\therefore x=400\,(\text{g})$$

따라서 5 %의 설탕물을 400 g 섞으면 된다.

12 ⑤

A가 한 시간 동안 한 일의 양: $\dfrac{1}{9}$

B가 한 시간 동안 한 일의 양: $\dfrac{1}{6}$

어느 날 B가 x시간 만두를 빚었다면

$$\frac{1}{9}\times3+\frac{1}{6}\times x=1$$

$$\therefore x=4\,(\text{시간})$$

따라서 B는 4시간 동안 만두를 빚었다.

13 ④

이 책의 전체 쪽수를 x쪽이라 하면

$$\frac{1}{3}x+\frac{3}{5}\times\frac{2}{3}x+60=x$$

$$5x+6x+900=15x,\ 4x=900$$

$$\therefore x=225\,(\text{쪽})$$

따라서 이 책의 전체 쪽수는 225쪽이다.

14 ③

물건의 원가를 a원이라 하고 x %의 이익을 붙여 정가를 정했다면

$$a\left(1+\frac{x}{100}\right)\times\left(1-\frac{30}{100}\right)-a=\frac{12}{100}a$$

$$700+7x-1000=120,\ 7x=420$$

$$\therefore x=60\,(\%)$$

따라서 물건의 원가에 60 %의 이익을 붙여 정가를 정했다.

15 ④

주어진 시각을 10시 x분이라 하면

시침의 회전량은 $30°\times10+0.5°\times x$이고,

분침의 회전량은 $6°\times x$

$$(300+0.5x)-6x=180$$

$$\therefore x=\frac{240}{11}=21\frac{9}{11}\,(\text{분})$$

따라서 구하는 시각은 10시 $21\dfrac{9}{11}$분이다.

16 ④

	남학생	여학생
지원자 수(명)	$2x$	x
합격자 수(명)	50	20
불합격자 수(명)	$2x-50$	$x-20$

$$(2x-50):(x-20)=15:8$$

$$\therefore x=100\,(\text{명})$$

따라서 여학생 지원자의 수는 100명이다.

17 (1) $(670-x)$명 (2) 320명 (3) 336명

(1) 작년 전체 학생 수는 $658+12=670$(명)이므로 작
년 남학생 수는 $(670-x)$명이다. ⋯ [2점]

(2) $\dfrac{5}{100}x-\dfrac{8}{100}(670-x)=-12$이므로

$5x-8(670-x)=-1200$

$5x-5360+8x=-1200$

$13x=4160$ ∴ $x=320$(명) ⋯ [2점]

(2) 올해 여학생 수는 $x\left(1+\dfrac{5}{100}\right)$명이므로

$x=320$을 대입하면

$320\times\dfrac{105}{100}=336$(명) ⋯ [2점]

18 50 g

더 넣은 소금의 양을 x g이라 하면

$\dfrac{10}{100}\times500+x=\dfrac{20}{100}\times(500-50+x)$ ⋯ [5점]

$50+x=\dfrac{1}{5}(450+x),\ 250+5x=450+x$

$4x=200$ ∴ $x=50$ (g)

따라서 더 넣은 소금은 50 g이다. ⋯ [5점]

19 14분

두 시계 A, B가 지나간 시간의 비는

$(6\times60):(5\times6+36)=15:14$

실제 오전 7시일 때, 시계 A의 시각을 오전 7시 x분
이라 하면 오전 7시 x분부터 오후 2시 45분까지의 시
간은

$60\times14+45-(60\times7+x)=465-x$(분)

즉, $(465-x):(60\times7)=15:14$이므로

$6510-14x=6300$ ∴ $x=15$(분)

따라서 실제 오전 7시일 때, 시계 A는 7시 15분을 나
타낸다. ⋯ [4점]

실제 자정 12시부터 오전 7시까지 시계 A는

$60\times7+15=435$(분)을 지났다.

이때, 시계 B가 지나간 시간을 y분이라 하면

$435:y=15:14,\ 15y=6090$ ∴ $y=406$(분)

406분은 6시간 46분이므로 실제 오전 7시일 때, 시계
B는 6시 46분을 나타낸다. ⋯ [4점]

따라서 시계 B는 실제 시각보다 14분 느리다. ⋯ [2점]

20 $\dfrac{5}{4}$, $\dfrac{5}{2}$, $\dfrac{15}{4}$

파일 전송 속도는 일정하므로 그래프의 길이는 전송
시간에 비례한다. 즉, t의 구간을 나누어 생각하면
(위의 그래프의 길이)=(아래 그래프의 길이)에서

$0<t<1$일 때, 없다. ⋯ [2점]

$1\leq t<2$일 때, $t-1=\dfrac{1}{5}t$ ∴ $t=\dfrac{5}{4}$(분 후) ⋯ [2점]

$2\leq t<3$일 때, $t-2=\dfrac{1}{5}t$ ∴ $t=\dfrac{5}{2}$(분 후) ⋯ [2점]

$3\leq t<4$일 때, $t-3=\dfrac{1}{5}t$ ∴ $t=\dfrac{15}{4}$(분 후)

⋯ [2점]

$4\leq t<5$일 때, 없다. ⋯ [2점]

VI 그래프와 비례 관계

01 순서쌍과 좌표평면

p. 177~p. 181

유형 **01** ②	學 **01** ①	유형 **02** ④	學 **01** ④
유형 **03** ③	學 **03** ③	유형 **04** ③	學 **04** 9
쟁 **01** ③, ④	쟁 **02** ④	쟁 **03** 10	쟁 **04** 10
생각 ②		생각 풀이 참조	
생각 ④			

유형 01 ②

② $B(0, -3)$

學 01 ①

점 $A(m-1, n+5)$는 x축 위의 점이므로 y좌표가 0이다.

$n+5=0$ ∴ $n=-5$

점 $B(m, 2n-4)$는 y축 위의 점이므로 x좌표가 0이다.

∴ $m=0$

∴ $m+n=0+(-5)=-5$

유형 02 ④

④ 점 $(3, -2)$는 제4사분면에 속하는 점이고 점 $(0, -2)$는 y축 위의 점이다. 이때, 좌표축 위의 점은 어느 사분면에도 속하지 않는다.

學 02 ④

점 $(3a, -2b)$가 제4사분면 위의 점이므로

$3a>0, -2b<0$에서 $a>0, b>0$

① $-a<0, -b<0$이므로 점 $(-a, -b)$는 제3사분면 위의 점이다.

② $a>0, -b<0$이므로 점 $(a, -b)$는 제4사분면 위의 점이다.

③ $b>0, ab>0$이므로 점 (b, ab)는 제1사분면 위

의 점이다.

④ $-ab<0, b>0$이므로 점 $(-ab, b)$는 제2사분면 위의 점이다.

⑤ $ab>0, -a<0$이므로 점 $(ab, -a)$는 제4사분면 위의 점이다.

유형 03 ③

두 점 $A(-6, 1-a), B(2b, 5)$가 x축에 대하여 대칭이므로

$-6=2b, 1-a=-5$

즉, $a=6, b=-3$이므로

$a+b=6+(-3)=3$

學 03 ③

점 $A(a, b)$가 제2사분면 위의 점이므로 $a<0, b>0$

즉, $b-a>0, -ab>0$이므로 점 $B(b-a, -ab)$는 제1사분면 위의 점이다.

따라서 점 B와 원점에 대하여 대칭인 점은 제3사분면 위의 점이다.

유형 04 ③

점 $A(2, -3)$과 y축에 대하여 대칭인 점은 $B(-2, -3)$, 원점에 대하여 대칭인 점은 $C(-2, 3)$이다.

따라서 세 점 A, B, C를 좌표평면 위에 나타내면 오른쪽 그림과 같다.

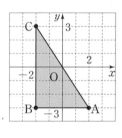

∴ (△ABC의 넓이)$=\dfrac{1}{2}\times 4\times 6=12$

學 04 9

네 점 $A(5, 0), B(1, -2), C(5, -2), O(0, 0)$을 좌표평면 위에 나타내면 오른쪽 그림과 같다.

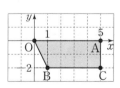

∴ (□OBCA의 넓이)$=\dfrac{1}{2}\times(4+5)\times 2=9$

꼭 01 ③, ④

① A$(-3, -2)$
② B$(1, -3)$
⑤ E$(0, 2)$

꼭 02 ④

점 A(x, y)가 제4사분면 위의 점이므로
$x>0, y<0$
ㄱ. $|x|>|y|$일 때 $x+y>0$, $|x|<|y|$일 때
$x+y<0$
ㄷ. $xy<0$
따라서 항상 옳은 것은 ㄴ, ㄹ이다.

꼭 03 10

점 A$(4, -5)$와 원점에 대하여 대칭인 점은
B$(-4, 5)$
$\therefore a=-4, b=5$
점 B$(-4, 5)$와 y축에 대하여 대칭인 점은 C$(4, 5)$
$\therefore c=4, d=5$
$\therefore a+b+c+d=(-4)+5+4+5=10$

꼭 04 10

세 점 A$(-4, 3)$, B$(1, -2)$, C$(0, 3)$을 좌표평면
에 나타내면 다음 그림과 같다.

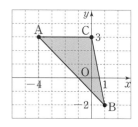

$\therefore$ ($\triangle$ABC의 넓이)$=\dfrac{1}{2}\times 4\times 5=10$

생각 ○ ②

x, y가 서로소이므로
$x=2$일 때, y의 값은 7, 9
$x=3$일 때, y의 값은 7, 8, 10

$x=4$일 때, y의 값은 7, 9
따라서 x, y가 서로소가 되는 순서쌍 (x의 값, y의 값)은
$(2, 7)$, $(2, 9)$, $(3, 7)$, $(3, 8)$, $(3, 10)$, $(4, 7)$, $(4, 9)$
의 7개이다.

생각 ○○ 풀이 참조

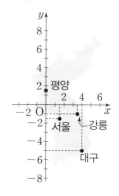

생각 ○○○ ④

세 점 A, B, C를 좌표평면 위에 나타내면 다음 그림
과 같다.

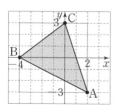

$\therefore$ ($\triangle$ABC의 넓이)
$=6\times 6-\left(\dfrac{1}{2}\times 6\times 3+\dfrac{1}{2}\times 2\times 6+\dfrac{1}{2}\times 4\times 3\right)$
$=36-(9+6+6)=15$

02 그래프와 그 해석

p. 183 ~ p. 187

유형 **05** ㄷ	學 **05** ㄹ	유형 **06** (다)	學 **06** ④
유형 **07** ㄴ	學 **07** ㄷ	유형 **08** 5초 후	學 **08** 20 m
짧 **05** 풀이 참조		짧 **06** 3번	
짧 **07** ①		짧 **08** 시속 4 km	
생각 6분		생각 40분 후	
생각 무승부			

유형 05 ㄷ

순서쌍 $(2, 0)$, $(4, 13)$, $(6, 22)$, $(8, 26)$, $(10, 15)$, $(12, 0)$을 좌표로 하는 점을 좌표평면 위에 나타낸 그래프를 찾는다.

學 05 ㄹ

점 $(6, 13)$과 점 $(12, 21)$이 표시 되어 있는 그래프는 ㄹ이다.

유형 06 (다)

(다) 구간에서 그래프가 오른쪽 아래를 향하고 있으므로 금 시세가 하락한다.

學 06 ④

(라) 구간에서 그래프가 오른쪽 위로 가장 가파르게 향하고 있으므로 가장 높은 수익을 얻을 수 있다.

유형 07 ㄴ

처음에는 물의 높이가 천천히 증가하다가 나중에는 빠르게 증가한다.

學 07 ㄷ

처음에는 물의 높이가 천천히 감소하다가 나중에는 빠르게 감소한다.

유형 08 5초 후

100 m 달리는 데에 영서는 20초, 희진이는 25초가 걸리므로 영서가 도착한 지 $25-20=5$(초 후)에 희진이가 도착한다.

學 08 20 m

영서가 100 m를 달렸을 때, 희진이는 80 m를 달렸으므로 영서와 희진이의 떨어진 거리의 차는
$100-80=20(\text{m})$이다.

짧 05 풀이 참조

x	1	2	3	4
y	3	5	7	9

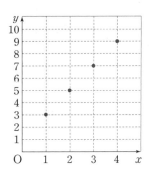

짧 06 3번

그래프의 모양이 수평인 구간이 3개이므로 엘리베이터는 3번 멈추었다.

짧 07 ①

물의 높이가 일정하면서 A보다는 빠르게 증가하므로 구하는 물통은 ①이다.

짧 08 시속 4 km

7분부터 9분까지 러닝머신 B가 시속 7 km, 러닝머신 A가 시속 3 km로 두 속력의 차의 최댓값은
$7-3=4(\text{km/시})$이다.

생각 ○ 6분

출발한 지 4분 후에 가장 높은 곳에 위치하고, 출발한 지 10분 후에 지면에 도착한다.

$10-4=6$(분)

생각 ○○ 40분 후

두 그래프가 만나는 지점의 좌표가 거북이와 토끼가 만나는 때이다. 즉, 출발한지 40분 후에 거북이는 토끼를 역전한다.

생각 ○○○ 무승부

토끼의 속력은 $\dfrac{4}{20}=\dfrac{1}{5}$(km/분)이므로

45분에 잠에서 깨어 5분간 $\dfrac{1}{5} \times 5 = 1$(km)를 달릴 수 있다.

따라서 출발한 지 50분 후에 거북이와 토끼는 동시에 결승점에 도착하므로 경기의 결과는 무승부이다.

---

03 정비례 관계와 그 그래프

p. 189~p. 193

유형 09 ③, ④	**확 09** ①
유형 10 ④	**확 10** ②
유형 11 ④	**확 11** ①
유형 12 $y=-3x$	**확 12** ②
집 09 ⑤	**집 10** ②	**집 11** ㄱ, ㄹ	**집 12** $\dfrac{5}{3}$
생각 ○ ⑤	**생각 ○○** $\dfrac{4}{3}$
생각 ○○○ (1) 145마리 (2) 72마리	

유형 09 ③, ④

y가 x에 정비례하면 $y=ax\,(a \neq 0)$의 관계식을 갖는다.

확 09 ①

ㄴ. $x=-2$일 때, $y=-16$이다.
ㄷ. x의 값이 2배가 되면 y의 값은 2배가 된다.
따라서 옳은 것은 ㄱ뿐이다.

유형 10 ④

$y=-\dfrac{3}{2}x$에 $x=-2$를 대입하면

$y=-\dfrac{3}{2} \times (-2) = 3$

따라서 $y=-\dfrac{3}{2}x$의 그래프는 원점과 점 $(-2, 3)$을 지나는 직선이다.

확 10 ②

정비례 관계 $y=ax$의 그래프는 $a>0$일 때 원점과 제1사분면, 제3사분면을 지나는 직선이고, $a<0$일 때 원점과 제2사분면, 제4사분면을 지나는 직선이다.
그런데 $x \geq 0$이므로 구하는 정비례 관계의 그래프가 될 수 있는 것은 ②이다.

유형 11 ④

④ $a<0$일 때, 제2사분면과 제4사분면을 지난다.

유형 11 ①

정비례 관계 $y=ax\,(a\neq 0)$의 그래프는 a의 절댓값이 클수록 y축에 더 가까운 직선이 된다. 따라서 x의 계수의 절댓값이 가장 큰 ①이 y축에 가장 가까운 정비례 관계의 그래프이다.

유형 12 $y=-3x$

y가 x에 정비례하므로 $y=ax\,(a\neq 0)$로 놓자.
점 $(-2, 6)$을 지나므로 $y=ax$에 $x=-2$, $y=6$을 대입하면
$6=-2\times a$, $a=-3$ $\therefore y=-3x$

유형 12 ②

y가 x에 정비례하므로 $y=mx\,(m\neq 0)$로 놓자.
점 $(-2, 8)$을 지나므로 $y=mx$에 $x=-2$, $y=8$을 대입하면
$8=-2m$, $m=-4$ $\therefore y=-4x$
$y=-4x$의 그래프가 점 $(3, a)$를 지나므로
$a=-4\times 3=-12$

유형 09 ⑤

⑤에서 $y=3x$이므로 y는 x에 정비례한다.

유형 10 ②

$x=-4$일 때, $y=-\dfrac{1}{2}\times(-4)=2$
$x=0$일 때, $y=2\times 0=0$
$x=4$일 때, $y=-\dfrac{1}{2}\times 4=-2$
따라서 세 점 $(-4, 2)$, $(0, 0)$, $(4, -2)$를 좌표평면 위에 나타낸 것은 ②이다.

유형 11 ㄱ, ㄹ

ㄴ. 오른쪽 아래로 향하는 직선이다.

유형 12 $\dfrac{5}{3}$

$y=ax$의 그래프가 점 $(-3, -1)$을 지나므로
$-1=a\times(-3)$, $a=\dfrac{1}{3}$ $\therefore y=\dfrac{1}{3}x$

$y=\dfrac{1}{3}x$의 그래프가 점 $(4, b)$를 지나므로
$b=\dfrac{1}{3}\times 4=\dfrac{4}{3}$

$\therefore a+b=\dfrac{1}{3}+\dfrac{4}{3}=\dfrac{5}{3}$

생각 ○ ⑤

$y=\dfrac{1}{6}x$에 $x=-2a+2$, $y=a-5$를 대입하면
$a-5=\dfrac{1}{6}(-2a+2)$, $6(a-5)=-2a+2$
$6a-30=-2a+2$, $8a=32$ $\therefore a=4$

생각 ○○ $\dfrac{4}{3}$

$y=ax$에 $x=-3$을 대입하면 $y=-3a$
$\therefore A(-3, -3a)$
$y=4x$에 $x=-3$을 대입하면
$y=4\times(-3)=-12$
$\therefore B(-3, -12)$
따라서 선분 AB의 길이는 $12-3a$이므로
$(\triangle AOB$의 넓이$)=\dfrac{1}{2}\times 3\times(12-3a)=12$
$\therefore a=\dfrac{4}{3}$

생각 ○○○ (1) 145마리 (2) 72마리

(1) (i) $x=50$일 때, $y=\dfrac{174}{6}\times 50=1450$(마리)

  (ii) $x=45$일 때, $y=\dfrac{174}{6}\times 45=1305$(마리)

  (i), (ii)에서 $1450-1305=145$(마리)

(2) $2088=\dfrac{174}{6}\times x$에서

  $x=2088\times\dfrac{9}{174}=72$(마리)

04 반비례 관계와 그 그래프

p. 195 ~ p. 199

유형 **13** ③	學 **13** ④	유형 **14** ④	學 **14** ②
유형 **15** ①, ④		學 **15** ㄷ, ㅁ, ㅂ	
유형 **16** $y=-\dfrac{2}{x}$		學 **16** 12개	
習 **13** ②	習 **14** ④	習 **15** ⑤	習 **16** ②
생각 72		생각 ⑤	
생각 (1) 3, 1.25, 0.75 (2) $y=\dfrac{1.5}{x}$ (3) 6.25 mm			

유형 13 ③

y가 x에 반비례하면 $y=\dfrac{a}{x}$ $(a\neq0)$의 관계식을 갖거나 $xy=a$(일정)이다.
따라서 y가 x에 반비례하는 것은 ㄷ, ㅁ, ㅂ의 3개이다.

學 13 ④

ㄱ. xy의 값이 -6으로 일정하다.

유형 14 ④

각 x의 값에 대한 함숫값 y는 다음 표와 같다.

x	-4	-2	-1	1	2	4
y	-1	-2	-4	4	2	1

따라서 $(-4, -1)$, $(-2, -2)$, $(-1, -4)$, $(1, 4)$, $(2, 2)$, $(4, 1)$의 6개의 점을 좌표평면 위에 나타낸 것은 ④이다.

學 14 ②

$y=-\dfrac{12}{x}$의 그래프는 제2사분면과 제4사분면을 지나고 원점에 대하여 대칭인 한 쌍의 곡선이다.
또한, 점 $(3, -4)$를 지나므로 구하는 반비례 관계의 그래프는 ②이다.

유형 15 ①, ④

① 점 $(a, 1)$을 지난다.
④ $a>0$이면 제1사분면과 제3사분면을 지난다.

學 15 ㄷ, ㅁ, ㅂ

$x<0$에 대하여 정비례 관계 $y=ax$의 그래프는 $a<0$일 때, x의 값이 증가하면 y의 값은 감소한다.
또, 반비례 관계 $y=\dfrac{a}{x}$의 그래프는 $a>0$일 때, x의 값이 증가하면 y의 값은 감소한다.

유형 16 $y=-\dfrac{2}{x}$

원점에 대하여 대칭인 한 쌍의 곡선이므로
$$y=\dfrac{a}{x}\ (a\neq0)$$
점 $(-1, 2)$를 지나므로 $y=\dfrac{a}{x}$에 $x=-1$, $y=2$를 대입하면
$$2=\dfrac{a}{-1},\ a=-2 \qquad \therefore y=-\dfrac{2}{x}$$

學 16 12개

y가 x에 반비례하므로 $y=\dfrac{a}{x}$에 $x=-\dfrac{9}{2}$, $y=4$를 대입하면
$$4=\dfrac{a}{-\dfrac{9}{2}},\ a=-18 \qquad \therefore y=-\dfrac{18}{x}$$
이때, y좌표가 정수가 되려면 x좌표가 $|-18|$의 약수 또는 $|-18|$의 약수에 $-$부호를 붙인 수이어야 하므로 x의 값은
$$-18, -9, -6, -3, -2, -1, 1, 2, 3, 6, 9, 18$$
따라서 x좌표와 y좌표가 모두 정수인 점의 개수는 12개이다.

習 13 ②

① $y=\dfrac{5}{x}$ ② $y=\dfrac{3}{100}x$ ③ $y=\dfrac{20}{x}$

④ $y=\dfrac{18}{x}$　　　⑤ $y=\dfrac{100}{x}$

꼭 14 ④

반비례 관계 $y=\dfrac{a}{x}(a<0)$의 그래프는 제2사분면과
제4사분면을 지나고, 원점에 대하여 대칭인 한 쌍의
곡선이다. 그런데 $x>0$이므로 구하는 반비례 관계의
그래프는 ④이다.

꼭 15 ⑤

① 원점을 지나지 않고 직선도 아니다.

② y는 x에 반비례한다.

③ $x=2$일 때, $y=\dfrac{8}{2}=4$이므로 점 $(2, 4)$를 지난다.

④ $y=\dfrac{8}{x}$에서 $8>0$이므로 x의 값이 증가할수록 y의
값은 감소한다.

⑤ x의 값은 2, 3, 4이므로 $y=\dfrac{8}{x}$에 대입하면

$x=2$일 때 $y=\dfrac{8}{2}=4$, $x=3$일 때 $y=\dfrac{8}{3}$,

$x=4$일 때 $y=\dfrac{8}{4}=2$

따라서 구하는 반비례 관계의 그래프는 제1사분면
위에 세 점 $(2, 4)$, $\left(3, \dfrac{8}{3}\right)$, $(4, 2)$로 나타난다.

꼭 16 ②

y가 x에 반비례하므로 $y=\dfrac{a}{x}(a\neq 0)$로 놓자.

점 $(-3, 4)$를 지나므로 $y=\dfrac{a}{x}$에 $x=-3$, $y=4$를
대입하면

$4=\dfrac{a}{-3}$, $a=-12$　　$\therefore y=-\dfrac{12}{x}$

이때, y좌표가 양의 정수가 되려면 x좌표가 $|-12|$
의 약수에 $-$를 붙인수 이어야 하므로 x의 값은

$-1, -2, -3, -4, -6, -12$

따라서 y좌표가 양의 정수인 점은 $(-1, 12)$, $(-2, 6)$,
$(-3, 4)$, $(-4, 3)$, $(-6, 2)$, $(-12, 1)$의 6개이다.

생각 ○ 72

두 점 P, Q의 x좌표를 각각 a, b라 하면

$P\left(a, \dfrac{36}{a}\right)$, $Q\left(b, \dfrac{36}{b}\right)$

($\square$OAPB의 넓이)$=a\times\dfrac{36}{a}=36$,

($\square$OCQD의 넓이)$=b\times\dfrac{36}{b}=36$

따라서 $\square$OAPB와 $\square$OCQD의 넓이의 합은
$36+36=72$

생각 ○○ ⑤

정비례 관계 $y=\dfrac{2}{3}x$의 그래프가 점 A를 지나므로

$x=3$을 대입하면 $y=\dfrac{2}{3}\times 3=2$

$\therefore$ A$(3, 2)$

반비례 관계 $y=\dfrac{a}{x}$의 그래프가 점 A$(3, 2)$를 지나
므로

$2=\dfrac{a}{3}$　　$\therefore a=6$

생각 ○○○ (1) 3, 1.25, 0.75 (2) $y=\dfrac{1.5}{x}$ (3) 6.25 mm

(1)

x	0.1	0.5	1.0	1.2	1.5	2.0
y(mm)	15	3	1.5	1.25	1	0.75

(2) $xy=1.5$이므로 $y=\dfrac{1.5}{x}$

(3) 시력이 1.2인 사람의 분리력은 1.25 mm이므로 구
분할 수 있는 란돌트 고리의 바깥쪽 원의 지름의
최소 길이는
$1.25\times 5=6.25$ (mm)

05 정비례 관계와 반비례 관계의 활용
p. 201 ~ p. 205

유형 **17** $y=20x$		學 **17** $y=\dfrac{24}{x}$	
유형 **18** $y=\dfrac{135}{x}$		學 **18** $y=\dfrac{4}{3}x$	
유형 **19** $y=15.8x$, $20\,L$		學 **19** $y=\dfrac{200}{x}$, 시속 $50\,km$	
유형 **20** ④		學 **20** ④	
꿈 **17** $y=\dfrac{x}{10}$		꿈 **18** ④	
꿈 **19** $y=\dfrac{x}{220}$		꿈 **20** ⑤	
생각 ②		생각 7시간	
생각 $y=12x$			

유형 **17** $y=20x$

(물의 양)=(시간 당 채워지는 물의 양)×(시간)이므로
$y=20×x=20x$

學 **17** $y=\dfrac{24}{x}$

(물의 양)=(시간 당 채워지는 물의 양)×(시간)이므로
$24=x×y$

$\therefore y=\dfrac{24}{x}$

유형 **18** $y=\dfrac{135}{x}$

톱니 수가 45개인 톱니바퀴 A가 3번 회전할 때, 톱니
수가 x개인 톱니바퀴 B가 y번 회전하므로
(A의 톱니 수)×(A의 회전 수)
=(B의 톱니 수)×(B의 회전 수)
즉, $45×3=xy$에서 $135=xy$

$\therefore y=\dfrac{135}{x}$

學 **18** $y=\dfrac{4}{3}x$

톱니 수가 24개인 톱니바퀴 A가 x번 회전할 때, 톱니
수가 18개인 톱니바퀴 B가 y번 회전하므로

(A의 톱니 수)×(A의 회전 수)
=(B의 톱니 수)×(B의 회전 수)

즉, $24×x=18×y$에서 $y=\dfrac{24}{18}x$

$\therefore y=\dfrac{4}{3}x$

유형 **19** $y=15.8x$, $20\,L$

$1\,L$의 휘발유로 $15.8\,km$를 갈 수 있으므로 x와 y 사
이의 관계식은 $y=15.8x$

이 자동차로 $316\,km$를 가므로 $y=15.8x$에 $y=316$
을 대입하면

$316=15.8x$ $\therefore x=20\,(\,L\,)$

따라서 이 자동차로 $316\,km$를 가는 데에는 $20\,L$의
휘발유가 필요하다.

學 **19** $y=\dfrac{200}{x}$, 시속 $50\,km$

(거리)=(속력)×(시간)이므로 x와 y 사이의 관계식은

$xy=200$ $\therefore y=\dfrac{200}{x}$

$y=\dfrac{200}{x}$에 $y=4$를 대입하면 $4=\dfrac{200}{x}$ $\therefore x=50$

따라서 시속 $50\,km$로 이동해야 한다.

유형 **20** ④

소금물의 농도가 $\dfrac{20}{500}×100=4\,(\%)$이므로 x와 y 사
이의 관계식은

$\dfrac{y}{x}×100=4$ $\therefore y=\dfrac{x}{25}$

學 **20** ④

x기압일 때, 기체의 부피를 $y\,m^3$라 하면 $y=\dfrac{a}{x}$로 놓
을 수 있다.

$y=\dfrac{a}{x}$에 $x=6$, $y=25$를 대입하면

$25=\dfrac{a}{6}$, $a=150$ $\therefore y=\dfrac{150}{x}$

$y = \dfrac{150}{x}$에 $x = 5$를 대입하면

$y = \dfrac{150}{5} = 30\,(\mathrm{m}^3)$

활 17 $y = \dfrac{x}{10}$

(물의 양)=(시간 당 빼내는 물의 양)×(시간)이므로

$x = 10 \times y$

$\therefore y = \dfrac{x}{10}$

활 18 ④

톱니 수가 4개인 톱니바퀴 A가 3번 회전할 때, 톱니 수가 x개인 톱니바퀴 B가 y번 회전하므로

(A의 톱니 수)×(A의 회전 수)

=(B의 톱니 수)×(B의 회전 수)

즉, $4 \times 3 = x \times y$에서 $xy = 12$

$\therefore y = \dfrac{12}{x}$

활 19 $y = \dfrac{x}{220}$

휘발유 5L의 가격은 11000원이므로 휘발유 1L의 가격은 2200원이다.

이때, 휘발유 1L로 10 km를 달릴 수 있으므로

$2200 : 10 = x : y$, $10x = 2200y$

$\therefore y = \dfrac{x}{220}$

활 20 ⑤

소금물의 농도는 일정하므로 x와 y 사이의 관계식은

$\dfrac{150}{x} \times 100 = \dfrac{y}{30} \times 100$, $\dfrac{150}{x} = \dfrac{y}{30}$

$xy = 4500$

$\therefore y = \dfrac{4500}{x}$

생각 ○ ②

$x \times y = 6 \times 16$ $\therefore y = \dfrac{96}{x}$

$y = \dfrac{96}{x}$에 $y = 12$를 대입하면 $12 = \dfrac{96}{x}$

$\therefore x = 8$(대)

생각 ○○ 7시간

x시간 동안 나오는 물의 양을 yL라 하면 A호스와 B호스의 x와 y 사이의 관계식은 각각

$y = 180x$, $y = 60x$

이때, A, B 두 호스를 모두 사용하여 x시간 동안 나오는 물의 양은

$y = 180x + 60x$ $\therefore y = 240x$

따라서 $y = 240x$에 $y = 1680$을 대입하면

$1680 = 240x$ $\therefore x = 7$(시간)

생각 ○○○ $y = 12x$

60분에 분침은 360°, 시침은 30°씩 움직인다.

즉, $360 : 30 = y : x$에서

$30y = 360x$ $\therefore y = 12x$

p. 206~p. 211

단원 종합 문제

01 ①	02 ③	03 ②	04 ③
05 ③, ④	06 ③	07 ③	08 ③
09 ①	10 ②	11 ⑤	12 ⑤
13 ③	14 ①	15 ①	16 ④
17 (1) $y=\dfrac{26}{25}x$ (2) 2500원		18 $\dfrac{4}{5}$	
19 5개		20 19	

01 ①
x축 위에 있으므로 y의 좌표는 0이다.
$\therefore (-7, 0)$

02 ③
점 $A(x, y)$가 제3사분면 위의 점이므로 $x<0$, $y<0$
ㄱ. $|x|>|y|$이면 $x-y<0$, $|x|<|y|$이면
　　$x-y>0$
ㄹ. $\dfrac{y}{x}>0$
따라서 항상 옳은 것은 ㄴ, ㄷ이다.

03 ②
물의 높이가 천천히 일정하게 증가하다가 빠르게 일정
하게 증가한 후 다시 천천히 일정하게 증가한다.

04 ③
그래프의 경사가 가장 완만한 ㈐ 구간의 속력이 가장
느리다.

05 ③, ④
y가 x에 정비례하는 것은 $y=ax (a \neq 0)$의 꼴이다.

06 ③
ㄱ. $y=-6x$에 $x=2$를 대입하면 $y=-6\times 2=-12$
　　즉, $y=-6x$의 그래프는 점 $(2, -12)$를 지난다.

ㄴ. $-6<0$이므로 x의 값이 증가하면 y의 값은 감소
　　한다.
ㄷ. $|2|<|-6|$이므로 $y=2x$의 그래프보다 y축에
　　더 가깝다.
따라서 옳은 것은 ㄱ, ㄷ이다.

07 ③
원점을 지나는 직선이므로 $y=ax (a \neq 0)$로 놓자.
점 $(4, 3)$을 지나므로 $y=ax$에 $x=4$, $y=3$을 대입
하면
$$3=4\times a, \ a=\frac{3}{4} \qquad \therefore y=\frac{3}{4}x$$

08 ③
점 P의 x좌표는 3이므로 $P(3, 3a)$
(사다리꼴 OABC의 넓이)
$$=\frac{1}{2}\times(2+3)\times 5=\frac{25}{2}$$
이므로
$$(\triangle OPC의 넓이)=\frac{1}{2}\times 3\times 3a=\frac{25}{4}$$
$$\therefore a=\frac{25}{18}$$

09 ①
ㄴ. 제1사분면과 제3사분면을 지난다.
ㄷ. y축과 만나지 않는다.
ㄹ. $x>0$일 때, x의 값이 증가할수록 y의 값은 감소
　　한다.
따라서 옳은 것은 ㄱ뿐이다.

10 ②
점 P의 x좌표는 -3이므로 y좌표는 $\dfrac{a}{-3}$, 점 Q의 x
좌표는 -2이므로 y좌표는 $\dfrac{a}{-2}$이다. 이때, 두 점의
y좌표의 차는 1이므로

$$\left(-\frac{a}{2}\right)-\left(-\frac{a}{3}\right)=1 \quad \therefore a=-6$$

$$\therefore y=-\frac{6}{x}$$

따라서 점 Q의 y좌표는 $-\dfrac{6}{-2}=3$

11 ⑤

점 A의 x좌표를 p라 하면

$$A\left(p,\ \frac{a}{p}\right),\ C\left(-p,\ -\frac{a}{p}\right)$$

$$\therefore \text{(사각형 ABCD의 넓이)}=2p\times\frac{2a}{p}=60$$

$$\therefore a=15$$

12 ⑤

$y=ax$에 $x=-3$, $y=4$를 대입하면

$$4=-3a \quad \therefore a=-\frac{4}{3}$$

$y=\dfrac{b}{x}$에 $x=-3$, $y=4$를 대입하면

$$4=\frac{b}{-3} \quad \therefore b=-12$$

$$\therefore ab=\left(-\frac{4}{3}\right)\times(-12)=16$$

13 ③

x분 후 물의 높이는 $2x\,\text{cm}$이고, 수조의 높이는 $12\,\text{cm}$이므로

$$2x=12 \quad \therefore x=6 \quad \therefore 0\le x\le 6$$

$$\therefore y=24\times 6\times 2x=288x\,(0\le x\le 6)$$

14 ①

첫 번째 도형의 둘레의 길이는 $4\,\text{cm}$
두 번째 도형의 둘레의 길이는 $8\,\text{cm}$
세 번째 도형의 둘레의 길이는 $12\,\text{cm}$
　　　　　⋮
즉, x번째 도형의 둘레의 길이는 $(4\times x)\,\text{cm}$이므로
x와 y 사이의 관계식은 $y=4x$이다.

따라서 $y=4x$에 $x=8$을 대입하면

$$y=4\times 8=32\,(\text{cm})$$

15 ①

$$\text{(소금의 양)}=\frac{\text{(소금물의 농도)}}{100}\times\text{(소금물의 양)}$$이므로

$$20=\frac{x}{100}\times y \quad \therefore y=\frac{2000}{x}$$

16 ④

걸린 시간을 x초, 이동한 거리를 $y\,\text{m}$라 하자.

성희가 이동한 거리는 $y=\dfrac{100}{16}x=\dfrac{25}{4}x$

재원이가 이동한 거리는 $y=\dfrac{100}{20}x=5x$

x초 후 두 사람의 거리의 차가 $10\,\text{m}$라 하면

$$\frac{25}{4}x-5x=10,\ \frac{5}{4}x=10$$

$$\therefore x=8(\text{초 후})$$

17 (1) $y=\dfrac{26}{25}x$　(2) 2500원

(1) $\text{(정가)}=\text{(원가)}+\text{(이익)}=x+x\times\dfrac{30}{100}=\dfrac{13}{10}x$
　　이므로

　　$$\text{(판매가)}=\frac{13}{10}x\times\frac{80}{100}=\frac{26}{25}x$$

　　$$\therefore y=\frac{26}{25}x \qquad \cdots\text{[3점]}$$

(2) $y=\dfrac{26}{25}x$에 $y=2600$을 대입하면

　　$$2600=\frac{26}{25}x \qquad \therefore x=2500(\text{원})$$

　　따라서 원가는 2500원이다. 　　　　$\cdots$[3점]

18 $\dfrac{4}{5}$

점 A의 x좌표는 3이므로 y좌표는 $y=3\times 5=15$

$$\therefore A(3,\ 15) \qquad \cdots\text{[2점]}$$

점 B의 x좌표는 3이고 y좌표는 $15-7=8$

$\therefore B(3, 8)$ … [2점]

점 C의 y좌표는 8이고 x좌표는 $3+7=10$

$\therefore C(10, 8)$ … [2점]

따라서 정비례 관계 $y=ax$의 그래프는 점 $C(10, 8)$

을 지나므로 $y=ax$에 $x=10$, $y=8$을 대입하면

$8=10a$ $\therefore a=\dfrac{4}{5}$ … [4점]

19   5개

$x>0$일 때, 반비례 관계 $y=\dfrac{4}{x}$의 그래프는 점 $(1, 4)$,

$(2, 2)$, $\left(3, \dfrac{4}{3}\right)$, $(4, 1)$을 지난다.   … [5점]

따라서 색칠한 부분에 속하는 점 중 x좌표와 y좌표가

모두 정수인 점의 개수는 $(1, 1)$, $(1, 2)$, $(1, 3)$,

$(2, 1)$, $(3, 1)$의 5개이다.   … [5점]

20   19

네 점 $A(2, 3)$, $B(-2, 1)$, $C(0, -3)$, $D(4, 0)$을

좌표평면 위에 나타내면 다음 그림과 같다.

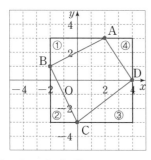

                                   … [5점]

$\therefore$ (사각형 ABCD의 넓이)

$=6\times6-①-②-③-④$

$=6\times6-\left(\dfrac{1}{2}\times4\times2\right)-\left(\dfrac{1}{2}\times4\times2\right)$

$\quad\ -\left(\dfrac{1}{2}\times4\times3\right)-\left(\dfrac{1}{2}\times3\times2\right)$

$=36-4-4-6-3=19$ … [5점]

MEMO

개념엔 유형학습

정답과 해설

메가스터디BOOKS

🖥 www.megastudybooks.com

📱 1661-5431

개념엔
유형학습

개념엔
유형학습